TYLER HAMILTON
UND DANIEL COYLE

Die Radsport-Mafia
und ihre schmutzigen Geschäfte

TYLER HAMILTON
UND DANIEL COYLE

DIE RADSPORT MAFIA

UND IHRE SCHMUTZIGEN GESCHÄFTE

Aus dem Amerikanischen von
Gabriele Burkhardt, Dagmar Mallett,
Werner Roller und Sigrid Schmid

MALIK

Mehr über unsere Autoren und Bücher:
www.malik.de

Die englische Originalausgabe erschien im September 2012
unter dem Titel »The Secret Race. Inside the Hidden World
of the Tour de France: Doping, Cover-ups, and Winning
at All Costs« bei Bantam Books, Random House Inc., New York.

Die jüngsten Entwicklungen wie die Veröffentlichung des Dossiers
der amerikanischen Anti-Doping-Agentur USADA und die Entscheidung
des Radsport-Weltverbandes UCI, Lance Armstrong alle sieben Tour-
de-France-Titel abzuerkennen und ihn mit einer lebenslangen Sperre
zu belegen, erfolgten im Oktober 2012.

Deutsche Übersetzung des einleitenden Kapitels sowie der
Kapitel 1, 9 und 16 von Gabriele Burkhardt, der Kapitel 3, 4,
5, 10 und 12 sowie des Nachworts, des Danks und der
weiterführenden Literatur von Dagmar Mallett, der Kapitel 2,
6, 7, 11, 13 und 15 von Werner Roller und der Kapitel 8 und
14 von Sigrid Schmid.

MIX
Papier aus verantwor-
tungsvollen Quellen
FSC FSC® C006701
www.fsc.org

ISBN 978-3-89029-765-1
© Tyler Hamilton und Daniel Coyle, 2012
© der deutschsprachigen Ausgabe:
Piper Verlag GmbH, München 2012
Redaktion: Carlson Reinhard, Friedberg
Satz: seitenweise, Tübingen
Gesetzt aus der Sabon
Litho: Lorenz & Zeller, Inning a.A.
Druck und Bindung: CPI – Ebner & Spiegel, Ulm
Printed in Germany

Für meine Mutter
T.H.

Für Jen
D.C.

Wenn man die Wahrheit verschließt und in den Boden ver-
gräbt, dann wird sie nur wachsen und so viel explosive Kraft
ansammeln, dass sie an dem Tag, an dem sie durchbricht, alles,
was ihr im Wege steht, fortfegt.

ÉMILE ZOLA

INHALT

DIE GESCHICHTE HINTER DEM BUCH

Daniel Coyle

Im Jahr 2004 zog ich mit meiner Familie nach Spanien, um ein Buch über Lance Armstrongs Versuch zu schreiben, seine sechste Tour de France zu gewinnen – ein aus vielerlei Gründen faszinierendes Projekt, in dessen Mittelpunkt das große Rätsel stand: Wer war Lance Armstrong wirklich? War er ein echter und würdiger Champion, wie viele glaubten? War er ein Dopingsünder und Betrüger, wie manch andere behaupteten? Oder bewegte er sich in dem undurchsichtigen Raum irgendwo dazwischen?

Wir mieteten ein Apartment in Armstrongs Trainingsbasis Girona, zehn Minuten Fußmarsch von Armstrongs festungsähnlicher Unterkunft entfernt, die er sich mit seiner damaligen Freundin Sheryl Crow teilte. Ich lebte fünfzehn Monate auf dem Planeten Lance und verbrachte meine Zeit mit Armstrongs Freunden, Teamgefährten, Ärzten, Trainern, Anwälten, Agenten, Mechanikern, Masseuren, Rivalen, Kritikern und natürlich mit Armstrong selbst.

Mir imponierten Armstrongs unglaubliche Energie, sein bissiger Humor und seine Führungsqualitäten. Seine Unbeständigkeit, Heimlichtuerei und die tyrannische Art, mit der er manchmal Teamkameraden und Freunde behandelte, gefielen mir allerdings nicht. Andererseits ging es hier nicht um Kinderkram, sondern um den physisch und psychisch anstrengendsten Sport der Welt. Nachdem ich alle Aspekte der Geschichte so eingehend wie möglich beleuchtet hatte, schrieb ich *Lance Armstrong's War,* zu Deutsch *Armstrongs Kreuzzug.* Einige von Armstrongs Teamgefährten fanden das Buch objektiv und fair (Armstrong selbst erklärte sich offiziell mit dem Buch »einverstanden«).

In den Monaten und Jahren nach Erscheinen des Buches wurde ich oft gefragt, ob ich glaubte, Armstrong würde dopen. Ich war mir nicht sicher, aber mit der Zeit kam es mir immer wahrscheinlicher vor. Einiges schien darauf hinzudeuten: Studien belegten, dass Doping die Leistungsfähigkeit um zehn bis fünfzehn Prozent erhöhte – und das in einer Sportart, bei der Rennen häufig mit dem Bruchteil eines Prozentpunkts entschieden werden. Tatsache war, dass fast jeder Fahrer, der bei der Tour de France mit Armstrong auf dem Podest stand – fünf seiner Kollegen aus dem US-Postal-Team eingeschlossen –, irgendwann mit Doping in Zusammenhang gebracht wurde. Und dann war da noch Armstrongs langjährige enge Verbindung zu Dr. Michele Ferrari alias »Dr. Evil«, dem mysteriösen Italiener, bekannt als einer der berüchtigsten Ärzte im Radsport.

Andererseits hatte Armstrong Dutzende von Dopingkontrollen mit Bravour bestanden. Er verteidigte sich stets vehement und hatte schon mehrere öffentliche Gerichtsverfahren gewonnen. Zudem hatte ich als Alternative immer die logische Schlussfolgerung im Hinterkopf: Sollte sich herausstellen, dass Armstrong tatsächlich dopte, dann waren so eben einfach die Wettbewerbsbedingungen, oder etwa nicht?

Ungeachtet der Wahrheit war ich mir hundertprozentig sicher, dass ich nie wieder über Doping und/oder Armstrong schreiben würde. Doping war ganz einfach der Horror. Sicher, auf eine abenteuerliche Art und Weise war das Thema faszinierend, aber je eingehender man sich damit beschäftigte, desto unangenehmer und undurchsichtiger wurde es: Es gab Geschichten von gefährlich unqualifizierten Ärzten, skrupellosen Teamdirektoren und krampfhaft ehrgeizigen Fahrern, die sich damit schwerwiegende physische und psychische Probleme einhandelten. Ein düsteres Kapitel, das während meines Aufenthalts in Girona noch düsterer wurde angesichts des Todes von zwei der strahlendsten Stars in der Ära Armstrong: Marco Pantani (Depressionen, Überdosis Kokain mit vierunddreißig) und José Maria Jiménez (Depressionen, Herzinfarkt mit zweiunddreißig). Dazu kam noch der Selbstmordversuch eines weiteren Stars, des 30-jährigen Frank Vandenbroucke.

Das alles umschloss, wie ein Tresor aus Stahlbeton, die Doktrin der Omertà: jenes unausgesprochene Schweigegelübde, das Radprofis auferlegt ist, sobald es um Doping geht. Die Macht der Omertà ist fest etabliert: In der langen Geschichte des Radsports hat nie ein Spitzenfahrer umfassend ausgepackt. Mannschaftspersonal und Betreuer, die über Doping sprachen, wurden aus der Gemeinschaft ausgestoßen und galten als Verräter. Bei derart wenigen verlässlichen Informationen war es eine frustrierende Aufgabe, über Doping zu berichten, vor allem was Armstrong betraf, dessen Kultstatus als Held aus dem Volk, der den Krebs besiegt hatte, zwar eingehende Prüfungen nahelegte, ihn zugleich aber auch schützte. Nachdem ich *Armstrongs Kreuzzug* beendet hatte, wandte ich mich jedenfalls anderen Projekten zu und war froh, den Planeten Lance in meinem Rückspiegel allmählich entschwinden zu sehen.

Im Mai 2010 aber änderte sich alles.

Die US-Regierung eröffnete vor einer großen Ermittlungskommission ein Verfahren gegen Armstrong und sein US-Postal-Team. Zu den Anklagepunkten zählten unter anderem Betrug, Konspiration, organisierte Kriminalität, Bestechung ausländischer Funktionäre und Zeugeneinschüchterung. Die Untersuchung wurde von Bundesanwalt Doug Miller und Ermittler Jeff Nowitzky geleitet, die schon im Fall Barry Bonds/BALCO eine wichtige Rolle gespielt hatten [auch dabei ging es um einen spektakulären Fall von Doping im Sport, Anm. d. Verlags]. In diesem Sommer nun leuchteten sie in die dunkelsten Ecken von »Planet Lance«. Zahlreiche Zeugen wurden vorgeladen – Armstrongs Teamkameraden, Angestellte und Freunde –, um vor einer Grand Jury in Los Angeles auszusagen.

Ich erhielt mehrere Telefonanrufe und erfuhr aus zuverlässiger Quelle, dass die Untersuchung immer größere Ausmaße annahm: Nowitzky lagen Augenzeugenberichte vor, wonach Armstrong Betäubungsmittel befördert, benutzt und verteilt hatte, und es gab Beweise, dass er vermutlich Zugang zu experimentellen Drogen zur Blutauffrischung hatte. Dr. Michael Ashenden, ein australischer Anti-Doping-Experte, der bei mehreren wichtigen Dopinguntersuchungen mitgewirkt hatte, meinte: »Wenn Lance es schafft, aus dieser Sache heil herauszukommen, dann muss er schon ein verdammter Houdini sein.«

Die Untersuchung ging voran, und ich hatte mehr und mehr das Gefühl, dass es noch etwas zu erledigen gab, dass dies die Gelegenheit war, die wahre Geschichte der Ära Armstrong zu offenbaren. Das Problem war nur, dass ich diese Geschichte nicht allein schreiben konnte. Ich brauchte einen Insider, jemanden, der in dieser Welt gelebt hatte und bereit war, die Omertà zu brechen. Und dafür kam eigentlich nur einer infrage: Tyler Hamilton.

Tyler Hamilton war kein Heiliger. Er war als Profi in der Weltspitze gefahren und hatte eine olympische Goldmedaille gewonnen, ehe er 2004 beim Doping erwischt und aus dem Radsport verbannt wurde. Seine Verbindung zu Armstrong reichte mehr als ein Jahrzehnt zurück. Von 1998 bis 2001 war Hamilton zunächst Armstrongs bester Mann bei US Postal gewesen, und nach seinem Wechsel zu CSC und Phonak, wo er die Kapitänsrolle übernahm, wurde er Armstrongs Rivale. Außerdem waren die beiden zufällig Nachbarn – im spanischen Girona wohnten sie im selben Haus, Armstrong im zweiten Stock, Hamilton und seine Frau Haven im dritten.

Vor seinem Sturz galt Hamilton als die Sorte Held, die Sportjournalisten in den 1950er-Jahren gern erfanden: ein Mann der leisen Töne, gut aussehend, höflich und dabei unglaublich zäh. Er stammte aus Marblehead, Massachussetts, wo er bis zum College ein Top-Abfahrtsläufer gewesen war. Nach einer schweren Rückenverletzung entdeckte er dann seine wahre Berufung. Hamilton war das genaue Gegenteil eines schillernden Superstars: ein Arbeiter, der langsam und geduldig die Erfolgsleiter der Radsportwelt hinaufkletterte und der bekannt war für seine beispiellose Arbeitsmoral, seine zurückhaltende, freundliche Art – vor allem aber für seine bemerkenswerte Fähigkeit, Schmerzen zu erdulden.

Als Hamilton sich 2002 auf einer frühen Etappe des dreiwöchigen Giro d'Italia bei einem Sturz die Schulter brach, fuhr er weiter und biss vor Schmerzen die Zähne so fest zusammen, dass er sich nach der Rundfahrt elf Zähne überkronen lassen musste. Immerhin aber landete er auf dem zweiten Platz. »In meiner 48-jährigen Praxis habe ich noch nie einen Mann erlebt, der so große Schmerzen aushalten kann wie er«, erklärte Hamiltons Physiotherapeut Ole Kare Foli.

2003 stürzte Hamilton erneut auf der ersten Etappe der Tour de France und brach sich das Schlüsselbein. Er fuhr auch diesmal weiter, gewann eine Etappe und beendete das Rennen schließlich auf einem beachtlichen vierten Platz. Der erfahrene Tour-Arzt Gérard Porte nannte diese Leistung »das großartigste Beispiel an Tapferkeit, das mir je begegnet ist«.

Hamilton gehörte zu den beliebteren Fahrern im Peloton: Er war bescheiden, sparte nicht mit Lob für andere und blieb stets besonnen. Hamiltons Teamkollegen parodierten ihn gern. Einer spielte Hamilton, der nach einem Sturz zusammengekrümmt auf der Straße lag, ein anderer den Mannschaftsarzt, der herbeigerannt kam und bestürzt ausrief: »O mein Gott, Tyler, dein Bein ist ja ab! Bist du okay?« Und der Kollege, der Hamilton spielte, erwiderte mit einem beschwichtigenden Lächeln: »Keine Sorge, mir geht es gut. Aber wie geht es *Ihnen* heute?«

Ich hatte 2004 in Girona einige Zeit mit Hamilton verbracht, und es war eine unvergessliche Erfahrung gewesen. Meist verhielt er sich, wie es seinem Ruf entsprach: bescheiden, nett, höflich, durch und durch ein Pfadfinder. Er hielt mir die Tür auf, bedankte sich dreimal dafür, dass ich den Kaffee bezahlte; und er war auf charmante Art erfolglos, wenn es darum ging, seinen übermütigen Golden Retriever Tugboat zu bändigen. Wenn wir über das Leben in Girona, über seine Kindheit in Marblehead oder über seine geliebten Red Sox sprachen, war er heiter, aufmerksam und engagiert.

Aber wenn wir uns über den Radsport oder die bevorstehende Tour de France unterhielten, veränderte sich Hamiltons Persönlichkeit. Sein ausgelassener Humor verflüchtigte sich; sein Blick war stur auf seine Kaffeetasse gerichtet, und er benutzte die offenkundigsten, höflichsten und langweiligsten Sportklischees, die ich je gehört hatte. Er bereite sich auf die Tour vor, indem er »sich strikt auf den nächsten Tag, das nächste Rennen konzentriere« und »seine Hausaufgaben« mache, erklärte er mir; Armstrong sei »ein großartiger Typ, ein zäher Wettkämpfer und ein guter Freund«; es sei »eine große Ehre, bei der Tour de France dabei sein zu dürfen«, etc. etc. Es war, als litte er an einer seltenen Störung, die eine unkontrollierbare geistige Trägheit hervorrief, sobald vom Radsport die Rede war.

Bei unserem letzten Gespräch (ein paar Wochen bevor er beim Blutdoping erwischt wurde) hatte Hamilton mich überraschend gefragt, ob ich vielleicht Interesse hätte, mit ihm zusammen ein Buch über sein Leben als Radprofi zu schreiben. Ich sagte, dass ich mich geschmeichelt fühlte und dass wir uns irgendwann eingehender darüber unterhalten sollten. Ehrlich gesagt, wollte ich ihn nur hinhalten. Am Abend sprach ich mit meiner Frau darüber. Ich mochte Hamilton und bewunderte seine Leistungen als Fahrer, aber als Thema für ein Buch war er völlig ungeeignet: Er war einfach zu langweilig.

Ein paar Wochen später musste ich dann feststellen, dass ich mich geirrt hatte. Wie in den folgenden Monaten und Jahren bekannt wurde, hatte der nette Junge ein Doppelleben wie in einem Spionageroman geführt: Die Rede war von Decknamen, geheimen Telefonaten, mehreren zehntausend Dollar, bar bezahlt an einen berüchtigten spanischen Arzt, und einem Gefrierschrank namens »Sibirien« zur Aufbewahrung von Blut, das bei der Tour de France gebraucht wurde. Später fand die spanische Polizei heraus, dass Hamilton bei Weitem nicht der Einzige war: Einige Dutzend andere Spitzenfahrer waren an ähnlich ausgeklügelten Geheimprogrammen beteiligt. Trotz aller Beweise beteuerte Hamilton seine Unschuld. Seine Anträge wurden von der Anti-Doping-Behörde abgewiesen; Hamilton wurde für zwei Jahre gesperrt und verschwand prompt von der Bildfläche.

Nun, da die Untersuchung gegen Armstrong in die Gänge kam, stellte ich einige Nachforschungen an. Aus Zeitungsartikeln erfuhr ich, dass Hamilton mittlerweile fast vierzig war, geschieden und in Boulder, Colorado, einen kleinen Trainings- und Fitnessclub betrieb. Nach seiner Sperre hatte er ein kurzes Comeback versucht, welches abrupt endete, als er positiv auf ein nicht leistungssteigerndes Mittel getestet wurde, das er wegen seiner klinischen Depression eingenommen hatte, an der er seit seiner Kindheit litt. Er wollte keine Interviews geben. Ein ehemaliger Teamkamerad bezeichnete Hamilton als »the Enigma«.

Da ich noch seine E-Mail-Adresse hatte, schrieb ich ihm:

Hallo Tyler,
ich hoffe, es geht Dir gut.
Vor langer Zeit hast Du mich gefragt, ob wir nicht gemeinsam ein Buch schreiben sollten.
Falls Dich der Gedanke immer noch reizt, würde ich gern mit Dir darüber sprechen.
Alles Gute
Dan

Ein paar Wochen später flog ich nach Denver, um mich mit Hamilton zu treffen. Als ich aus dem Terminal trat, sah ich ihn hinter dem Steuer eines silbernen SUV sitzen. Hamiltons jungenhafte Gesichtszüge waren etwas härter geworden; seine Haare waren länger und grau meliert; und in den Augenwinkeln hatte er tiefe Fältchen. Als wir losfuhren, öffnete er eine Dose Kautabak.

»Ich habe versucht, damit aufzuhören. Ich weiß, es ist eine blöde Angewohnheit. Aber es hilft bei all dem Stress. Oder zumindest fühlt es sich so an.«

Wir gingen in ein Restaurant, aber Hamilton war es dort zu voll, und deshalb suchten wir uns ein leereres am Ende der Straße. Hamilton verzog sich mit mir ganz nach hinten in eine Nische, auf dem Tisch brannten zwei Kerzen. Er sah sich um. Und dann hatte es plötzlich den Anschein, als wolle der Mann, der jeden Schmerz ertragen konnte – der sich eher die Zähne ausbiss als aufzugeben –, anfangen zu weinen. Aber nicht aus Kummer, sondern vor Erleichterung.

»Sorry«, meinte er nach einer Weile. »Es fühlt sich einfach nur so gut an, endlich darüber reden zu können.«

Ich begann mit der wichtigsten Frage: Warum hatte Hamilton zuvor gelogen, als es um sein eigenes Doping ging? Hamilton schloss die Augen. Als er sie wieder öffnete, bemerkte ich die Traurigkeit in seinem Blick.

»Ja, ich habe gelogen. Ich dachte, damit würde ich am wenigsten Schaden anrichten. Versetz dich mal in meine Lage. Wenn ich die Wahrheit gesagt hätte, wäre alles vorbei gewesen. Der Team-Sponsor hätte sich zurückgezogen, und fünfzig Leute, fünfzig von meinen Freunden, hätten ihren Job verloren. Menschen, die mir wichtig sind. Hätte ich die Wahrheit gesagt, wäre ich für immer aus dem Geschäft gewesen. Mein Ruf wäre ruiniert gewesen. Du kannst keine halben Sachen machen – du kannst nicht einfach sagen, oh, das war nur ich, nur dieses eine Mal. Die Wahrheit ist zu groß, sie betrifft zu viele. Entweder du erzählst 100 Prozent oder gar nichts. Es gibt nichts dazwischen. Also habe ich mich entschieden zu lügen. Ich bin nicht der Erste, der das getan hat, und ich werde auch nicht der Letzte sein. Wenn man lange genug lügt, glaubt man es manchmal schon selbst.«

Vor ein paar Wochen, erzählte mir Hamilton, sei er zur Untersuchung vorgeladen, unter Eid gestellt und in einem Gerichtssaal in Los Angeles in den Zeugenstand gerufen worden.

»Bevor ich hineinging, habe ich lange darüber nachgedacht. Mir war klar, dass ich das Gericht auf keinen Fall anlügen durfte. Aber wenn ich schon die Wahrheit sagte, dann wollte ich das ganze Programm durchziehen. Zu hundert Prozent alles offenlegen. Keine Frage sollte mich aufhalten. Und so war es dann auch. Ich sagte sieben Stunden lang aus. Ich beantwortete jede Frage, so gut ich konnte. Man fragte mich ständig nach Lance – ich sollte mit dem Finger auf ihn zeigen. Aber ich deutete immer zuerst auf mich selbst. Ich machte ihnen klar, wie das ganze System funktionierte, wie es sich mit den Jahren entwickelte, und dass man nicht einfach eine einzelne Person herausgreifen konnte. Es ging um alle. Alle.«

Hamilton krempelte die Ärmel hoch, drehte seine Handflächen nach oben und streckte die Arme aus. Er deutete auf seine Armbeugen, auf die nahezu identischen spinnwebartigen Narben entlang seiner Adern. »Wir alle haben solche Narben«, erklärte er. »Wie ein Tattoo von einer Bruderschaft. Wenn die Haut gebräunt war, waren sie besonders deutlich zu erkennen, und ich musste jedes Mal lügen; ich behauptete, ich hätte mich bei einem Sturz geschnitten.«

Ich fragte Hamilton, wie er es all die Jahre geschafft habe, nicht positiv getestet zu werden, und er lachte trocken.

»Es ist ganz leicht, bei den Tests zu mogeln«, sagte er. »Wir sind den Tests weit, weit voraus. Sie haben ihre Ärzte und wir unsere, aber unsere sind besser. Und mit Sicherheit besser bezahlt. Außerdem möchte die UCI [Union Cycliste Internationale, der Radsport-Weltverband] bestimmte Burschen gar nicht erwischen. Und warum? Weil es sie Geld kosten würde.«

Ich fragte ihn, warum er seine Geschichte gerade jetzt erzähle. »Ich habe so viele Jahre geschwiegen«, meinte er. »Ich habe es so lange mit mir herumgetragen. Ich habe es nie wirklich von Anfang bis Ende erzählt, und deshalb ist es mir auch nie so richtig klar geworden. Als ich anfing, die Wahrheit zu sagen, spürte ich, wie dieser gewaltige Damm in mir brach. Es fühlt sich so gut an, alles zu erzählen, ich kann dir gar nicht sagen, wie phantastisch es ist. Endlich bin ich diese enorme Last los, und ich weiß, dass ich das Richtige tue, für mich und für die Zukunft meines Sports.«

Am nächsten Morgen traf ich mich mit Hamilton in meinem Hotelzimmer und legte drei Grundregeln fest.

1. Kein Thema sollte tabu sein.
2. Hamilton sollte mir Zugang zu seinen Tagebüchern, Fotos und Quellen gewähren.
3. Sämtliche Fakten sollten, wenn möglich, von unabhängiger Seite bestätigt werden.

Hamilton stimmte ohne zu zögern zu.

An diesem Tag sprach ich acht Stunden lang mit ihm – es war das erste von mehr als sechzig Interviews. Im Dezember verbrachten wir eine Woche in Europa und besuchten wichtige Schauplätze in Spanien, Frankreich und Monaco. Um Hamiltons Darstellung zu überprüfen und zu untermauern, interviewte ich zahlreiche unabhängige Gewährsleute – Teamkollegen, Mechaniker, Ärzte, Ehepartner, Teamassistenten und Freunde sowie acht ehemalige Fahrer von US Postal. Ihre Schilderungen sind ebenfalls in diesem Buch enthalten; einige von ihnen kommen zum ersten Mal zu Wort.

Im Verlauf unserer Beziehung stellte ich fest, dass Hamilton seine Geschichte nicht einfach nur erzählte, sondern dass sie regelrecht aus ihm herausplatzte. Er besitzt ein ungewöhnlich präzises Gedächtnis, und seine Erinnerungen waren sehr exakt, was vielleicht auf die emotionale Intensität der ursprünglichen Erlebnisse zurückzuführen ist. Hamiltons Schmerztoleranz erwies sich ebenfalls als nützlich. Er schonte sich nicht und ermutigte mich sogar, mit denjenigen zu sprechen, die ihn möglicherweise in einem ungünstigen Licht erscheinen ließen. In gewisser Weise war er besessen davon, die Wahrheit ans Licht zu bringen, so wie er früher einmal davon besessen gewesen war, die Tour de France zu gewinnen.

Die Gespräche zogen sich fast über zwei Jahre hin. Manchmal kam ich mir dabei vor wie ein Priester, der die Beichte abnimmt, und manchmal wie ein Psychiater. Mit der Zeit bemerkte ich, wie sich Hamilton beim Erzählen allmählich veränderte. Unsere Beziehung wurde für uns beide zu einer Reise. Für Hamilton war es eine Reise weg von aller Geheimnistuerei hin zu einem normalen Leben; und für mich war es eine Reise ins Zentrum einer völlig unbekannten Welt.

Wie sich herausstellte, ging es in der Geschichte, die er erzählte, nicht um Doping, sondern um Macht. Sie handelte von einem ganz normalen Jungen, der sich in einer außergewöhnlichen Welt an die Spitze hocharbeitete, der lernte, ein dubioses Spiel aus Strategie und Informationen zu spielen und sich am äußersten Rand menschlicher Leistungsfähigkeit zu bewegen. Es ging um eine korrupte, zugleich aber seltsam ritterliche Welt, in der man alle möglichen Chemikalien schluckte, um schneller zu sein, und dennoch auf seinen Gegner wartete, wenn dieser stürzte. In erster Linie aber ging es um die unerträgliche Belastung, ein geheimes Leben führen zu müssen.

»An einem Tag bin ich ein ganz normaler Mensch, der ein ganz normales Leben führt«, erklärte Hamilton. »Und am nächsten Tag stehe ich an irgendeiner Straßenecke in Madrid mit nicht zurückverfolgbarem Handy und einem Loch im Arm. Und ich blute wie ein Schwein und hoffe, dass man mich nicht verhaftet. Es war völlig verrückt. Aber damals schien es die einzige Möglichkeit zu sein.«

Manchmal erzählte mir Hamilton von seiner Angst, Armstrong und seine einflussreichen Freunde könnten gerichtlich gegen ihn vorgehen, aber er äußerte niemals Hassgefühle gegenüber Armstrong. »Ich kann mit Lance mitfühlen«, sagte Hamilton. »Ich begreife, wer er ist und wo er steht. Er hat dieselbe Wahl getroffen wie wir alle, um mit im Spiel zu sein. Dann gewann er die Tour, die Sache geriet außer Kontrolle, und die Lügen wurden immer mehr. Jetzt bleibt ihm keine andere Wahl. Er muss weiter lügen und versuchen, seine Leute davon zu überzeugen, bei der Stange zu bleiben. Er kann nicht mehr zurück. Er darf nicht die Wahrheit sagen. Er sitzt in der Falle.«

Armstrong reagierte nicht auf die Bitte um ein Interview für dieses Buch. Stattdessen machten seine Rechtsvertreter deutlich, dass er sämtliche Dopingvorwürfe strikt zurückweise.

Nachdem die US-Anti-Doping-Behörde (USADA) Armstrong, seinem Trainer, Dr. Ferrari und vier seiner Postal-Teamkollegen ein Dopingkomplott zur Last gelegt hatte, äußerte sich Armstrong in einer Erklärung vom 12. Juni 2012 folgendermaßen: »Ich habe nie gedopt, und im Gegensatz zu vielen meiner Ankläger habe ich als Ausdauersportler 25 Jahre lang ohne irgendwelche leistungssteigernden Mittel Wettkämpfe bestritten, mich über 500 Dopingtests unterzogen und habe sie alle bestanden.«

Einige von Armstrongs Kollegen, die von der USADA angeklagt wurden, haben ebenfalls mit Vehemenz jede Beteiligung an Dopingaktivitäten bestritten, unter ihnen der ehemalige Postal-Direktor Johan Bruyneel, Dr. Luis del Moral und Dr. Ferrari. In einem Interview mit dem *Wall Street Journal* erklärte del Moral, er habe nie verbotene Mittel eingesetzt oder bei Sportlern illegale Methoden angewendet. In einer Erklärung auf seiner Website schrieb Bruyneel: »Ich war nie an irgendwelchen Dopingaktivitäten beteiligt, und ich bin in allen Anklagepunkten unschuldig.« Ferrari erklärte in einer E-Mail: »Mein Leben lang war ich NIEMALS im Besitz von EPO oder Testosteron. Ich habe NIEMALS einem Sportler EPO oder

Testosteron verabreicht.« Dr. Pedro Celaya und Pepe Martí, Dr. del Morals Assistent, die ebenfalls von der USADA angeklagt wurden, gaben keine öffentlichen Erklärungen ab. Alle fünf reagierten nicht auf Bitten um Interviews für dieses Buch. Bjarne Riis, der von 2002 bis 2003 Hamiltons Teamdirektor bei CSC war, gab folgendes Statement ab: »Ich bin wirklich traurig über diese Vorwürfe, die gegen mich vorgebracht werden. Aber da dies nicht das erste Mal ist, dass jemand versucht, mich in Misskredit zu bringen, und es wahrscheinlich leider auch nicht das letzte Mal sein wird, werde ich darauf verzichten, mich zu diesen Vorwürfen zu äußern. Ich persönlich bin der Ansicht, dass ich meinen Platz in der Welt des Radsports verdient habe und dass ich meinen Beitrag dazu geleistet habe, die Anti-Doping-Arbeit im Radsport zu verbessern. Ich habe mein eigenes Bekenntnis zum Doping abgelegt, ich habe bei der Erstellung des biologischen Passes eine entscheidende Rolle gespielt, und ich leite ein Team mit einer klaren Anti-Doping-Politik.«

»Lance war immer anders als wir anderen«, erklärte Hamilton. »Wir alle wollten gewinnen. Aber Lance *musste* gewinnen. Er musste sich jedes Mal hundertprozentig sicher sein, dass er gewinnen würde, und deshalb hat er meiner Meinung nach Dinge getan, die über das Ziel hinausschossen. Mir ist klar, dass er für eine Menge Leute viel Gutes getan hat, aber es ist trotzdem nicht richtig. Sollte er für das, was er getan hat, angeklagt und ins Gefängnis gesteckt werden? Ich finde nicht. Aber sollten ihm sieben Siege nacheinander bei der Tour zuerkannt werden? Ganz sicher nicht. Ich glaube, die Leute haben das Recht, die Wahrheit zu erfahren. Sie sollen wissen, wie alles wirklich war, und anschließend können sie sich ihre eigene Meinung bilden.«[1]

---

1 Im Folgenden mache ich Zusatzinformationen und Kommentare zu Hamiltons Darstellung durch Fußnoten kenntlich.

1

Ich kann gut mit Schmerzen umgehen.

Ich weiß, das klingt seltsam, aber es stimmt. In allen anderen Lebensbereichen bin ich eher Durchschnitt. Ich bin keine Intelligenzbestie. Ich habe keine übermenschlichen Reflexe. Ich bin 1,72 Meter groß und wiege mit nassen Haaren gerade einmal 59 Kilo. Würde man mir auf der Straße begegnen, würde ich in keiner Weise auffallen. Aber in Situationen, in denen man körperlich und geistig bis aufs Äußerste gefordert wird, zeigt sich meine besondere Gabe. Ich halte durch, ganz gleich, was passiert. Je schwieriger die Situation, desto besser. Das hat nichts mit Masochismus zu tun, denn ich habe eine bestimmte Methode. Das Geheimnis ist: Man darf den Schmerz nicht verdrängen, man muss ihn annehmen.

Ich glaube, diese Einstellung habe ich zum Teil meiner Familie zu verdanken. Die Hamiltons sind und waren immer schon zäh. Meine Vorfahren, rebellische Schotten, stammen aus einem kriegerischen Clan; meine Großväter waren abenteuerlustige Kerle: Skifahrer und Naturburschen. Großvater Carl war einer der Ersten, die den Mount Washington auf Skiern hinabfuhren; Großvater Arthur heuerte auf einem Frachter nach Südamerika an. Meine Eltern lernten sich bei einer Skitour an Tuckerman's Ravine kennen, der steilsten, gefährlichsten Abfahrt im Nordosten – vermutlich war das ihre Version eines beschaulichen, romantischen Dates. Mein Dad hatte einen Laden für Bürobedarf in der Nähe von Marblehead, einer Küstenstadt mit zwanzigtausend Einwohnern nördlich von Boston. Er erlebte Höhen und Tiefen mit seinem Geschäft. Wie sagte Großvater Arthur immer so schön? Heute essen wir Steak und morgen Hamburger. Aber mein Vater fand immer einen Weg. Als ich klein war, erklärte er mir gern, dass es bei einem Kampf nicht auf die Größe des Hundes ankomme, sondern auf dessen Kampfeslust. Ich weiß, das ist ein Klischee, aber ich habe immer ganz fest daran geglaubt und tue es heute noch.

Wir wohnten in einem alten gelben Haus im Kolonialstil in der High Street Nr. 37, in einem mittelständisch geprägten Stadtteil. Ich war das jüngste von drei Kindern, nach meinem Bruder Geoff und meiner Schwester Jennifer. Im Umkreis von zwei Häuserblocks wohnten über zwanzig Kinder, fast alle im gleichen Alter. Damals machte man um Kindererziehung noch nicht so ein Gewese, und so tobten wir den ganzen Tag draußen herum und kamen nur zum Essen und Schlafen nach Hause. Es war keine Kindheit im eigentlichen Sinn, sondern vielmehr eine nie endende Aneinanderreihung von Wettkämpfen: Straßenhockey, Segeln und Schwimmen im Sommer; Schlittenfahren, Eislaufen und Skifahren im Winter. Wir stellten natürlich auch eine Menge Unfug an: Wir schlichen uns an Bord der Jachten reicher Leute und funktionierten diese zum Klubhaus um, wir fuhren mit den damals üblichen Plastikdreirädern im Slalom die Steilhänge von Dunn's Lane hinab, und wir erfanden eine neue Sportart namens Walter Payton Hedge Jumping. Dabei suchte man sich das schönste Haus mit der höchsten Hecke aus und sprang über diese hinweg wie Walter Payton über die Verteidigungslinie. Wenn die Besitzer herauskamen, rannten wir wie der geölte Blitz davon.

Meine Eltern verlangten nicht viel von uns, außer dass wir unter allen Umständen die Wahrheit sagten. Mein Dad sagte einmal zu mir, wenn wir ein Familienwappen hätten, stünde nur ein einziges Wort darauf: Ehrlichkeit. In diesem Sinne führte Dad sein Geschäft, und so funktionierte auch unsere Familie. Selbst wenn wir Schwierigkeiten hatten – und vor allem dann –, waren meine Eltern nicht wütend, solange wir uns der Sache stellten.

Das ist einer der Gründe, weshalb unsere Familie jedes Jahr im Sommer an einem ganz bestimmten Tag traditionell das Mountain Goat Invitational Crazy Croquet Tournament (ein verrücktes Krocket-Turnier) in unserem Garten veranstaltete. Bei diesem Turnier galt nur eine einzige Regel: Schummeln war ausdrücklich erlaubt. Man durfte alles machen, außer den Ball des Gegners aufheben und in den Atlantik werfen (was, wenn ich mich recht erinnere, wohl doch ein paar Mal passierte). Es war ein Riesenspaß – der Sieger wurde regelmäßig wegen Schummelns disqualifiziert, und unsere Freunde liebten es, dabei zuzusehen, wie die so aufrichtigen Hamiltons mogelten, was das Zeug hielt.

Als Kind war ich rauflustig und wollte immer mit den größeren Jungs mithalten. Mit zehn war die Liste meiner Verletzungen bereits ziemlich lang: genähte Platzwunden, Knochenbrüche, Blinddarmdurchbruch, Verstauchungen usw. (die Schwestern in der Notaufnahme schlugen meinen Eltern spaßeshalber vor, sich doch eine Stempelkarte zu besorgen – nach zehn Arztbesuchen wäre der elfte umsonst). Meine Blessuren holte ich mir bei den üblichen Unfällen: Ich stürzte von Zäunen, sprang von Etagenbetten und wurde von einem Chevy angefahren, als ich mit dem Fahrrad auf dem Schulweg war. Doch jedesmal, wenn ich mir neue Schrammen eingefangen hatte, war meine Mutter zur Stelle, um die Wunden mit einem warmen Waschlappen abzutupfen, mich zu verbinden, mir einen Kuss zu geben und mich anschließend wieder zur Tür hinauszuschieben.

Dad und ich standen uns nahe, aber zwischen Mom und mir bestand eine besondere Bindung. Auf ihre Weise war sie eine großartige Sportlerin, und als ich klein war, wollte ich so werden wie sie. Jeden Morgen machte sie in unserem Wohnzimmer schon ganz früh ihre Übungen – fünfzehn Minuten Freiübungen nach Jack LaLanne. Sobald ich aufwachte, schlich ich die Treppe hinunter und gesellte mich zu ihr. Wir waren schon ein lustiges Paar: Ein Vierjähriger machte mit seiner Mutter Liegestützen und Hampelmann-Sprünge. *Und eins-zwei-drei-vier, eins-zwei-drei-vier …*

Aber das war nicht das Einzige, was Mom und mich verband. Denn so lange ich zurückdenken kann, hatte ich dieses Problem. Es lässt sich am ehesten so beschreiben: In der hintersten Ecke meines Verstands herrscht Dunkelheit, eine quälende Schwermut, die unversehens kommt und geht. Sie ist wie eine dunkle Welle, die sämtliche Energie aus mir herauspresst und mich niederdrückt, bis ich das Gefühl habe, als befände ich mich in tausend Meter Tiefe auf dem Grund eines kalten, dunklen Ozeans. Als Kind dachte ich, das wäre normal; ich glaubte, im Leben jedes Menschen gäbe es Zeiten, in denen er kaum die Energie aufbrachte zu sprechen und tagelang schwieg. Als ich älter wurde, entdeckte ich, dass diese Dunkelheit einen Namen hat: klinische Depression. Sie ist genetisch bedingt, quasi unser Familienfluch: Meine Großmutter mütterlicherseits beging Selbstmord; und meine Mutter leidet ebenfalls daran. Heute kann ich die Krankheit mithilfe von Medikamenten kontrollieren; damals hatte ich nur Mom. Wenn die dunkle Welle mich überrollte, war meine Mutter für mich da und gab mir die Gewissheit, dass sie wusste, wie ich mich fühlte. Sie tat nichts Großartiges; sie kochte mir zum Beispiel eine Hühnersuppe, ging mit mir spazieren oder ließ mich einfach auf ihren Schoß klettern. Aber das half mir sehr. Solche Momente verbanden uns, und sie weckten in mir den fortwährenden Wunsch, meine Mutter stolz zu machen, ihr zu zeigen, was ich konnte. Wenn ich heute darüber nachdenke, warum ich unbedingt Sportler werden wollte, bin ich der Meinung, dass es vor allem dem innigen Wunsch entsprang, meine Mutter stolz zu machen. *Sieh mal, Ma!*

Mit ungefähr elf Jahren machte ich eine wichtige Entdeckung. Es geschah beim Skilaufen am Wildcat Mountain, New Hampshire, wo wir im Winter jedes Wochenende verbrachten.

Wildcat ist ein bekanntermaßen brutaler Ort zum Skifahren: steil, vereist und mit den denkbar schlechtesten Wetterverhältnissen. Er liegt in den White Mountains, direkt gegenüber des Mount Washington, wo regelmäßig die stärksten Winde Nordamerikas gemessen werden. Jener Tag war typisch: fürchterlicher Wind, heftige Graupelschauer, Eisregen. Ich war mit dem Rest des Wildcat-Skiteams unterwegs; wir fuhren mit dem Sessellift hinauf und bretterten mit den Skiern immer wieder eine mit Bambusstangen markierte Abfahrt hinunter. Aus irgendeinem Grund hatte ich plötzlich eine seltsame Idee, es war fast wie ein innerer Zwang.

Nimm nicht den Sessellift. Geh zu Fuß.

Also stieg ich aus dem Lift und machte mich zu Fuß auf den Weg. Es war nicht leicht. Ich musste meine Skier auf den Schultern tragen und mit der Spitze meiner schweren Skistiefel Stufen ins Eis hacken. Meine Teamkameraden im Sessellift schauten zu mir hinunter, als ob ich verrückt geworden wäre, und in gewisser Weise hatten sie recht: Ein dürrer Elfjähriger lief mit dem Sessellift um die Wette. Einige meiner Kameraden schlossen sich mir an. Wir waren John Henry gegen die Dampfmaschine; unsere Beine gegen die Pferdestärke dieses großen rundlaufenden Motors. Und so liefen wir los, immer weiter hinauf, einen Schritt nach dem anderen. Ich weiß noch, wie meine Beine vor Schmerz brannten und wie mein Herz bis zum Hals klopfte; aber ich spürte noch etwas Tiefgreifenderes: Mir wurde klar, dass ich durchhalten konnte. Ich musste nicht anhalten. Ich konnte den Schmerz hören, aber ich musste ihm nicht zuhören.

An diesem Tag erwachte etwas in mir. Ich stellte fest, dass ich mich nur dann wohl, normal und ausgeglichen fühlte, wenn ich mein Äußerstes gab, wenn ich meine Energie zu hundert Prozent in eine anstrengende, unmöglich scheinende Aufgabe investierte – wenn mein Herz wie wild pochte und wenn Milchsäure durch meine Muskeln strömte. Ein Wissenschaftler würde es sicher damit erklären, dass Endorphine und Adrenalin meine Hirnchemie vorübergehend veränderten, und vielleicht hätte er damit sogar recht. Ich wusste nur eines: Je mehr ich mich anstrengte, desto besser fühlte ich mich. Anstrengung war für mich eine Art Flucht. Das war wohl der Grund, weshalb ich immer mit Jungs mithalten konnte, die größer und stärker waren und die bei physiologischen Tests besser abschnitten. Denn bei solchen Tests wird nicht die Bereitschaft gemessen, sich zu quälen.

Lassen Sie mich meine frühe Sportlerkarriere so zusammenfassen: Zunächst war ich ein auf regionaler und nationaler Ebene erfolgreicher Skiläufer, eine Olympiahoffnung. Außerhalb der Saison fuhr ich Radrennen, um in Form zu bleiben, und auf der Highschool gewann ich ein paar Rennen in meiner Altersstufe. Ich war also ein ganz guter Fahrer, aber gewiss nicht auf nationalem Niveau. Im zweiten Studienjahr an der Universität von Colorado brach ich mir beim Trockentraining mit dem Skiteam zwei Rückenwirbel, damit war meine Karriere als Abfahrtsläufer beendet. Während der Erholungsphase richtete sich meine ganze Energie aufs Fahrrad, und ich machte die nächste große Entdeckung: Ich *liebte* Radrennen. Darin verband sich der Nervenkitzel des Skifahrens mit der strategischen Komponente des Schachspiels. Und das Beste (für mich): Im Radsport wurde die Fähigkeit zu leiden belohnt. Je mehr man sich schinden konnte, desto besser war man. Ein Jahr später, 1993, gewann ich die landesweite Studentenmeisterschaft. Im Sommer darauf gehörte ich zu den besseren Radamateuren des Landes, war Mitglied der US-Nationalmannschaft und in der weiteren Auswahl für den olympischen Kader. Das Ganze war völlig verrückt und unglaublich, aber ich hatte das Gefühl, hier meine Bestimmung gefunden zu haben.

Im Frühjahr 1994 war das Leben noch herrlich unkompliziert. Ich war dreiundzwanzig Jahre alt, wohnte in einem kleinen Apartment in Boulder und ernährte mich von asiatischen Ramen-Nudeln und fertig gekauftem Pizzaboden mit Erdnussbutter drauf. Vom Nationalteam erhielt ich nur ein kleines Gehalt, und um über die Runden zu kommen, gründete ich ein Unternehmen namens Flatiron Hauling, dessen Vermögenswerte aus mir selbst und einem 1973er Ford Pick-up bestanden. Ich setzte eine Annonce in die *Boulder Daily Camera* mit dem Slogan, der auch mein sportliches Motto hätte sein können: »Keine Arbeit zu niedrig und keine zu schwer.« Ich transportierte Baumstümpfe, Altmetall und einmal sogar tonnenweise Hundekot aus einem Garten ab. Trotzdem war ich froh, dort zu sein, wo ich war: Ich stand am Fuß der riesigen Radsportleiter, blickte nach oben und fragte mich, wie hoch ich wohl klettern könnte.

Zu der Zeit traf ich Lance. Es war im Mai 1994, an einem verregneten Nachmittag in Wilmington, Delaware, und ich war für ein großes Radrennen, die sogenannte Tour DuPont, gemeldet: 12 Tage, 1600 Kilometer, 112 Fahrer, darunter fünf der neun besten Teams der Welt. Lance und ich waren ungefähr im selben Alter, aber wir hatten unterschiedliche Ziele. Lance wollte gewinnen. Und ich wollte sehen, ob ich mithalten konnte und ob ich zu den großen Jungs gehörte.

Lance war bereits groß im Geschäft. Im vergangenen Herbst hatte er die Einer-Straßen-WM in Oslo gewonnen. Ich hatte die Radsportzeitschrift *VeloNews* mit seinem Foto aufgehoben und kannte seine Geschichte auswendig: Der vaterlose Texaner, dessen Mutter bei seiner Geburt fast selbst noch ein Kind war, der Triathlon-Wunderknabe, der zum Radrennen gewechselt hatte. In sämtlichen Artikeln wurde er stets als »dreist« und »ungestüm« beschrieben. Ich hatte erlebt, wie Armstrong an der Ziellinie in Oslo ausgelassen gefeiert hatte: Er warf Kusshändchen, streckte die Fäuste in die Luft und setzte sich vor der Menge in Szene. Manche – okay, fast alle – waren der Ansicht, Lance sei eingebildet. Aber mir gefielen seine Energie und seine direkte Art. Auf die Frage, ob er der zweite Greg LeMond sei, erwiderte Armstrong: »Nö, ich bin der erste Lance Armstrong.«

Jede Menge Geschichten über Lance machten die Runde. Eine handelte davon, wie der Weltmeister Moreno Argentin Armstrong aus Versehen mit dem falschen Namen anredete, weil er ihn mit dessen Teamkameraden Andy Bishop verwechselte. Armstrong platzte fast vor Wut. »Fick dich, Chiappucci!«, schrie er und nannte nun seinerseits Argentin beim Namen von dessen Teamkollegen. Eine andere Geschichte ereignete sich bei der Tour DuPont des Vorjahres. Ein spanischer Fahrer versuchte, den Amerikaner Scott Mercier von der Straße zu drängen, und Armstrong kam seinem Landsmann zu Hilfe. Er schloss zu dem Spanier auf und sagte, er solle verschwinden – und der Spanier gehorchte. Im Grunde war es immer dieselbe Geschichte: Lance war eben Lance, der eigenwillige amerikanische Cowboy, der die Festung des europäischen Radsports eroberte. Ich liebte diese Geschichten, denn ich träumte davon, selbst einmal diese Festung einzunehmen.

Am Tag vor dem Rennen lief ich herum und starrte in Gesichter, die ich nur aus Radsport-Magazinen kannte. Da war der russische Goldmedaillengewinner Wjatscheslaw Jekimow mit seiner Rockstarfrisur und dem finsteren Blick; der mexikanische Kletterer Raúl Alcalá, der schweigsame Killer, der das Rennen im vergangenen Jahr gewonnen hatte; George Hincapie, ein schmächtiger, verschlafener New Yorker, der als der nächste bedeutende amerikanische Radrennfahrer gehandelt wurde. Und da war sogar der dreimalige Tour-de-France-Gewinner Greg LeMond, im letzten Jahr vor seinem Rücktritt, der immer noch munter und jugendlich wirkte.

Man kann die Fitness eines Fahrers an der Form seines Hinterns und den Venen an seinen Beinen erkennen, und diese Hinterteile waren bionisch, schmaler und kräftiger, als ich sie je gesehen hatte. Ihre Beinvenen sahen aus wie Straßenkarten. Ihre Arme waren Zahnstocher. Sie konnten sich auf ihren Rädern in vollem Tempo und mit nur einer Hand am Lenker durch den dichtesten Pulk von Fahrern schlängeln. Sie zu beobachten war inspirierend; sie waren wie Rennpferde.

Wenn ich mich dagegen ansah – das war schon ein ganz anderes Gefühl. Wenn sie Vollblüter waren, war ich ein Arbeitspferd. Mein Hintern war dick, an meinen Beinen traten keinerlei Venen hervor, ich hatte schmale Schultern, die Schenkel eines Skisportlers und kräftige Arme, die in meinem Trikot steckten wie die Wurst in die Pelle. Zudem trat ich in die Pedale wie ein Kartoffelstampfer, und weil ich relativ klein war, tendierte ich dazu, meinen Kopf leicht nach hinten zu neigen, um über andere Fahrer hinweg schauen zu können, was mir offenbar einen etwas überraschten Ausdruck verlieh, so als ob ich nicht ganz sicher wäre, wo ich mich befand. Eigentlich hatte ich kein Recht, an der Tour DuPont teilzunehmen. Ich verfügte nicht über die Ausdauer, die Erfahrung oder das fahrerische Können, um mich mit den Profis aus Europa zu messen, geschweige denn sie während der zwölf Tage zu schlagen.

Aber eine Chance hatte ich: das Prolog-Zeitfahren, bei dem jeder Fahrer allein gegen die Uhr fährt. Es war eine kurze Etappe, nur etwa 4,8 Kilometer lang, eine hügelige Strecke mit zum Teil üblem Kopfsteinpflaster und so engen Kurven, dass aufgestapelte Strohballen, die man normalerweise vom Skirennen her kennt, einen Sturz abfangen sollten. Trotz seiner Kürze galt der Prolog als wichtiger Gradmesser, da jeder Fahrer sich hier maximal verausgabte. Am Tag vor dem Rennen fuhr ich die Strecke ein halbes Dutzend Mal. Ich testete jede Kurve, prägte mir die Ein- und Ausfahrtswinkel ein, schloss die Augen und stellte mir mich beim Rennen vor.

Am Morgen des Prologs begann es zu regnen. Ich stand in der Nähe der Startrampe und plauderte mit meinem Team-Coach, einem freundlichen Zweiunddreißigjährigen namens Chris Carmichael. Er war ein netter Bursche, aber eher ein Cheerleader als ein Trainer. Er wiederholte ständig bestimmte Redewendungen, als wären es Songtexte. Vor dem Prolog brachte Chris mir ein Ständchen seiner größten Hits: *Streng dich an, bleib bei dir selbst, vergiss nicht zu atmen.* Eigentlich hörte ich ihm gar nicht zu. Ich dachte an den Regen, der das

Kopfsteinpflaster rutschig machte, und dass die meisten meiner Konkurrenten sicher Angst hatten, hart in die Kurven zu gehen. Ich war vielleicht ein Anfänger, aber ich hatte zwei Vorteile: Ich wusste, wie man Skirennen fuhr, und ich hatte nichts zu verlieren.

Ich startete von der Rampe und fuhr in vollem Tempo in die erste Kurve; Carmichael folgte in einem Mannschaftswagen. Ich strengte mich an und ging bis zum Limit. Ich weiß, ich bin am Limit, wenn ich Blut im Mund schmecke, und so blieb ich immer hart an der Grenze. Dieser Moment war der Grund, weshalb ich mich in den Radsport verliebte und ihn immer noch liebe – die seltsamen Überraschungen, die man erleben kann, wenn man alles gibt. Man puscht sich bis zum absoluten Limit – die Muskeln stöhnen, das Herz explodiert fast, und man spürt, wie die Milchsäure in Gesicht und Hände schießt –, und dann gibt man sich noch einen kleinen Stoß, und noch einen, bis es so weit ist. Manchmal wächst man über sich hinaus; und ein andermal stößt man an seine Grenze, und es geht nicht weiter. Aber wenn man die Grenze überschreitet, gelangt man irgendwann an einen Punkt, wo der Schmerz so stark wird, dass man sich völlig verliert. Ich weiß, das klingt nach Zen-Buddhismus, aber es fühlt sich wirklich so an. Chris erklärte mir immer, ich solle bei mir selbst bleiben, aber ich begriff nie, was er damit meinte. Für mich besteht der Sinn darin, aus sich *herauszugehen,* sich immer mehr anzustrengen, bis man an einen bis dahin kaum vorstellbaren Punkt angelangt.

In den Kurven beschleunigte ich wie ein Rennwagen, schlitterte über das Kopfsteinpflaster, aber hielt mich irgendwie aufrecht und fern von den Strohballen. An den Steigungen kämpfte ich verzweifelt, aber in der Ebene zog ich das Tempo wieder an. Ich spürte, wie sich die Milchsäure aufbaute und durch meinen Körper strömte, in meine Beine, meine Arme, meine Hände, unter die Fingernägel – ein schöner, frischer Schmerz. Noch eine letzte 90-Grad-Kurve, von Kopfsteinpflaster auf Asphalt. Ich schaffte es und schoss aufrecht durchs Ziel. Als ich die Ziellinie überfuhr, warf ich einen kurzen Blick auf die Uhr: 6:32 Minuten.

Dritter Platz.

Ich blinzelte und sah noch mal hin.

Dritter Platz.

Nicht 103., nicht 30., sondern dritter Platz.

Carmichael war sprachlos, ja regelrecht verstört. Er umarmte mich und meinte: »Du bist vielleicht ein verrücktes Arschloch.« Dann sahen wir nach den restlichen Fahrern in der Annahme, dass sie meine Zeit um ein Vielfaches unterbieten würden. Aber ein Fahrer nach dem anderen überquerte die Ziellinie, und meine Zeit blieb unangefochten.

Jekimow – drei Sekunden hinter mir.

Hincapie – drei Sekunden hinter mir.

LeMond – eine Sekunde vor mir.

Armstrong – elf Sekunden hinter mir.

Als der letzte Fahrer ins Ziel kam, lag ich auf dem sechsten Platz.

Am nächsten Tag startete das Peloton von Wilmington aus zur ersten Etappe, und ich fragte mich, ob einige der Profis wohl mit mir sprechen würden; vielleicht riefen sie Hallo oder schenkten mir ein freundliches Wort. Aber keiner sagte etwas – weder Alcalá noch Jekimow noch LeMond. Ich war enttäuscht, aber auch erleichtert. Es machte mir nichts aus, unbekannt zu sein. Ich erinnerte mich daran, dass ich lediglich ein Amateur war, ein Arbeitspferd, ein Niemand.

Nach ungefähr sechzehn Kilometern gab mir jemand einen freundlichen Klaps auf den Rücken. Ich drehte mich um und blickte geradewegs in Lance' Gesicht. Er sah mir direkt in die Augen.

»Hey, Tyler, gutes Rennen gestern.«

Ich war keineswegs der Erste, dem auffiel, dass Lance eine unwiderstehliche Art hat zu sprechen. Bevor er etwas sagt, hält er immer zuerst einen Augenblick inne. Er sieht einen einfach nur an, taxiert einen und gibt einem dabei Gelegenheit, ihn zu taxieren.

»Danke«, erwiderte ich.

Lance nickte. Da war irgendetwas zwischen uns – war es Respekt? Anerkennung? Was es auch war, es fühlte sich ziemlich cool an. Zum ersten Mal hatte ich das Gefühl, dazuzugehören.

Wir fuhren weiter. Als Neuling in einem Profi-Peloton kommt man sich ein bisschen so vor wie ein Fahrschüler auf einer Schnellstraße in Los Angeles: Man muss schnell sein, sonst ... Auf halber Strecke vermasselte ich es. Ich fuhr etwas zur Seite und kam dabei versehentlich einem großen europäischen Burschen in die Quere. Fast hätte ich sein Vorderrad gestreift, und er war stinksauer. Er war nicht einfach nur wütend, sondern fuchtelte obendrein theatralisch mit den Armen und schrie mich in einer Sprache an, die ich nicht verstand. Ich drehte mich um, um mich zu entschuldigen, geriet dabei aber nur noch mehr ins Schlingern. Jetzt schrie der Europäer noch lauter, sodass die anderen Fahrer uns anstarrten, und ich wäre vor Verlegenheit am liebsten im Boden versunken. Der Typ aus Europa fuhr neben mir her, damit er mir direkt ins Gesicht brüllen konnte.

Plötzlich schob sich jemand zwischen den wütenden Europäer und mich. Es war Lance. Er legte dem Burschen die Hand auf die Schulter und versetzte ihm einen sanften, aber entschiedenen Stoß, der eine klare Botschaft beinhaltete – *Verschwinde!* –, und dabei starrte er ihn unverwandt an, sodass der Europäer sich nicht traute, irgendetwas dagegenzusetzen. Ich war Lance so dankbar, dass ich ihn am liebsten umarmt hätte.

An den folgenden Tagen fiel ich mit den anderen Arbeitspferden in der Wertung zurück. Lance dagegen wurde stärker. Am Ende der fünften Etappe im Zeitfahren entging er knapp einem Desaster. Wegen eines Fehlers bei der Verkehrsüberwachung wäre er fast mit einem Kipplaster kollidiert, der auf der

Rennstrecke fuhr. Zum Glück sah Lance den Laster kommen und schaffte es, durch eine schmale Lücke zu schlüpfen, mit nur wenigen Zentimetern Zwischenraum auf beiden Seiten. An diesem Tag wurde er hinter Jekimow Zweiter. Anschließend wollten die Presseleute mit ihm über den Beinahe-Zusammenstoß sprechen – immerhin wäre er fast gestorben! Aber Lance redete stattdessen davon, dass er das Rennen eigentlich hätte gewinnen müssen. Das war typisch Lance: Gerade mal dem Tod entronnen und schon wieder sauer, weil er nicht gewonnen hatte.

Alles in allem war ich von dem Texaner ziemlich beeindruckt. Aber was mir wirklich imponierte, geschah im Juli desselben Jahres. Damals sah ich mir Lance aus sicherer Entfernung auf einem Fernsehschirm bei der Tour de France an – dem härtesten Rennen der Welt, bei dem in drei Wochen rund 4000 Kilometer zurückgelegt werden. In den ersten Tagen war Lance ziemlich gut. Doch auf der neunten Etappe, einem 64-Kilometer-Zeitfahren, schlug die Stunde der Wahrheit: Jeder Fahrer wurde im Minutenabstand auf die Strecke geschickt und fuhr allein gegen die Uhr. Ich sah fassungslos zu, wie Lance von Tour-Sieger Miguel Indurain überholt wurde. Allerdings wird das Wort »überholen« dem Tempo nicht gerecht, mit dem der Spanier an Armstrong vorbeizog. Lance wurde regelrecht »weggepustet«. Innerhalb von dreißig Sekunden holte Indurain seinen Rückstand von zwanzig Radlängen auf und setzte sich so weit an die Spitze, dass er beinahe aus dem Bild der Kamera gefahren wäre. Lance verlor an diesem Tag mehr als sechs Minuten, ein massiver Einbruch. Ein paar Tage später gab er auf – es war das zweite Jahr in Folge, dass er das Rennen vorzeitig beendete.

Verdammte Scheiße, dachte ich. Ich wusste, wie stark Lance noch vor zwei Monaten gewesen war und wie gut er durchhalten konnte. Ich hatte erlebt, welch unvorstellbare Dinge er mit einem Rad anstellte, und dann kam Indurain und ließ Lance wie ein Arbeitspferd aussehen. Ich hatte immer gehört, dass die

Tour de France hart sei, aber erst jetzt begriff ich, dass sie ein unvorstellbares Maß an Kraft, Zähigkeit und Durchhaltevermögen erforderte. In dem Moment wurde mir auch bewusst, dass ich unbedingt an der Tour teilnehmen wollte.

Ich hatte gehofft, mein kleiner Erfolg bei der Tour DuPont würde ein Profiteam auf mich aufmerksam machen. Anscheinend hatte ich mich geirrt. Im Sommer 1994 fuhr ich als Amateur weiter und hörte mir Trainer Carmichaels zunehmend nichtssagende Beifallsbekundungen an. Wenn ich keine Radrennen fuhr, leitete ich mein Transportunternehmen, strich Häuser an und wartete darauf, dass mein Telefon klingelte.

Eines Nachmittags im Oktober, als ich gerade das Haus meines Nachbarn anstrich, klingelte dann tatsächlich das Telefon. Ich rannte, über und über mit Farbe besprizt, ins Haus und nahm mit den Fingerspitzen den Hörer ab. Die Stimme am anderen Ende der Leitung klang rau, Respekt einflößend und ungeduldig – es war die Stimme Gottes, sofern Gott mit dem falschen Fuß aufgestanden war.

»Was soll es kosten, damit Sie in unser Team kommen?«, fragte Thomas Weisel.

Ich versuchte cool zu bleiben. Obwohl ich vorher noch nie mit ihm gesprochen hatte, kannte ich, wie alle anderen, Weisels Geschichte: Er war um die fünfzig, Harvard-Absolvent, Millionär, Investmentbanker, ehemaliger Eisschnellläufer im Nationalteam, Meister im Radrennen und vor allem ein Gewinner. In den nächsten zehn Jahren würde es solche Typen wie Sand am Meer geben, sportbegeisterte Firmenbosse, die Golfclubs gegen ein Rennrad eintauschten. Weisel aber war der Prototyp dieser Spezies. Für ihn war das Leben ein Rennen, und das wurde von dem Zähesten und Stärksten gewonnen, von dem Burschen, der das Zeug dazu hatte. Weisels Motto lautete: *Tu es, verdammt noch mal.* Ich höre heute noch diese raue Stimme: *Na los, tu es. Tu es, verdammt noch mal.*

Weisel wollte ein amerikanisches Team zusammenstellen, um die Tour de France zu gewinnen. Allerdings waren einige der Meinung, dass sei genauso, als würde man eine französische Baseballmannschaft aufstellen, um die Weltmeisterschaft zu gewinnen. Außerdem konnte man nicht einfach ein Team aufstellen und an der Tour teilnehmen – eine Mannschaft musste von den Organisatoren eingeladen werden, und die Einladung richtete sich nach den Resultaten bei großen europäischen Rennen. Das war gar nicht so leicht. Im Gegenteil, es war so schwierig, dass Weisels Hauptsponsor Subaru ihn im vergangenen Herbst im Stich gelassen hatte, und nun stand Weisel ganz allein da. Er gegen den Rest der Welt. Mit anderen Worten, er war genau da, wo er sein wollte.

Ein kleiner Exkurs zu Weisel: Mit Ende vierzig beschloss er, sich ernsthaft mit dem Radsport zu befassen. Deshalb heuerte er Eddie Borysewicz an, den Trainer des Olympia-Radteams und Paten des amerikanischen Radsports.[1] Weisel flog zweimal die Woche von San Francisco nach San Diego, um mit Eddie B. von zehn Uhr morgens bis fünf Uhr nachmittags zu trainieren. Weisel hatte in seinem Kraftraum ein Foto von seinem Hauptrivalen an die Wand gepinnt, »um mich daran zu erinnern, weshalb ich so hart trainierte«. Weisel gewann drei Weltmeis-

---

1 Borysewicz war dafür bekannt, dass er osteuropäische Trainingsmethoden in die Vereinigten Staaten importierte – darunter einige äußerst fragwürdige. Vor den Olympischen Spielen 1984 arrangierte Borysewicz Bluttransfusionen für das US-Olympia-Radteam in einem Ramada Inn in Carson, Kalifornien. Das Team gewann neun Medaillen, davon viermal Gold. Obwohl Transfusionen damals eigentlich nicht gegen die Regeln verstießen, verurteilte das Olympische Komitee der Vereinigten Staaten diese Vorgehensweise und bezeichnete die Transfusionen als »inakzeptabel, sittenwidrig und illegal, soweit es das USOC betrifft«.

Der Skandal und die darauffolgende Publicity scheinen Borysewicz Angst gemacht zu haben: Hamilton und Teamkollege Andy Hampsten stimmen darin überein, dass die Mannschaft während Eddie B.'s Amtszeit als Direktor (1995/96) sauber war und dass er sie häufig davor warnte, sich »auf diesen Mist einzulassen«.

tertitel in seiner Altersgruppe und fünf nationale Titel im Straßenrennen und Bahnradfahren.

»War es die Mühe wert?«, wollte ein Freund hinterher wissen.

»Ja, aber nur weil ich gewonnen habe«, erwiderte Weisel.

Er und Lance ähnelten sich in ihrer Persönlichkeit (später bei Postal verwechselten wir Fahrer häufig die Stimmen der beiden). Im Jahr 1990 hatte Weisel den damals erst neunzehnjährigen Lance in sein Subaru-Montgomery-Team geholt, das aus Profis und Amateuren bestand. Die beiden waren allerdings nicht miteinander ausgekommen; das lag vor allem daran, dass sie sich zu ähnlich waren. Weisel hatte Armstrong ziehen lassen; drei Jahre später wurde Armstrong Weltmeister – einer der seltenen Fälle, bei denen Weisel seine Gefühle über seine Geschäftsinteressen stellte.

Weisel erzählte mir, dass er noch andere gute amerikanische Fahrer – Darren Baker, Marty Jemison und Nate Reiss – verpflichtet und Eddie B. als Trainer angeheuert habe. Das Team sollte Montgomery-Bell heißen. Wie viel ich in einem Jahr verdienen wolle, wollte er wissen. Ich zögerte. Wenn ich zu viel verlangte, wäre ich den Job gleich wieder los. Aber ich wollte mich auch nicht unter Wert verkaufen. Deshalb entschied ich mich für die goldene Mitte. Dreißigtausend Dollar.

»Abgemacht«, knurrte Weisel. Ich bedankte mich überschwänglich und legte den Hörer auf. Ich rief meine Eltern an und erzählte ihnen die Neuigkeit: Jetzt war ich offiziell Radprofi.

Im ersten Jahr des Weisel-Experiments lief es ziemlich gut. 1995 nahmen wir vor allem an Rennen in den Staaten teil und reisten nur zu ein paar kleineren Events nach Europa. Das Team war gemischt: Es bestand vorwiegend aus jüngeren Amerikanern und aus ein paar mittelmäßigen europäischen Fahrern. Obwohl Eddie B. manchmal ziemlich planlos war (durch das ständige Hin und Her von einem Rennen zum anderen ging viel Zeit verloren; der Terminplan für die Rennen änderte sich andauernd), machte das verrückte Leben Spaß und schweißte das Team enger zusammen, und außerdem kannten es die meisten von uns gar nicht anders. Eines Nachmittags verabreichte mir ein Soigneur (Teamhelfer) meine erste Injektion. Es war völlig legal – Eisen und Vitamin B –, aber auch ein wenig entnervend, zusehen zu müssen, wie einem eine Nadel in den Hintern gestochen wurde. Das sei für meine Gesundheit, erklärte man mir, weil ich nach all den Rennen erschöpft sei. Schließlich sei Radrennen der härteste Sport der Welt; er brächte einen aus dem Gleichgewicht, und die Vitamine würden das, was der Körper verloren hat, ersetzen. Wie bei Astronauten.

Zudem hatten wir Fahrer uns um weit wichtigere Dinge zu kümmern. Wir wetteiferten untereinander, wer Eddie B.s polnischen Akzent am besten nachmachen konnte. Zum Beispiel setzte Eddie alle Verben in den Plural: *Ihr müssen jetzt angreifen! Ihr müssen jetzt angreifen!* Weisel war bei großen Rennen immer dabei, fast wie ein zweiter Trainer. Wenn wir gewannen, hatte er vor Freude Tränen in den Augen und umarmte jeden, als ob wir gerade den Sieg bei der Tour de France eingefahren hätten. Vermutlich brachte ich ihn zum Weinen, als wir zur Teleflex-Tour, einem kleinen Rennen in Holland, reisten und ich Gesamtsieger wurde. Es war nicht das größte Rennen der Welt, aber es fühlte sich gut an – ein weiteres Zeichen dafür, dass ich zu diesem Sport gehörte. Außerdem brauchte ich das Geld: Ich hatte ein Haus in Nederland, Colorado, einem verschlafenen Städtchen in der Nähe von Boulder, im Auge. Das Haus war nichts Besonderes, gerade mal 140 Quadratmeter Wohnfläche, mit einer kleinen Veranda, von der aus ich die Berge sehen konnte. Aber für mich bedeutete es Beständigkeit; ein Zuhause, das mir gehörte.

Anfang 1996 engagierte Weisel den ehemaligen olympischen Goldmedaillengewinner Mark Gorski als Manager. Nach ein paar Monaten verkündete Gorski die große Neuigkeit: US Postal Service hatte einem Dreijahresvertrag als Titelsponsor des Teams zugestimmt, und mit dem gestiegenen Etat konnte das Team wachsen. Weisel und Gorski stockten die Mannschaftsliste mit jüngeren Fahrern auf und krönten sie mit Andy Hampsten, dem fähigsten amerikanischen Radprofi neben Greg LeMond. Hampsten hatte den Giro d'Italia, die Tour de Suisse und die Tour de Romandie gewonnen.

Der Plan für die Saison 1996/97 sah vor, Postals Qualifikation für Europa zu erreichen. Wir wollten öfter an großen Rennen teilnehmen, um dann hoffentlich 1997 eine Einladung zur, wie Weisel sie nannte, Tour de Fucking France zu erhalten. Weisels Entschlossenheit nährte unsere Erwartungen. Wir steckten voller Optimismus und Energie, vor allem mit Hampsten als Kapitän. Im Frühjahr '96 flogen wir mit großen Erwartungen nach Europa. Wir wussten, dass es schwer werden würde, aber irgendwie würden wir es schon schaffen.

Wir hatten ja keine Ahnung.

2

DIE WIRKLICHKEIT

Zuerst redeten wir uns ein, es sei der Jetlag. Dann war es das Wetter. Dann das Essen. Unsere Horoskope. Alles war recht, um nicht der Wahrheit über den Auftritt des Postal-Teams bei den großen europäischen Rennen 1996 ins Auge sehen zu müssen: Wir wurden niedergemacht.

Das Problem war nicht, *dass* wir verloren; es ging um die Art und Weise, *wie* wir verloren. Man kann seine Leistung bei einem Radrennen in etwa so bewerten wie eine Klassenarbeit in der Schule. Fährt man mit der Spitzengruppe über die Ziellinie, bekommt man eine Eins: Man hat zwar nicht gewonnen, wurde aber zu keinem Zeitpunkt abgehängt. Kommt man mit der Verfolgergruppe an, gibt's eine Zwei – das war zwar nicht großartig, aber alles andere als schlecht; man hat nur einmal abreißen lassen. Gehört man zur dritten Gruppe, erhält man eine Drei, und so weiter. Jedes Rennen besteht aus einem Haufen kleinerer Rennen, aus Wettbewerben im Wettbewerb, bei denen es immer nur eine von zwei Möglichkeiten gibt: Man hält mit – oder eben nicht.

Das Postal-Team fuhr nur Vieren und Sechsen ein. In Amerika hatten wir stets ziemlich gut abgeschnitten, aber unsere Leistungen bei den großen europäischen Rennen schienen stets demselben Muster zu folgen: Das Rennen begann, das Tempo zog an, es wurde schneller und immer schneller. Schon nach kurzer Zeit konnten wir kaum noch mithalten. Intern bezeichneten wir uns selbst als »Füllmaterial«, denn unsere einzige Aufgabe bestand offenbar darin, die letzte Gruppe des Pelotons aufzufüllen. Wir hatten keine Siegchance, keine Chance, Attacken zu fahren oder den Rennverlauf auf irgendeine nennenswerte Art zu beeinflussen; wir waren schon dankbar, wenn wir nur ins Ziel kamen. Das lag daran, dass die anderen Fahrer unglaublich stark waren. Sie trotzten den Gesetzen der Physik – und des Radsports. Sie taten Dinge, die ich noch nie gesehen hatte oder mir auch nur hätte träumen lassen.

Sie konnten beispielsweise allein ausreißen und sich stundenlang ein Verfolgerfeld vom Leib halten. Sie konnten mit verblüffender Geschwindigkeit klettern, selbst die großen Kerle, die gar nicht wie Bergspezialisten aussahen. Sie konnten Tag für Tag Bestleistungen abliefern, ohne die üblichen Leistungsspitzen und schwächeren Phasen. Sie waren wie Zirkusathleten.

Bjarne Riis war für mich der Fahrer, der aus dem ganzen Feld herausragte, ein 1,82 Meter großer, 70 Kilo schwerer Däne mit dem Spitznamen »der Adler«. Riis war kahlköpfig und hatte intensive, blaue Augen, die nur selten einmal blinzelten. Er redete wenig, und wenn er sprach, klang es meist recht kryptisch. Er konzentrierte sich mit solcher Intensität, dass es manchmal wirkte, als sei er in einer Art Trance.

Aber das mit Abstand Seltsamste an Riis war der Verlauf seiner Karriere.

Riis war die meiste Zeit ein ordentlicher Radrennfahrer gewesen: Er fuhr solide, war aber kaum einmal Anwärter auf eine vordere Platzierung gewesen. Aber dann, 1993, mit 29 Jahren, wandelte sich dieser Durchschnittsprofi zu einem unglaublichen Fahrer. Bei der Tour 1993 wurde er Fünfter und gewann eine Etappe; 1995 belegte er den dritten Platz. Manche Experten glaubten, dass er 1996 vielleicht sogar Miguel Indurain entthronen könnte, den amtierenden König der Grande Boucle, der sie ab 1991 fünfmal nacheinander gewonnen hatte.

Ich erinnere mich an eine der ersten Gelegenheiten, bei denen ich ihn aus nächster Nähe erlebte, es war im Frühjahr 1997. Wir fuhren in mörderischem Tempo eine brutale Steigung hinauf, und Riis arbeitete sich in der Gruppe nach vorn, wobei er eine gewaltige Übersetzung bewegte. Wir anderen mühten uns im üblichen Rhythmus von etwa 90 Umdrehungen pro Minute ab, doch dann kommt Bjarne angeschossen und begnügt sich mit 40 Umdrehungen, ohne dabei auch nur eine Miene zu verziehen. Er fährt einen Gang, der für mich hier unvorstellbar wäre. Dann begreife ich: Der trainiert doch nur. Wir anderen fahren uns die Seele aus dem Leib, versuchen entweder zu gewinnen oder zumindest nicht den Anschluss zu verlieren, und er *trainiert*! Als Riis vorbeizog, konnte ich mir nicht verkneifen zu fragen: »Hey, wie läuft's?«, nur um zu sehen, ob er reagierte. Er schenkte mir einen seiner stechenden Blicke und fuhr weiter.

Wenn man Riis sah und dann noch Dutzende von Riis-ähnlichen Gestalten, die das Peloton bevölkerten, fragte man sich unweigerlich, was da eigentlich los war. Ich war zwar neu, aber ich war kein Idiot. Ich wusste, dass einige Radrennfahrer dopten. Ich hatte in *VeloNews* etwas darüber gelesen – wenn auch, in dieser Zeit vor dem Internet, nur in begrenztem Umfang. Ich hatte von anabolen Steroiden gehört (was mich damals verwirrte, weil Radsportler keine Muskelprotze sind), hatte Geschichten von Fahrern vernommen, die Amphetamine schluckten, von Spritzen, die in Trikottaschen versteckt waren. Und in jüngerer Zeit hatte ich von Erythropoietin, EPO, gehört, dem Blutaufbau-Hormon, das, so sagten manche Leute, die Ausdauerfähigkeit um 20 Prozent verbesserte, weil es den Körper dazu bewegte, mehr Sauerstoff transportierende rote Blutkörperchen zu produzieren.[1]

---

1 Historische Anmerkung: Doping und Radfahren sind seit den Anfangszeiten des Radrennsports eng miteinander verknüpft. Radrennfahrer nahmen während der ersten Hälfte des 20. Jahrhunderts Aufputschmittel ein, die auf das Gehirn wirkten (Kokain, Äther, Amphetamine) und Müdigkeitsgefühle reduzierten. In den 1970er-Jahren kamen dann neue Substanzen wie Steroide und Corticoide auf, die auf Muskeln und das Binde- und Stützgewebe wirken, die Kraft steigern und die Erholungszeit verringern. Aber der wahre Doping-Durchbruch kam, als sich der Schwerpunkt auf das Blut verschob – und hier besonders auf die Steigerung der Kapazitäten für den Sauerstofftransport.

Die Gerüchte beeindruckten mich nicht so sehr wie das Tempo – das nie nachlassende, brutale, mechanische Tempo. Ich war nicht der Einzige. Andy Hampsten brachte dieselbe körperliche Leistung wie in den vergangenen Jahren – den Jahren, in denen er große Rennen gewonnen hatte. Jetzt hatte er, mit denselben Leistungswerten, erhebliche Mühe, sich unter den ersten fünfzig zu halten. Hampsten war ein entschiedener Doping-Gegner, er beendete kurz darauf im Alter von 32 Jahren seine Radfahrerkarriere, statt mitzudopen. Er hat einen klaren Blick auf das, was sich da abspielte.

ANDY HAMPSTEN: Mitte der achtziger Jahre, als ich meine Laufbahn begann, gab es Fahrer, die dopten, aber man konnte sich noch gegen sie behaupten. Sie nahmen entweder Amphetamine oder Anabolika – beide Substanzen hatten eine starke Wirkung, aber auch Nachteile. Amphetamine machten die Fahrer dumm – sie starteten

---

Erythropoietin, kurz EPO, ist ein vom Körper selbst produziertes Hormon, das die Nieren zur vermehrten Produktion Sauerstoff transportierender roter Blutkörperchen anregt. Es wurde ab Mitte der 1980er-Jahre industriell hergestellt und sollte Dialyse- und Krebspatienten helfen, die an Blutarmut litten, wurde aber rasch von Sportlern entdeckt und übernommen – aus gutem Grund. Eine auf 13 Wochen angelegte Studie mit körperlich fitten Freizeitradlern, die im *European Journal of Applied Physiology* erschien, zeigte, dass EPO die Maximalkraftleistung um 12 bis 15 Prozent und die Ausdauerleistung (die Zeit, in der mit 80 Prozent des Maximalwerts gefahren wurde) um 80 Prozent verbesserte. Dr. Ross Tucker, der für die hoch angesehene »Science of Sport«-Website schreibt, schätzt, dass EPO die Leistungsfähigkeit von Weltklasse-Athleten um etwa fünf Prozent verbessert. Das entspricht in etwa dem Unterschied zwischen dem ersten Platz bei der Tour de France und dem Durchschnitt des Feldes.
Ein frühes mit EPO verbundenes Risiko war eine höhere Sterberate. Es wird vermutet, dass EPO Ende der 1980er und Anfang der 1990er-Jahre die Todesursache für ein Dutzend niederländischer und belgischer Radsportler war: Ihre Herzen versagten, weil sie das durch die Einnahme von EPO verdickte Blut nicht mehr durch den Körper pumpen konnten. Aus jener Zeit gibt es Geschichten von Radrennfahrern, die ihren Wecker mitten in der Nacht klingeln ließen, um Kreislauf und Puls mit Gymnastik in Schwung zu bringen.

diese verrückten Attacken, bei denen sie ihre ganze Energie verpulverten. Durch Anabolika wurden die Typen aufgeschwemmt, schwer, langfristig auch verletzungsanfälliger, von den schrecklichen Hautausschlägen ganz zu schweigen. Bei kühlem Wetter oder in kürzeren Rennen fuhren sie superstark, aber in einem langen, heißen Etappenrennen zogen Anabolika sie runter. Unterm Strich war ein sauberer Fahrer bei den großen dreiwöchigen Rennen noch konkurrenzfähig.

Durch EPO wurde alles anders. Amphetamine und Anabolika sind nichts im Vergleich zu EPO. Schlagartig wurden ganze Teams irre schnell, und ich hatte plötzlich Mühe, im Zeitlimit zu bleiben. 1994 wurde die Situation allmählich lächerlich. Auf den Bergstrecken ackerte ich so hart wie immer, hatte dieselbe Kraft bei konstantem Gewicht, doch neben mir fuhren plötzlich Typen mit großen Hintern und plauderten, als wären wir bei einer Flachetappe! Es war total verrückt.[2]

In der Saison [1996] herrschte bei den gemeinsamen Abendessen eine solche Anspannung – alle wussten, was los war, alle redeten über EPO, alle erkannten das Menetekel. Und alle schauten auf mich und erwarteten, dass ich ihnen zeigte, wo's langging. Aber was konnte ich sagen?

Niemand geht in den Radsport mit dem Wunsch zu dopen. Wir lieben unseren Sport gerade wegen seiner klaren Struktur. Da gibt es nur dich, dein Rad, die Straße, das Rennen. Und wenn du in diese Welt eintauchst und spürst, dass dort gedopt wird, reagierst du instinktiv, indem du die Augen verschließt, dir die Ohren zuhältst und noch härter arbeitest. Du verlässt dich auf das alte Mysterium des Radrennsports – bis

---

2 Die Durchschnittsgeschwindigkeit bei der Tour de France betrug von 1980 bis 1990 37,5 km/h. In den Jahren von 1995 bis 2005 stieg sie auf ein Mittel von 41,6 km/h. Unter Berücksichtigung des Luftwiderstandes bedeutet das eine Steigerung der Antriebsenergie von 22 Prozent.

an die Grenze gehen und dann noch mal eine Steigerung versuchen, denn heute könnte es vielleicht besser laufen. Ich weiß, das klingt komisch, aber die Vorstellung, dass andere dopten, wirkte auf mich zunächst sogar motivierend. Ich kam mir so nobel vor, weil ich sauber war. Ich würde durchhalten, meine Reinheit würde mich stärken. Keine Arbeit zu niedrig und keine zu hart.

Es war einfach, sich an diese Einstellung zu klammern, weil über Doping schlicht nicht gesprochen wurde – jedenfalls nicht von offizieller Seite. Beim Abendessen oder auf Trainingstouren unterhielten wir uns im Flüsterton darüber, aber nie mit unseren Sportlichen Leitern, dem Management oder den Ärzten. In irgendeiner ausländischen Zeitung erschien hin und wieder vielleicht ein Artikel und sorgte kurz für Aufregung, aber die meiste Zeit taten alle so, als wären diese wahnwitzigen Renngeschwindigkeiten völlig normal. Es war gerade so, als würde man jemandem dabei zusehen, wie der lässig und mit einer Hand eine 450-Kilo-Hantel stemmt, und alle anderen benähmen sich, als wäre dies ein ganz normaler Tag im Büro.

Wir mussten unsere Bedenken dennoch äußern. Marty Jemison und ich – diese Geschichte wird oft erzählt – sprachen 1996 den Postal-Mannschaftsarzt Prentice Steffen an und unterhielten uns mit ihm darüber, in welchem Tempo die Rennen gefahren wurden. Steffen sagt heute, Marty habe angedeutet, das Team solle ein paar dieser unerlaubten medizinischen Hilfsmittel bereitstellen, und ich hätte ihn darin bestärkt. Ich erinnere mich an diesen speziellen Vorfall nicht, sehr deutlich aber spüre ich noch dieses Gefühl der Besorgnis und die Neugier, warum zum Teufel diese Burschen so schnell waren und was sie wohl einnahmen.[3]

---

3 Dieser Vorfall wurde einigermaßen berühmt, weil Steffen im Lauf der Jahre in den Medien oft davon erzählte. Steffen behauptet, Jemison habe Andeutungen in Bezug auf Doping gemacht. Jemison wiederum hält dagegen, er sei frustriert gewesen, weil Steffen darauf bestanden habe, er werde Postal-Fahrern nur Aspirin und Vitamintabletten geben. »Ich wusste, dass es

Weisel, wie man sich denken kann, gefiel es noch viel weniger als uns, dass wir nur hinterherfuhren, und die Strukturen im Radsport verstärkten sein Missbehagen noch. Im Baseball oder American Football gibt die Liga den Mannschaften einen gewissen Rückhalt. Der Profi-Radsport hingegen folgt einem eher darwinistischen Modell: Die Teams werden von großen Firmen finanziert und stehen im Wettbewerb um die Zulassung zu den großen Rennen. Es gibt keine Sicherheiten. Sponsoren können aussteigen, Renn-Veranstalter können Teams die Starterlaubnis verweigern. Daraus ergibt sich ein Zustand immerwährender Nervosität: Sponsoren sind nervös, weil sie gute Ergebnisse brauchen, die Sportlichen Leiter sind nervös, weil sie ebenso auf gute Resultate angewiesen sind, und schließlich sind die Fahrer nervös, weil sie die Ergebnisse brauchen, um einen Vertrag zu erhalten.

Weisel verstand diese Gleichung. Das war sein Versuch, zur Tour zu kommen, und er ist nicht der Typ, der auf Niederlagen reagiert, indem er seinen Leuten auf die Schulter klopft und sagt: »Macht nichts, Jungs, morgen packen wir sie.« Nein, Weisel ist der Typ, der auf Niederlagen sauer reagiert. Und 1996 erlebten wir, wie er immer ungehaltener wurde. Wir sahen, wie er und Eddie B. sich nach den Rennen stritten. Wir hörten das drohende Knurren.

Morgen fahren wir besser ein paar gute Resultate ein, oder hier fliegt jemand raus.

Jungs, nun legt mal einen Zahn zu, und zwar sofort!

Das war hundsmiserabel. Was ist bloß mit euch Burschen los?

Die neuntägige Tour de Suisse im Juni bot uns die Chance auf Wiedergutmachung. Wir waren zuversichtlich. Hampsten, der sich die Kapitänsrolle mit Darren Baker teilte, hatte diese

---

legale, intravenös zu verabreichende Vitamine und Aminosäuren gab, und ich drängte Steffen, mir zu sagen, warum wir die nicht bekamen«, erklärt Jemison. »Ich kann guten Gewissens sagen, dass ich in jenem Augenblick nicht an Doping dachte. Den Begriff ›EPO‹ hatte ich noch nie gehört. Das änderte sich allerdings schnell.«

Rundfahrt 1988 gewonnen. Weisel plante, zu den wichtigen Etappen einzufliegen und dann neben Eddie B. im Teamfahrzeug mitzufahren. Wir wollten um jeden Preis beweisen, dass wir dazugehörten.

Sie fuhren uns in Grund und Boden. Ein paar Tage lang hielten wir mit, aber sobald es ernst wurde, wurden wir nach hinten durchgereicht. Die Schlüsselszene kam auf der vierten Etappe beim mörderischen Anstieg zum Grimselpass – dort sind auf 26 Kilometer Länge bei einer durchschnittlichen Steigung von sechs Prozent 1540 Meter Höhendifferenz zu überwinden. Auf der Passhöhe erwartet einen dann der so treffend benannte Totensee. Gleich auf den unteren Rampen zog das Feld das Tempo an, und wir fielen zurück, als hätte man Anker an unsere Hinterräder gekettet. Als Letzter aus unserer Mannschaft hielt Hampsten noch mit, in einer Gruppe von 20 Fahrern flog er den Berg hinauf. Weisel und Eddie B. feuerten ihn an, aber es nützte nichts – Hampsten fuhr sich die Seele aus dem Leib, doch alle anderen waren einfach stärker. Die Gruppe zog davon, Hampsten wurde abgehängt.

Weisel wurde nervös, als er die Spitzengruppe davonziehen sah. Das internationale Renn-Reglement sieht vor, dass das Mannschaftsfahrzeug hinter dem bestplatzierten Fahrer des Teams bleibt, um ihn zu verpflegen und ihm bei etwaigen technischen Problemen mit dem Rad helfen zu können. Ein Verstoß gegen diese Regel ist undenkbar, das wäre gerade so, als würde eine Boxencrew mitten in einem NASCAR-Rennen ihren Posten verlassen. Weisel aber hatte keine Geduld mehr, weder fürs Reglement noch für irgendetwas anderes. Er wies Eddie B. an, Hampsten zurückzulassen, ihn zu überholen und zu den Führenden aufzuschließen, damit er sehen konnte, wo die Post abging. Weisel wollte nach neuen Fahrern fürs 1997er-Team Ausschau halten. Eddie B. gab Gas, und Hampsten sah mit ungläubigem Staunen, wie das Postal-Fahrzeug entschwand. Die Botschaft war unmissverständlich: Weisel würde nicht auf Verlierer warten.

Zwei Tage später hatte unser Ko-Mannschaftskapitän Darren Baker am Fuß des Anstiegs zum Sustenpass (17 Kilometer bei durchschnittlich 7,5 Prozent Steigung) einen Platten. Ich trat ihm ein Rad ab, und als mir der Materialwagen den Ersatz brachte, war ich ganz allein. Ich gab alles, schaffte den Anschluss aber nicht mehr. Auf dieser Etappe blieb ich allein und versuchte nur noch, innerhalb des Zeitlimits ins Ziel zu kommen. Ich sehe sie vor mir: verzweifelte Fahrer, die sich an Rückspiegeln festhielten, um sich so ein paar Meter ziehen zu lassen. Und ich weiß noch, dass ich mir damals vornahm, so etwas niemals zu tun.

Schließlich verfehlte ich das Zeitlimit. Tags darauf flog ich nach Hause und fragte mich, ob ich überhaupt das Zeug zu diesem Sport hatte.

Die Tour de Suisse war die Art von Erfahrung, die mich vielleicht noch einmal gründlich über meinen Sport hätte nachdenken lassen sollen, auch über die Frage, warum ich so hart arbeitete – für nichts und wieder nichts. Vielleicht wäre ich sogar versucht gewesen, ganz auszusteigen – wenn denn der Radsport alles gewesen wäre, was ich hatte. Aber dem war nicht so. Ein paar Wochen vor dieser Rundfahrt hatte ich mich verliebt.

Ihr Name war Haven Parchinski. Wir hatten uns im Frühjahr noch in den Staaten kennengelernt, bei der Tour DuPont. Da hatte sie als freiwillige Helferin mitgearbeitet und im Speisesaal des Hotels die Zugangsausweise kontrolliert. Sie war wunderschön: zierlich und dunkelhaarig, mit einem breiten Lächeln und haselnussbraunen Augen, die das Sonnenlicht einzufangen schienen. Ich war zu schüchtern, um sie anzusprechen, also bat ich Jill, die Frau meines Teamkameraden Marty Jemison – sie machte die PR-Arbeit für Postal –, uns einander vorzustellen. So erfuhr ich, dass Haven in Boston lebte und als Kundenberaterin bei der Werbeagentur Hill Holiday arbeitete. Ab sofort kam ich früh zu den Mahlzeiten und trank anschließend vier oder fünf Tassen Kaffee, um einen Grund für meine Anwesenheit im Raum zu haben. Wir kamen ins Gespräch, wir flirteten. Mein Herz klopfte, und das lag nicht am Kaffee.

Lance, der kräftiger und stärker wirkte als je zuvor, dominierte die Rundfahrt in jenem Jahr.[4] Doch auf einer der letzten Etappen schaffte ich es in die Spitzengruppe, und ich hatte gute Beine. Seltsam, wie dieser Sport von den eigenen Gefühlen abhängt. Mein Verliebtsein wirkte jedenfalls wie Raketentreibstoff. Etwa vier Kilometer vor dem Ziel wagte ich einen Ausreißversuch und schaffte es fast bis ins Ziel, bevor das Feld mich einholte. Ich wurde als angriffslustigster Fahrer des Tages ausgezeichnet, durfte aufs Treppchen steigen und erhielt einen wunderschönen Blumenstrauß. Diesen Strauß ließ ich dann am Abend auf Havens Zimmer bringen. Sie hielt das zuerst für ein Missverständnis. Dann ging ihr ein Licht auf. Sie rief mich an, um sich zu bedanken, und wir telefonierten eine ganze Stunde. Zum Abschluss des Rennens gab es eine Party, danach brachte ich sie auf ihr Zimmer und gab ihr einen Gutenachtkuss – einen einzigen Kuss, nicht mehr und nicht weniger –, und von da an waren wir zusammen.

Wir passten gut zueinander. Haven ließ sich von Radprofis nicht beeindrucken, sie wusste nicht besonders viel über den Radsport, und das gefiel mir. Dafür kannte sie sich in wirtschaftlichen Dingen aus, mit Werbung, Politik, mit der ganzen weiten Welt, die mir bisher entgangen war.

Der Härtetest für unsere junge Beziehung kam, als ich Haven meiner Familie vorstellte – beim alljährlichen Mountain Goat Invitational Crazy Croquet Tournaments in unserem Hinterhof. Haven fühlte sich gleich wie zu Hause und bewies, dass

---

4 Armstrong hatte im Herbst 1995 begonnen, mit dem italienischen Arzt Michele Ferrari zu arbeiten. Zum Saisonstart 1996 staunten seine Mannschaftskameraden, wie kräftig er geworden war. Armstrongs Arme waren so muskulös, dass er die Ärmel seines Trikots aufschneiden musste, um es überstreifen zu können. Scott Mercier fragte ihn im Spaß, ob er nicht für die Dallas Cowboys spielen wolle.

sie nicht nur mithalten, sondern es mit den Besten aufnehmen konnte. Sie bedankte sich später dann schriftlich bei meinen Eltern und merkte dabei an, es sei ihr bislang nicht klar
gewesen, dass Krocket ein Sport mit vollem Körperkontakt
sei. Meine Eltern hatten sie gern. Sie aßen oft miteinander zu
Abend, wenn ich nicht in der Stadt war. Und wir scherzten oft,
dass sie wegen meines Renn-Terminplans mehr Verabredungen
mit Haven hatten als ich.

Havens Eltern waren von unserer Beziehung weniger begeistert, was vielleicht daran lag, dass man mit der Berufsbezeich-
nung »aufstrebender junger Radrennfahrer« in einem Lebenslauf nicht gerade punkten kann. In jenem Juli kamen sie zu
einem Rennen nach Fitchburg in Massachusetts, das ich zum
Glück gewann. So sahen sie immerhin, dass ihre Tochter zwar
nur mit einem Radprofi zusammen war, aber wenigstens mit
einem guten.

Im Dezember jenes Jahres gab ich mein kleines Häuschen in
Nederland in Colorado auf und zog bei Haven in Boston ein.
Ihren Eltern sagten wir allerdings nichts davon und taten so,
als wäre ich nur zu Besuch da.

Rückblickend betrachtet, waren diese Tage vielleicht meine
glücklichsten. Ich war 25 Jahre alt, hatte eine zarte junge
Beziehung mit Haven, einen ausgelassenen Golden-Retrie-
ver-Welpen namens Tugboat und womöglich eine Zukunft als
Radprofi, wenn ich mich weiter verbesserte. Es hatte etwas
Zauberhaftes an sich – ich trat in die Pedale, und dieses freud-
volle, interessante, verlockende Leben baute sich um mich
herum auf. Um *uns* herum.

In Europa gab es unterdessen hoffnungsvolle Anzeichen
dafür, dass die Tage der Zirkusathleten gezählt sein könnten.
Riis' Tour-Sieg 1996 war von Augenblicken übermenschlicher
Dominanz geprägt gewesen, und die Leute sprachen hinter
vorgehaltener Hand von Doping. An den entscheidenden großen Kletterpassagen hatte Riis zum Beispiel etwas getan, das
man bis dahin noch nie gesehen hatte: Er ließ sich in der Spit-

zengruppe einen Augenblick zurückfallen, um seine direkten Konkurrenten kurz zu mustern, sie nachgerade zu verhöhnen – und trat dann an, als säße er auf einem Motorrad. In ganz Europa regten sich die Stimmen der Vernunft. Ein Untersuchungsbericht italienischer Staatsanwälte hatte die öffentliche Aufmerksamkeit auf den EPO-Missbrauch unter den Radprofis im Land gerichtet. Die französische Sportzeitung *L'Équipe* hatte eine Artikelserie veröffentlicht, in der Fahrer erklärten, sie wären nicht länger konkurrenzfähig, ohne EPO zu nehmen, das bis dahin in Tests noch nicht nachweisbar war. Kolumnisten schrieben darüber, wie die neuen Substanzen diese Sportart gefährdeten. Der ganze Druck lastete auf den Schultern von Hein Verbruggen, jenem Holländer, der Präsident des internationalen Radsportverbandes UCI war. Ich hoffte, die UCI würde handeln, und sei es nur aus dem einen Grund, dass dies, so meine Hoffnung, meine eigenen Chancen verbessern würde, in diesem Getümmel mitzuhalten.

Doch all diese Probleme kamen mir klein und unbedeutend vor, als ich Anfang Oktober erfuhr, dass man bei Lance Hodenkrebs diagnostiziert hatte, mit Metastasen im Unterleib und im Gehirn. Es war ein Schock, eine Erinnerung daran, wie schnell sich im Leben alles ändern kann. Die Fotos von Lance erschütterten mich bis ins Mark. Erst vor Kurzem hatte ich ihn erlebt, so stark und unbesiegbar, als Sieger der Tour DuPont im Mai. Jetzt war er mager, kahlköpfig, gezeichnet. Ich hörte, er habe geschworen, dass er zurückkommen werde, und mein erster Gedanke war: *ausgeschlossen.* Der zweite Gedanke war: *Wenn jemand das überhaupt schafft, dann Lance.*

Als der Frühling näherrückte, freute ich mich mit frisch entfachter Begeisterung auf die Saison 1997. Weisel war in der Radsportszene in aller Munde, denn er bewegte etwas. Er nahm einige der größten Namen der Branche unter Vertrag. Wir hatten gehört, dass er das Team und den Terminkalender neu zusammenstellte, und einige von uns – hoffentlich war ich dabei – sollten ständig in Europa leben, in einer katalanischen

Stadt namens Girona, unweit der Pyrenäen. Haven und ich besprachen diese Neuigkeit und überlegten, wie wir mit diesen Veränderungen umgehen wollten. Auf einen Punkt einigten wir uns rasch: Was immer geschah, wo auch immer, zusammen würden wir es schaffen.

EURODOGS

Ich war mir hundertprozentig sicher,
nie zu dopen, und dann entschied ich mich
innerhalb von zehn Minuten, es doch zu tun.

DAVID MILLAR, *ehemaliger Weltmeister*
und Etappensieger der Tour de France

Zum Saisonstart 1997 versammelte Thom Weisel das Team
in seinem Strandhaus im kalifornischen Oceanside, wenige
Kilometer von unserem Trainingslager entfernt. Es war Ende
Januar und der Sonntag, an dem das Super-Bowl-Endspiel aus-
getragen wurde – ein perfekter kalifornischer Tag mit blauem
Himmel. Wir standen in seinem Wohnzimmer mit den Panora-
mafenstern und dem Zehn-Millionen-Dollar-Meeresblick. Der
aber ließ mich völlig kalt, denn was es drinnen zu sehen gab,
war viel beeindruckender.

Da standen Olympia-Goldmedaillengewinner Wjatscheslaw
Jekimow, seine blonde Vokuhila-Frisur in Topform, neben ihm
Jean-Cyril Robin, kürzlich vom starken französischen Festina-
Team zu uns gewechselt, ein Tour-Wettkämpfer vom Scheitel
bis zur Sohle, und Adriano Baffi, ein muskelbepackter Fahrer
vom Mapei-Team. Eddie B. war zum stellvertretenden Direk-
tor degradiert und durch einen freundlichen Dänen namens
Johnny Weltz ersetzt worden. Hampsten war nicht mehr da, er

hatte seine Karriere beendet. Auch Teamarzt Prentice Steffen war nicht mehr dabei; Dr. Pedro Celaya, ein adretter Spanier mit freundlichem Umgangston und sanften braunen Augen, ersetzte ihn.[1]

Mit einem Schlag war aus dem alten Postal-Team eine neue Version Postal 2.0 geworden: ein blitzblankes, nagelneues Modell europäischer Herkunft. Als ich mich umsah, fühlte ich zweierlei. Erstens freute ich mich: Mit solchen Jungs im Team hatten wir eine echte Chance, uns für die Tour de France zu qualifizieren. Gleichzeitig war ich aber auch nervös: Konnte ich mit Fahrern dieses Kalibers mithalten? Hatte ich wenigstens das Zeug zu einem guten Wasserträger – einem Helfer oder Domestiken? Könnte ich überhaupt mit in die Tourauswahl kommen, falls wir es so weit schafften?

Weisel schenkte Rotwein ein und erhob sein Glas. Wir lauschten still seiner gegrummelten, knappen Ansprache vom Typ *Wir haben ein großes Ziel, reißt euch verdammt noch mal zusammen!* Im Fernsehen lief gerade ein Footballspiel, und Weisel zog den Vergleich: Die Tour de France war unser Super-Bowl, und wir würden dort mitspielen, was immer es auch koste.

Weisel und Weltz erklärten uns das Programm: Das Training würde härter, straffer organisiert und zielgerichteter werden. Ich würde zusammen mit vier anderen Amerikanern – Scott Mercier, Darren Baker, Marty Jamison und George Hincapie – nach Girona ziehen. Unser Wettkampfprogramm würde deutlich anspruchsvoller werden: Wir würden den prestigeträchtigen Klassiker Lüttich-Bastogne-Lüttich anpeilen, abermals die

---

1 In einem Brief an den Postal-Team-Manager Mark Gorski protestierte Steffen gegen seine Entlassung und fragte: »Was hätte denn ein spanischer Arzt, den bei uns keiner kennt, zu bieten, das nicht auch ich bieten könnte oder wollte? Die nahe liegende Antwort ist doch: Doping.« Postal antwortete über seine Anwälte. Die drohten Steffen mit einer Klage, falls er dem Team durch öffentlich gemachte Behauptungen finanziellen Schaden zufüge. Auf Anraten seines Rechtsbeistands ließ Steffen die Sache daraufhin auf sich beruhen.

Tour de Suisse, und dann, wenn wir gut genug waren, im Juli zu unserer ersten Tour de France starten. Weisels Ziel war klar: Wir würden beweisen, dass Postal auch in Europa mithalten konnte, dass wir dazugehörten. Wir würden nicht mehr nur bescheiden an die Tür klopfen, sondern sie eintreten.

Irgendwann im Laufe der Feier bemerkte ich einen Teller mit Schokoladenkeksen. Wie jeder Fahrer achtete ich stets auf mein Gewicht, aber wir hatten ein hartes Training hinter uns, und die Kekse sahen extrem lecker aus – knusprig am Rand, in der Mitte nicht ganz durchgebacken, genau wie ich sie mag. Ich konnte nicht widerstehen. Ich nahm mir einen, kaute ihn langsam – besser kann so ein Keks nicht sein. Ich nahm mir noch einen. Während ich so kaute, bekam ich das seltsame Gefühl, als beobachte mich jemand. Ich schaute auf und sah, dass der neue Teamarzt Pedro Celaya mich von der anderen Seite des Zimmers aus genau fixierte, mit geradezu professionellem Interesse, als mäße er mir Fieber. Er lächelte mich an und drohte mir augenzwinkernd, aber nachdrücklich mit dem Finger: aber nicht doch! Ich lächelte zurück und tat so, als wollte ich den Keks unter meinem Hemd verstecken. Er lachte.

Ich mochte Pedro sofort. Anders als Steffen, der mir immer unnahbar und leicht reizbar erschienen war, benahm er sich wie ein netter Onkel. Er schaute einem in die Augen, fragte, wie es einem ging, und erinnerte sich an persönliche Kleinigkeiten. Er war eine schlanke, elegante Erscheinung mit widerspenstigem, ergrauendem Haarschopf und einem jungenhaften Grinsen. Für ihn war das Leben eine große Show: Er war stets offen für einen Spaß. Sein Englisch war vielleicht nicht so toll, und doch konnte man sich ausgezeichnet mit ihm unterhalten. Er schien immer schon zu spüren, wie ich mich fühlte, bevor es mir selbst klar war.

Bei einem unserer ersten Gespräche ging es um mein Blut. Pedro erklärte, der sogenannte Hämatokritwert bezeichne den Prozentanteil der festen Stoffe im Blut, also in der Hauptsache die Menge der roten Blutkörperchen. Er sagte, eine neue

UCI-Regel sehe für jeden Fahrer, dessen Hämatokritwert 50 Prozent übersteige – ein wahrscheinliches Anzeichen für EPO-Missbrauch –, eine 15-tägige Sperre vor. Weil es noch keinen Test für EPO gab, galt die Überschreitung des 50-Prozent-Werts nicht als Doping; UCI-Präsident Hein Verbruggen sprach stattdessen von einem »Gesundheitsthema« und nannte die Sperre »Hämatokritferien«.[2]

Pedro bat mich also um eine kleine Blutprobe, um meinen Hämatokritwert zu ermitteln. Er nahm die Probe, füllte das Blut in einige dünne Glasröhrchen und hängte sie in eine Zentrifuge von der Größe eines Toasters. Ich hörte ein Summen, dann zog Pedro die Glasröhrchen heraus und las die Skala an der Seite ab.

»Gar nicht schlecht«, meinte er. »Du bist 43.«

Ich weiß noch, dass mir seine Wortwahl auffiel: Er sagte nicht »Du hast 43« oder »Dein Spiegel liegt bei 43«, sondern »*Du bist* 43«. Als wäre ich eine Aktie und 43 mein Kurs.

Später fand ich heraus, dass dieser Eindruck nur allzu richtig war.

Aber, ehrlich gesagt, war mir das damals ziemlich egal. Die unmittelbare Zukunft beschäftigte mich: die kommende Saison in Europa, planen, packen, trainieren, meinen Platz im neu aufgebauten Team finden. Scott Mercier war einer der älteren Fahrer darin, ein ehemaliger Olympia-Teilnehmer. Ihn lasse ich jetzt seine Begegnung mit unserem neuen Arzt beschreiben.

---

2 Verbruggen, ehemals Verkaufsleiter für Mars-Riegel, verglich diese Neuregelung mit der obligatorischen Blutuntersuchung für Arbeiter in Lackfabriken; dabei wird der Bleigehalt ermittelt, um sicherzustellen, dass niemand erkrankt. Als man ihm vorwarf, EPO-Doping auf diese Weise quasi zu legalisieren (ein italienischer Team-Chef meinte, diese Regel sei nichts anderes, als wolle man Hinz und Kunz erlauben, in eine Bank zu marschieren und sich dort zu bedienen – so lange man es dabei nur bei unter 1000 Euro belasse), blaffte Verbruggen, bekannt für sein aufbrausendes Temperament, das sei doch kompletter Unsinn; seine Kritiker sollten gefälligst die Klappe halten. Damit war die Botschaft für die Mannschaftsleiter und Fahrer klar: Solange der Hämatokritwert nur unter 50 bliebe, würde es niemanden kümmern.

SCOTT MERCIER: Mich hatte vorher noch nie ein Arzt um eine Blutprobe gebeten, also wusste ich nicht, was er damit wollte. Allerdings wusste ich, dass man den Hämatokritwert nur durch EPO oder eine Bluttransfusion anheben kann. [Celaya] nimmt mich also in sein Hotelzimmer mit und macht den Test. Als er sich meinen Wert ansieht, schüttelt er den Kopf.

»Ooooh là là!«, sagt Pedro. »Du bist 39. Um als Profi in Europa mitzuhalten, musst du 49 sein, besser 49,5.«

Ich verstand, was er meinte; es konnte nur um EPO gehen. Aber ich stellte mich dumm, um zu sehen, was er als Nächstes sagen würde.

»Wie geht das?«, frage ich also, und Pedro lächelt.

»Spezialvitamine«, sagt er. »Aber darüber können wir auch später noch reden.«

In Europa hielt ich dann die Augen offen. Ich wusste über EPO Bescheid und wusste, dass man es gekühlt aufbewahren muss. Und siehe da, im Materialwagen des Teams gibt es einen Kühlschrank. Darin sind ein paar Getränke, ein bisschen Eis – und im unteren Fach eine schwarze Plastikbox. Mit einem Vorhängeschloss dran. Wenn man sie nahm und etwas schüttelte, hörte man drinnen die Ampullen klirren. Ich nannte sie die »Spezialvitamin-Proviantdose«.

Jeder sah, dass ganz oben eine Entscheidung gefallen war, jeder sah, wohin das Team steuerte. Es war sonnenklar. Trotzdem möchte man so etwas nicht wahrhaben; man ignoriert es und versucht, sich davon nicht beeinflussen zu lassen. Eine Weile geht das. Später im gleichen Frühling, im Mai, hatte ich eine vierwöchige Rennpause. Eines Abends kam Pedro in mein Hotelzimmer und gab mir einen Plastikbeutel mit ungefähr 30 Tabletten und einigen Ampullen, die mit einer klaren Flüssigkeit gefüllt waren. Er sagte, das seien Steroide. »Die machen dich stark wie ein Stier«, sagte er. »So stark wie noch nie.«

Ich dachte lange darüber nach. Es war eine schwere Entscheidung. Am Ende verzichtete ich auf die Tabletten und verließ das Team zum Jahresende. Das war nicht mein Ding. Hauptgrund für meinen Abschied war aber wohl, dass ich schon 28 Jahre alt war; ich hatte eine schöne Karriere hinter mir und einige gute Optionen vor mir. Ich wurde dann Geschäftsmann und bin auch ganz erfolgreich. Trotzdem geht mir diese Entscheidung nun seit 14 Jahren nicht mehr aus dem Kopf. Ich mache denjenigen, die die Tabletten genommen haben, keinen Vorwurf – ich kann verstehen, warum sie es taten. Ich meine, nehmen Sie nur Tyler – wie gut er sich in dieser Szene behauptet hat! Es war seltsam, mir das von außen anzuschauen und mich immer zu fragen, wie es wohl gekommen wäre, wenn ich mich damals anders entschieden hätte.

Im Februar 1997, einige Wochen nach dem Ende des Trainingslagers, flog ich dann über den Atlantik. Ich weiß noch, wie ich aus dem Flugzeugfenster auf die spanische Landschaft unter mir sah und mein Magen sich verkrampfte. Ich war nervös. Ich würde in Südspanien bei drei Rennen antreten; dann würde ich mich in Barcelona mit Haven treffen und mit ihr zur neuen Wohnung in Girona fahren, die wir uns mit den anderen Fahrern des Postal-Teams teilten. Das bevorstehende Leben in Europa, mein noch unsicheres Verhältnis zu Haven und meine spanischen Sprachkenntnisse (nämlich keine) machten mich ziemlich nervös; noch beunruhigender fand ich allerdings, dass es im Postal-Team 20 Fahrer gab, aber nur neun an der Tour teilnehmen konnten, und ich wollte unbedingt zu ihnen gehören.

Nach der Landung ging es praktisch direkt auf die Piste: fünf Tage Ruta del Sol, dann das eintägige Luis-Puig-Rennen, im Anschluss die fünftägige Tour de Valencia. Es waren brutale Rennen: windig, heiß, unglaublich schnell. Wir rasten durch die spanische Steppe und die Küste entlang, durch eine Szenerie aus Braun und Blau. Damals sah ich die weißen Beutel zum ersten Mal. Sie tauchten am Ende jedes Rennens auf, wenn die Betreuer sie aus dem Kühlschrank im Werkstattwagen holten. Sie waren klein, ungefähr so groß wie ein Frühstücksbeutel, den man als Kind mit in die Schule nimmt, oben ordentlich zusammengefaltet. Für die Betreuer waren sie nichts Besonderes – gerade das ließ sie so wichtig erscheinen; sie waren einfach da, gehörten zum normalen Ablauf. Bestimmte Fahrer bekamen sie, wenn sie nach dem Rennen nach Hause fuhren.

Bestimmte Fahrer. Nicht alle.

Beim ersten Mal fielen mir die weißen Beutel einfach auf. Nach zwei Rennen achtete ich bewusst darauf, wer sie bekam: nur die besten Fahrer im Team – Hincapie, Jekimov, Baffi, Robin, die ich insgeheim das »A-Team« nannte. Meine Stimmung sank, als ich mir klarmachte, dass ich dann wohl zum B-Team gehören musste.

Zu dieser Zeit hörte ich auch zum ersten Mal die Formulierung »auf paniagua fahren«. Manchmal wurde sie in sehr niedergeschlagenem Ton gebraucht, als ob es um einen Ritt auf einem sehr langsamen und störrischen Esel ginge. *Ich hätte besser abschneiden können, aber ich fuhr auf paniagua.* Dann wieder klang Stolz durch. *Ich war unter den ersten 30, obwohl ich auf paniagua gefahren bin.* Irgendwann ging mir auf, was gemeint war: *pan y agua*, »Brot und Wasser«. Ich zog den offensichtlichen Schluss: Ohne chemische Hilfe an Profirennen teilzunehmen war etwas so Seltenes, dass es erwähnenswert wurde.

Anfangs versuchte ich die weißen Beutel zu ignorieren, aber bald hasste ich sie und dachte dauernd an sie. Wenn mich ein A-Team-Fahrer überholte, dachte ich an die weißen Beutel. Wenn ich erschöpft war und fast aufgeben wollte, dachte ich an die weißen Beutel. Wenn ich wirklich alles gab und trotzdem keine Chance hatte, dachte ich an die weißen Beutel. In bestimmter Weise trieben sie mich sogar an; ich strengte mich mehr an als je zuvor, weil ich beweisen wollte, dass ich besser war, dass ich stärker war als ein blöder kleiner Beutel. Ich ging bis an die Grenze, schmeckte jeden Tag Blut im Mund, und eine Weile funktionierte es.

Dann brach ich langsam zusammen.

Tausend Tage sind eine interessante Frist. So lange ungefähr hat es von meinem ersten Tag als Profifahrer an gedauert, bis ich anfing zu dopen. Wenn man mit den anderen Fahrern aus dieser Zeit spricht und ihre Geschichten liest, sieht man ein ganz ähnliches Muster: Wer gedopt hat, fing meistens im dritten Jahr damit an. Im ersten Jahr, als frischgebackener Profi, freut man sich, dabei zu sein, und ist voller Hoffnung. Im zweiten Jahr wird einem klar, wie die Dinge liegen. Im dritten Jahr kommt die Entscheidung – die Weggabelung. Ja oder nein. Dabei bleiben oder aussteigen. Jeder hat seine 1000 Tage; jeder trifft seine Wahl.

In gewisser Weise ist das deprimierend, andererseits aber auch nur menschlich. Tausendmal erwacht man voller Hoffnung, nur um dann 1000 Nachmittage voller Enttäuschung zu erleben. Tausend Tage paniagua, ständig stößt man schmerzhaft gegen jene Mauer am äußersten Ende seiner Grenzen und versucht sie irgendwie zu überwinden. Tausend Tage empfängt man immer wieder die Signale, dass Doping etwas ganz Normales sei; Signale starker Menschen, denen man vertraut und die man bewundert. Die Botschaft lautet, *alles wird gut* und: *Schließlich tun es alle.* Dabei lauert auch immer die Angst vor dem Karriereende, wenn man es nicht schafft, schneller zu werden. Selbst wenn die Willenskräfte groß sind, so sind sie nicht unendlich. Und wenn man die Grenze überschritten hat, gibt es kein Zurück mehr.

Die Ruta del Sol fuhr ich auf paniagua. Ich war entschlossen, mich zu beweisen – vielleicht zu entschlossen. Die Sonne brannte, das Tempo war mörderisch. Fünf Tage lang fuhr ich an meiner äußersten Leistungsgrenze und versuchte mit der Spitze mitzuhalten. Ich fühlte, wie mein Körper schwächer wurde, und strengte mich noch mehr an. Das nächste Rennen war die Tour de Valencia, noch fünf Tage in der Folterkammer. Ich grub tiefer in mir, fand einen zweiten Atem, dann einen dritten und einen vierten.

Dann hatte ich keinen Atem mehr. Das Peloton wirkte, als bestünde es aus lauter Bjarne Riises, es donnerte dahin wie ein Güterzug. Ich fühlte, wie ich immer schwächer wurde, brüchig wie ein Blatt im Herbst. Erst zwei Wochen war ich in Europa, und schon erlebte ich mein Menetekel. Ich verzweifelte langsam. Bisher war ich an Herausforderungen stets gewachsen, hatte sie irgendwie gemeistert. *Keine Arbeit ist zu niedrig und keine zu schwer.* Doch jetzt war ich auf einmal nicht mehr tough genug.

Ich könnte Ihnen jetzt lang und breit schildern, was für ein ehrlicher Mensch ich bin. Ich könnte erzählen, wie wir als Kinder beim Spielen auf der High Street in Marblehead immer fair blieben, egal, was wir spielten. Ich könnte von der Ehre meines Großvaters erzählen, der bei der Marine diente, oder davon, wie peinlich es war, als ich einmal in der Highschool beim unerlaubten Verkauf von Skiliftkarten erwischt wurde. Ich musste 40 Entschuldigungsbriefe schreiben und Sozialstunden leisten, lernte meine Lektion und gelobte, von jetzt an immer brav zu bleiben – und habe auch mein Bestes getan, mich daran zu halten. All das könnte ich Ihnen erzählen.

Mit Ehrlichkeit aber hat das nichts zu tun. Meiner Meinung nach geht es bei dieser Entscheidung nicht um Ehre oder Charakter. Ich kenne großartige Menschen, die gedopt haben, und ich kenne fragwürdige Charaktere, die sich dagegen entschieden haben. Für mich kam es nur darauf an, dass ich seit 1000 Tagen zusehen musste, wie ich um meinen Lebensunterhalt gebracht wurde, und merkte, dass sich das nicht ändern würde. Also tat ich, was viele andere vor mir auch getan hatten. Ich schloss mich der Bruderschaft an.

Eigentlich kam die Bruderschaft sogar zu mir. Direkt nach der Tour de Valencia besuchte mich Pedro in meinem Hotelzimmer. Peter Meinert Nielsen, mein Zimmergenosse, war gerade beim Essen, also konnten wir uns ungestört unterhalten. Pedro trug bei den Rennen gern eine Anglerweste mit vielen kleinen Taschen. Er setzte sich und fragte wie immer: *Wie geht es dir, Tyler?* Diese Frage konnte er wirklich meisterhaft stellen; man spürte förmlich, wie sehr er sich um einen kümmerte. Ich sagte ihm die Wahrheit: Ich war am Ende. Ich schaffte es kaum noch unter die Dusche. Ich war leer, ich hatte keine Kraft mehr.

Pedro erwiderte erst gar nichts. Er sah mich nur an – oder, genauer gesagt, in mich hinein, mit diesen sanften, traurigen Augen. Dann kramte er in der Anglerweste herum und zog schließlich ein braunes Glasfläschchen hervor. Langsam, wie nebenbei, hielt er es hoch, schraubte den Deckel ab und tippte fachmännisch kurz dagegen, sodass eine einzelne Kapsel herausfiel. Eine kleine rote Pille.

»Das hier ist kein Doping«, sagte er. »Das ist gut für deine Gesundheit. Baut dich wieder auf.«

Ich nickte.

Er hielt die Kapsel noch immer in der Hand. Ich sah, dass sie mit Flüssigkeit gefüllt war.

»Wenn du morgen ein Rennen hättest, würde ich es dir nicht geben. Aber wenn du es jetzt nimmst und erst übermorgen wieder fährst, ist es in Ordnung«, erklärte er. »Völlig unbedenklich. Es hilft dir bei der Erholung. Dein Körper braucht es.«

Ich verstand genau, was Pedro meinte: Wenn ich am nächsten Tag zu einem Dopingtest müsste, dann würde er positiv ausfallen. Wir wussten allerdings beide, dass nur während der Rennen getestet wurde, und das nächste war erst in zwei Tagen. Ich streckte die Hand aus, und er legte mir die Kapsel hinein. Ich wartete, bis er gegangen war, ließ mir ein Glas Wasser einlaufen und sah mich im Badezimmerspiegel an.

Das ist kein Doping. Das ist gut für deine Gesundheit.

Das Rennen, der Trofeo Luis Puig, startete zwei Tage darauf mit einem irrsinnig schnellen Anstieg, lang, brutal und gegen Schluss immer steiler. Ich fiel zurück, wie ich es befürchtet hatte. Aber dann geschah etwas. Gegen Ende des Anstiegs holte ich auf einmal auf; ich überholte erst einen Fahrer, dann drei, dann zehn. Verstehen Sie mich nicht falsch – ich war kein Superman geworden, sondern krepierte fast vor Anstrengung und fuhr an meinem absoluten Limit. Aber die anderen krepierten ein kleines bisschen schneller. Als dann ein paar ausrissen, fuhr ich vorn bei den Topfahrern mit.

Ich wusste genau, was geschehen war: Die rote Pille – später erfuhr ich, dass es Testosteron gewesen war – hatte sich im Blutkreislauf verteilt und eine Folge heilsamer Veränderungen ausgelöst: meine Muskeln besser durchblutet, kleine Verletzungen repariert, ein generelles Wohlgefühl erzeugt. Es war nicht mein altes Ich, das diesen Anstieg hinaufflog, sondern ein getuntes, verbessertes Ich. Ein ausgewogeneres Ich. Pedro hätte gesagt, ein gesünderes Ich.

Ich bin nicht stolz auf meine Entscheidung. Ich wünschte mir von ganzem Herzen, ich wäre stärker gewesen und hätte diese rote Pille in das Fläschchen zurückfallen lassen; ich hätte einen weiteren Tag bei den Nachzüglern durchlitten, auf paniagua. Ich wünschte, ich hätte mir klargemacht, worauf ich mich da einließ, wünschte, ich hätte mich aus dem Radsport zurückgezogen, wäre nach Colorado zurückgegangen, hätte dort meinen College-Abschluss gemacht, vielleicht BWL studiert und ein ganz anderes Leben geführt. Habe ich aber nicht. Ich nahm diese Pille, und sie wirkte – ich fuhr schneller, ich fühlte mich besser. Ich fühlte mich sogar richtig gut, und zwar nicht nur körperlich. Die rote Pille war eine Auszeichnung, ein Signal, dass Pedro und das Team mein Potenzial erkannt hatten. Ich dachte, es sei der erste kleine Schritt ins A-Team.

Ich gewann das Rennen zwar nicht, schnitt aber ziemlich gut ab. Danach klopfte mir unser Direktor Johnny Weltz auf die Schulter, aber dann sah ich wieder zu, wie die weißen Beutel verteilt wurden. Ich sah, wie die Mitglieder der A-Teams ihre weißen Beutel einpackten, und meine Begeisterung verflog.

Offensichtlich lag noch viel Arbeit vor mir.

Nach der Tour de Valencia ging es dann nach Girona, einer mittelalterlichen Stadt mit 100 000 Einwohnern und einer wuchtigen Stadtmauer. Sie liegt am Fuß der Pyrenäen und sollte die nächsten sieben Monate mein Zuhause sein. Ich holte Haven am Flughafen Barcelona ab, und wir fuhren nach Norden, gespannt auf diese Stadt, die Teamleiter Johnny Weltz als einmalig und sehenswert beschrieben hatte. Wir fuhren hinter ihm her, als er von Barcelona aus nach Norden düste. Allerdings raste er wie ein Verrückter mit 160 Sachen durch den Nebel. Ich tat mein Bestes, um nicht abgehängt zu werden, und fuhr ein Überholmanöver nach dem anderen, fast wie ein Formel-Eins-Pilot. (Haven nahm diese Fahrt später als Metapher für unsere ganze Zeit in Europa: eine irrsinnige Verfolgungsjagd durch Nacht und Nebel.)

Die Stadt war wirklich so schön, wie Johnny sie beschrieben hatte, doch für unsere Wohnung galt das leider nicht: eine Ansammlung verdreckter, wohnheimartiger Kabuffs in einer verfallenden Mietskaserne. Vier von uns sollten hier wohnen – George Hincapie, Scott Mercier, Darren Baker und ich; Marty Jemison lebte mit seiner Frau Jill ein Stück weiter weg. Wir zogen Strohhalme, um die Räume auszulosen; Scott, der größte von uns, erwischte natürlich das kleinste Zimmer (vom Bett aus konnte er mit Händen und Füßen fast die gegenüberliegenden Wände erreichen). Als Erstes mussten wir sauber machen; Haven trieb uns zu einer Grundreinigung an, die den ganzen Vormittag dauerte. Danach sah die Wohnung schon weniger nach Abbruchhaus aus – mehr nach einem College-Wohnheim. In Anspielung auf die alte Sitcom *Jeffersons* tauften wir sie unser *Dee-Luxe Apartment in the Sky*. Uns selbst nannten wir die »Eurodogs«.

Wäre unser Leben tatsächlich eine Seifenoper gewesen, hätte Scott Mercier die Rolle des Smarten gespielt: Er war 29, groß gewachsen, hatte das College abgeschlossen und machte mit und ohne Fahrrad eine ausgesprochen elegante Figur.

Darren Baker wäre der Draufgänger gewesen; groß, stark und zäh wie Leder; er war nach einer Verletzung beim Laufen zum Radsport gekommen und hatte sich als Naturtalent erwiesen (1992 hatte er bei einem wichtigen Rennen sogar Lance geschlagen). Darren war Realist bis auf die Knochen, ein Typ, der sich nichts vormachen ließ und anderen stets die Wahrheit sagte, auch wenn sie unbequem war.

George Hincapie war der Stille: Ein Dreiundzwanzigjähriger, der in den letzten Jahren jede Menge hochkarätiger Rennen in Europa absolviert hatte und als aufgehender Stern galt. Seine Spezialität waren die extrem harten Eintagesrennen in Nordeuropa, die sogenannten Klassiker. George redete nicht viel, aber auf seinem Fahrrad verstanden ihn alle; er kombinierte den runden Tritt mit einer unermüdlichen, sturen Bereitschaft zu leiden, wie sie die belgischen Fahrer haben. Georges Schweigen wurde oft als Schwerfälligkeit missverstanden; doch mit der Zeit merkte ich, dass er im Gegenteil viel aufmerksamer und klüger war, als es den Anschein hatte.

Damit blieb für mich die Rolle des Tollpatschs; ich war der kleine Welpe, der in seiner Unbeholfenheit noch am meisten über den Radsport zu lernen hatte. Die ersten Tage standen ohnehin im Zeichen der Ratlosigkeit. Wir wussten weder, wo wir trainieren oder die Fahrräder warten lassen konnten, noch, wo man Lebensmittel kaufte, wie man sich Videos auslieh oder die Geldautomaten benutzte. Zum Glück sprach George Spanisch und lotste uns geduldig durch die anfänglichen Schwierigkeiten. In den ersten Wochen riefen wir bei sprachlichen Verwirrungen immer: »George!« Mit der Zeit wurde das zum Running Gag unserer Sitcom. Und George mit seiner Geduld und Freundlichkeit schaffte es stets, die Situation für uns zu klären.

Wir wurden schnell Freunde und fanden heraus, dass keine Freundschaft mit der von Fahrern in einem Radsportteam mithalten kann. Der Grund liegt in dem einem Wort: *geben*. Man gibt all seine Kräfte: Beim Rennen schützt man einander, verausgabt sich für den anderen, der wiederum dasselbe tut. Man gibt all seine Zeit: Man reist zusammen, wohnt zusammen, nimmt jede Mahlzeit gemeinsam ein. Man fährt täglich zusammen, stundenlang. Bis heute weiß ich von jedem meiner Teamkameraden noch, wie er sein Essen kaute, wie er seinen Kaffee trank, wie sein Gang aussah, wenn er erschöpft war, wie er nach einem beschissenen oder großartigen Tag aus der Wäsche schaute. Andere Sportmannschaften nennen sich gern »Familien«. Im Radsport fühlt man sich wirklich so. Es hatte uns vier gemeinsam an diesen abgelegenen Ort verschlagen, und wir wurden unzertrennlich. Auch wenn wir zu den Rennen fuhren, blieben wir zusammen. Der Rest des Pelotons betrachtete uns mit einer Art höflichen Neugier, als wären wir vier Kleinkinder, die in einem Büro herumstolperten: *Oh, schaut, die neuen Amerikaner – wie niedlich!* Unser Gefühl des Abgesondertseins wurde noch dadurch verstärkt, dass das Peloton im Wesentlichen eine Art Clique ist, in der spezifische Regeln gelten, die wir allesamt brachen.

Da war zum Beispiel die Sache mit den Klimaanlagen. Europäische Fahrer hielten Klimaanlagen für eine ausgesprochen gefährliche Erfindung; sie machten krank und trockneten die Lungen aus. Wenn jemand im Bus oder in einem Hotelzimmer die Klimaanlage einschaltete, sah man ihn an, als verbreitete er die Beulenpest.

Oder die Sache mit der Mousse au Chocolat (führt zu Schweißausbrüchen).

Man setzte sich auch nicht an den Straßenrand (ermüdet die Beine).

Obskur das strikte Verbot, den Salzstreuer von Hand zu Hand weiterzureichen (bringt Unglück, man muss ihn vorher auf den Tisch stellen).

Und schließlich gab es noch eine Regel gegen das Rasieren der Beine am Abend vor einem wichtigen Rennen (der Körper verbraucht zusätzliche Energie, um die Haare nachwachsen zu lassen).

George erwies sich aus zwei Gründen als idealer Zimmergenosse. Erstens hatte er lauter elektronisches Spielzeug. Damals war so etwas noch eher selten, aber George war ein wandelnder Elektromarkt: Er schleppte einen tragbaren DVD-Player, Lautsprecher, die neuesten Mobiltelefone, Laptops und so weiter mit sich herum. Von ihm bekam ich mein erstes Handy; er zeigte mir auch, wie man SMS-Nachrichten schreibt.

Außerdem lehrte er mich die Kunst der Faulheit. Wir nannten das natürlich nicht Faulheit, sondern »Kräfte konservieren«, ganz, ganz wichtig für einen guten Radsportler. Die Methode war einfach: möglichst wenig stehen, möglichst viel schlafen. George war darin erstaunlich gut, ein Superman im Herumhängen. Tagelang erhob er sich nur, um zu essen, und zum Trainieren. Ich sehe ihn noch vor mir, den schlaksigen Körper auf der Couch ausgestreckt, umgeben von einem Haufen elektronischer Utensilien. Auch wenn's um die Wahl des Essens ging, sparte er seine Kräfte: Nicht selten gab es beim ihm Pizza Margherita nicht nur zum Mittag-, sondern auch zum Abendessen. Pizza Margherita aß er überhaupt so oft, dass es schließlich sein Spitzname wurde. Ich tat mein Bestes, um seine energiesparenden Angewohnheiten zu kopieren, aber mir lag das nicht so; ich war zu nervös dazu, und außerdem dachte ich ständig daran, ob ich ins A-Team aufgenommen werden würde.

Meine Sorgen gingen, so seltsam es klingt, auf George selbst zurück, genauer, auf ein Gespräch, das ich zufällig mitgehört hatte. Die Wände unserer Wohnung bestanden nämlich aus mit Wandfarbe gestrichenen Gasbetonsteinen, die Fußböden aus weißen spanischen Fliesen. Man konnte keine Stecknadel fallen lassen, ohne dass es alle hörten. Flüstern etwa war in der ganzen Wohnung zu hören, und da wurde einiges geflüstert, nämlich zwischen George und unserem Teamleiter Johnny Weltz.

Es war nur natürlich, dass Johnny George besuchte: Schließlich war George einer der besten Fahrer im Team, unsere größte Hoffnung auf einen Klassikersieg, der dem Postal-Team die Teilnahme an der Tour bringen konnte. Nicht natürlich war hingegen, dass Johnny manchmal einen weißen Beutel mitbrachte. Man hörte die Papiertüte rascheln. Außerdem flüsterten sie bei ihren Unterhaltungen unter vier Augen – oder sie sprachen Spanisch. George und Johnny beherrschten die Sprache beide fließend, aber schließlich waren wir alle im selben Team, warum sprachen sie nicht Englisch? Klar, dass Scott, Darren und ich neugierig wurden. Wir sahen, wie George ein kleines, in Folie eingewickeltes Päckchen im Kühlschrank bunkerte, hinter den Colaflaschen. Eines Tages, als George gerade nicht da war, konnten wir uns nicht mehr beherrschen und öffneten es. Es enthielt Spritzen und Ampullen mit der Aufschrift EPO.

SCOTT MERCIER: Ich habe George einmal danach gefragt, als wir alleine in der Wohnung waren. Man sprach überall davon, und ich wollte Bescheid wissen, also fragte ich ihn: »Muss man eigentlich dopen, um es zu schaffen?« George zögerte lange mit der Antwort; er ist ein ruhiger Typ, der keine Hektik mag. Er fühlte sich wohl auch ein bisschen bloßgestellt. Aber schließlich sagte er: »Das musst du selbst herausfinden.« Und ich wusste, was er meinte.

Ich war gerade dabei, es selbst herauszufinden. Im März teilte ich mir bei der Katalonien-Rundfahrt ein Zimmer mit Adriano Baffi. Damals war das eine Riesensache für mich, denn Baffi war eine große Nummer, ein Veteran, einer von Weisels angeheuerten Söldnern; er hatte fünf Etappen des Giro d'Italia gewonnen, was ihn in unserem Team zu einer Legende machte. Als ich in unser Hotelzimmer kam, hörte ich als Erstes ein hohes Summen – das Geräusch der Zentrifuge. Ich sah, wie Baffi, ein gut aussehender, lässiger Typ, sich an einem kleinen Apparat zu schaffen machte, der genau wie der von Pedro aussah, nur kleiner und eleganter. Baffi machte überhaupt kein

Geheimnis daraus, sondern handhabe das Gerät ganz selbstverständlich und präzise, als machte er sich einen Espresso. Er sah sich die Skala des Teströhrchens an und lächelte. »Achtundvierzig!«, sagte er.

In solchen Situationen tat ich immer so, als wüsste ich, wovon sie alle sprachen. Ich weiß, dass es heute komisch klingt – vielleicht hätte ich ehrlicher sein und fragen sollen, *Adriano, wieso testest du selbst deinen Hämatokritwert – macht das nicht der Teamarzt?* Aber ich wollte cool sein und dazugehören.

Bei anderen Rennen hörte ich die A-Team-Fahrer über ihren Hämatokritwert sprechen; sie verglichen die Zahlen miteinander, mit vielen Ohs und Ahs und Witzeleien. Sie sprachen die ganze Zeit darüber, genauso oft wie über das Wetter oder die Straßenverhältnisse. Die Werte klangen ungeheuer bedeutungsvoll: *Ich bin 43 – keine Angst, ich werde heute nicht gewinnen. Aber du sollst ja 49 sein – pass also auf!* Ich lächelte dann und nickte; schnell hatte ich gemerkt, wie wichtig der Hämatokritwert war. Er war nicht *irgendeine*, sondern *die* Zahl, die zwischen der Chance auf Sieg und schäbigem Ankommen im Feld entscheiden konnte. Für mich waren das nicht gerade gute Nachrichten, denn mein eigener Wert lag gewöhnlich bei deprimierenden 42. Je mehr ich trainierte, je härter ich fuhr, desto tiefer fiel er.

Doch ich unternahm noch immer nichts. Pedro gab mir hin und wieder Testosteron bei den Rennen, aber das war alles. Mir wäre nicht im Traum eingefallen, Baffi oder einen anderen Teamkameraden um EPO zu bitten. Ich hatte das Gefühl, so etwas stand mir nicht zu; ich musste es mir erst verdienen. Ich tat also, was ich am besten konnte: Ich senkte den Kopf, biss die Zähne zusammen und fuhr, immer an der Grenze und stets im Bemühen, sie ein bisschen weiter von mir wegzudrücken. Vielleicht hätte ich noch etwas länger ignorieren können, was sich um mich herum abspielte, wäre da nicht Marty Jemison gewesen.

Ich kannte Marty gut und betrachtete ihn als Freund. Er war ein bisschen älter, hatte schon einige Zeit in Europa gelebt und war für ein niederländisches Team gefahren, bevor er 1995 zu Weisels Montgomery-Mannschaft gestoßen war. Marty redete nicht viel über seine Erfahrungen in Europa, aber ich hatte das Gefühl, dass er es damals als einziger Amerikaner nicht eben leicht gehabt hatte. Marty war ein netter Kerl; manchmal ein bisschen reizbar, aber im Ganzen freundlich und offen (er hat inzwischen ein erfolgreiches Unternehmen für Radtouren aufgezogen). Das Wichtigste aber, was ich über Marty wusste, war, dass ich ihn in aller Regel abhängen konnte. Im Lauf der Jahre sind wir oft gegeneinander angetreten, und in etwa 80 Prozent der Fälle hatte ich gewonnen, besonders beim Zeitfahren, das ja als idealer Gradmesser der Kondition gilt. Keine Frage: In Sachen Form unterschieden wir uns so deutlich wie bei der Körpergröße.

Im Frühjahr 1997 aber kehrte das Verhältnis sich auf einmal um. Im Training und bei den ersten Frühjahrsrennen fuhr Marty plötzlich besser als ich, und das machte mich stutzig. Tat er was für seinen Erfolg? Musste ich vielleicht auch etwas tun?

Im April wurde ich vom Team für das bis jetzt härteste Rennen aufgestellt: Lüttich–Bastogne–Lüttich, eine grausame Quälerei über 257 Kilometer durch die belgischen Ardennen, für manche das härteste Eintagesrennen überhaupt. Ich steckte alle meine Kraft in die Vorbereitung. Das war eine einmalige Gelegenheit, meine Chancen zu verbessern, ins Team für die Tour zu kommen. Mein Ziel war die erste oder zweite Gruppe – ich nannte es insgeheim, eine Eins oder Zwei zu bekommen.

Ich bekam eine dicke, fette »Vier«, auf paniagua. Gut, zu Anfang konnte ich noch einigermaßen mithalten, aber als das Rennen erst richtig in die Gänge kam, landete ich abgeschlagen im Mittelfeld, in der vierten Gruppe. 15 Minuten Rückstand. Marty dagegen fuhr den größten Teil des Tages über in der ersten Gruppe und kam in der zweiten durchs Ziel. Er war dabei. Nach dem Rennen stieg meine Frustration in neue Höhen, als ich zusah, wie die weißen Beutel verteilt wurden. Jetzt konnte ich die Ungerechtigkeit ermessen. Marty war immer ein paar Gruppen hinter mir gewesen; jetzt war er ein paar Gruppen vor mir. Ich sah den weißen Beuteln die Anzahl der Sekunden an, die in ihnen steckten. Ich sah die Kuft zwischen dem, der ich war, und dem, der ich sein konnte. Der ich sein sollte.

Es war ungerecht.

Es war unfair und gemein.

In diesem Augenblick sah ich meine Zukunft klar vor mir. Wenn sich nichts änderte, war ich raus. Ich würde mir einen anderen Beruf suchen müssen. Ich steigerte mich in diesen Gedanken hinein und wurde immer wütender. Nein, nicht auf Marty – der hatte schließlich nur getan, was viele andere ihm vorgemacht hatten. Er hatte die Gelegenheit bekommen und sie genutzt. Nein, ich war wütend auf mich selbst, auf die Welt. Ich fühlte mich betrogen.

Einige Tage danach klopfte es leise an meine Tür. Pedro kam herein und setzte sich aufs Bett; Knie an Knie saßen wir da. Er sah mich mitfühlend an.

»Ich weiß, wie hart du schuftest, Tyler. Deine Werte sind niedrig, aber du treibst dich an, den Anschluss zu halten.«

Ich tat unbeteiligt, aber er wusste, wie viel mir dieses Lob bedeutete. Er beugte sich vor.

»Du bist ein erstaunlicher Fahrer, Tyler. Du kannst dich bis an deine Grenze treiben, auch wenn du völlig ausgelaugt bist; das können nur sehr wenige. Die meisten Fahrer würden dann aufgeben. Du aber machst weiter.«

Ich nickte. Es war klar, was als Nächstes kommen würde, und mein Herz klopfte.

»Ich denke, du hast vielleicht eine Chance auf die Tour de France. Aber du musst etwas für deine Gesundheit tun. Du musst dich um deinen Körper kümmern. Du musst gesünder werden.«

Am nächsten Tag bekam ich die erste EPO-Spritze. Es war ganz einfach. Wenige Tropfen einer klaren Flüssigkeit, ein kleiner Pieks in die Armbeuge. Es war sogar so einfach, dass ich mir ein bisschen blöd vorkam – das war alles? Davor hatte ich solche Angst gehabt? Pedro gab mir ein paar Ampullen EPO und einige Spritzen mit nach Hause. Ich wickelte sie in Folie und verstaute sie hinten im Kühlschrank. Kurz darauf zeigte ich sie Haven, und wir sprachen kurz darüber.

»Es ist dasselbe wie in einem Höhensimulationszelt«, sagte ich. Das stimmte natürlich nicht wirklich, denn bei niedrigem Sauerstoffgehalt in einem Höhensimulationszelt zu schlafen (eine legale Methode, um den Hämatokritwert zu erhöhen), ist erstens furchtbar umständlich, verursacht Kopfschmerzen und verbessert zweitens die Blutwerte bei Weitem nicht so stark. Aber wir waren damals beide mit dieser Ausrede ganz zufrieden. Wir wussten, es war eine Grauzone, aber schließlich hielt es der Teamarzt für eine gute Sache, gut für meine Gesundheit. Wir wussten, dass wir die Regeln verletzten. Aber wir fühlten uns ungeheuer schlau dabei.

Außer Haven sprach ich mit niemandem über meine Entscheidung – weder mit Scott, noch mit Darren, George oder Marty. Sie waren zwar vielleicht wie eine Familie für mich, aber ihnen davon zu erzählen wäre mir irgendwie komisch vorgekommen, so als bräche ich eine Teamregel. Inzwischen weiß ich: Ich erzählte ihnen nichts, weil ich mich schämte. Damals kam ich mir allerdings ziemlich durchtrieben vor. Ich handelte, wie die Europäer gerne sagten, »professionell«.[3]

---

3 Hamiltons Entscheidung von 1997, EPO zu nehmen, beruht möglicherweise auf einer falschen Annahme über seinen Teamkameraden Marty Jemison.

Jemison berichtet: »In diesem Frühling saßen Tyler und ich im selben Boot und hielten gerade so eben mit. Ich fuhr den ganzen Frühling über sauber. Im Juni, kurz vor der Dauphiné Libéré, kam Pedro [Celaya] zu mir und sagte, wenn ich mit ins Tour-Team wolle, müsse ich gesund sein. Er zeigte es mir, er lieferte das Nötige. Also ja, ich tat, was alle anderen auch taten, ab Juni und

Eine Menge Leute fragen sich, ob EPO gesundheitsschädlich
ist. Ich möchte darauf gerne mit einer Liste antworten:

Ellenbogen
Schulterblatt
Schlüsselbein (zweimal)
Wirbelsäule
Becken
Finger (vielfach)
Rippen
Handgelenk
Nase

Das sind die Knochen, die ich mir in meiner Rennfahrer-Karri-
ere gebrochen habe. In diesem Sport ist das nichts Ungewöhn-
liches.

Seltsamerweise denkt in den USA allerdings jeder, Radrennen zu fahren sei gesund. Zumindest im Spitzenbereich ist es
jedoch alles andere als das. (Mein ehemaliger Teamkamerad
Jonathan Vaughters sagt gerne, wenn man sich mal wie ein
Rennfahrer fühlen wolle, solle man sich in Unterwäsche in sein
Auto setzen und bei 60 Stundenkilometern zum Fenster raus in
einen Haufen Metallschrott springen.) Im Vergleich dazu sind
die gesundheitlichen Risiken bei der Einnahme von EPO doch
wirklich überschaubar.

---

dann während der Tour. Aber mein Ergebnis in Lüttich war sauber. Da hatte
ich einfach einen guten Tag.«

Jemison, der 1999 den Titel bei den US-Meisterschaften errang, nahm nur
zweimal für US Postal an der Tour teil, was vielleicht die veränderte Bewertung von Fahrern durch ihre Teams in der EPO-Ära widerspiegelt. »Ich hatte
einen natürlichen Hämatokritwert von 48, also konnte EPO mir nicht viel
zusätzliches Drehmoment verleihen«, erklärt er. »Je länger ich bei [Postal]
war, desto klarer wurde mir, dass sie mich nicht mehr fürs A-Team in Betracht
ziehen würden. Offenbar wollten sie Fahrer, die Resultate auf einer ganz
neuen Ebene bringen konnten.« Jemison verließ das Team nach der Saison
2000.

Wie fühlt es sich an, auf EPO zu sein? Richtig gut, vor allem, weil man davon überhaupt nichts merkt. Man ist nicht bedröhnt, sondern fühlt sich gesund, normal, stark. Das Gesicht hat ein bisschen mehr Farbe; man ist fröhlicher, umgänglicher. Diese kleinen Tröpfchen funktionieren wie Signalgeber – sie senden Botschaften an die Nieren, immer mehr rote Blutkörperchen zu bilden, die bald schon zu Millionen deine Adern füllen und den Muskeln fleißig Sauerstoff liefern. Ansonsten verändert sich nichts im Körper, nur die Treibstoffzufuhr funktioniert besser. Man kann schneller fahren und länger durchhalten. Diese bislang unüberschreitbare Schwelle an der äußersten Grenze deines Limits wird plötzlich einfach weggeschubst.

Manche Fahrer sprachen schon von EPO-Flitterwochen, und das ist meiner Erfahrung nach gar nicht so verkehrt – das Ganze ist auch ein psychisches Phänomen, nicht nur ein körperliches. Der Kick daran ist, dass ein paar Tröpfchen EPO genügen, um einen Wände durchbrechen zu lassen, die vorher unüberwindlich waren. Doch auf einmal hat man das Gefühl ganz neuer Möglichkeiten. Ängste verschwinden. Man fragt sich: Wie weit kann ich noch gehen? Wie schnell kann ich denn überhaupt fahren?

Vielfach glaubt man, Doping sei etwas für faule Säcke, die nicht hart trainieren wollen. Das stimmt vielleicht manchmal, aber bei mir und auch bei vielen anderen, die ich gekannt habe, war es genau umgekehrt. EPO gab einem die Möglichkeit, *noch mehr* zu erdulden, sich weiter und härter voranzutreiben, als man es sich vorstellen konnte, sowohl beim Training als auch im Rennen. Es förderte genau das, was ich ohnehin schon beherrschte: eine sportliche Lebensweise und die Bereitschaft, sich selbst bis zu den Limits und darüber hinaus zu treiben. Ich war geradezu außer mir: Das war Neuland, eine ganz neue Welt! Ich begann die Rennen anders zu sehen. Jetzt entschieden nicht mehr Zufall, Genetik oder Tagesform. Ihr Ausgang hing nicht mehr davon ab, wer man war, sondern davon, *was man tat* – wie hart man trainierte, wie gut und professionell man sich vorbereitete. Rennen waren auf einmal wie Examen, auf die man sich vorbereiten konnte. Sofort verbesserten sich meine Ergebnisse: Ich fuhr keine Dreien und Vieren mehr ein, sondern Einsen und Zweien. Anfang des Sommers hatte ich die Spielregeln heraus:

1. Nimm alle ein, zwei Wochen, aber nicht zu kurz vor den Rennen, eine rote Pille zur Regeneration.
2. Lass dir während der Rennen EPO geben, und zwar vom Teamarzt. Kaufe es nicht selbst, und bewahre es nicht zu Hause auf, außer in Ausnahmefällen (bei Verletzungen oder längeren Rennpausen). Injiziere es subkutan, in die Fettschicht unter der Haut. Dadurch wird es langsamer freigesetzt und wirkt länger.
3. Rede nicht darüber. Es weiß sowieso jeder Bescheid. Das gehört zur Coolness. Außerdem – wenn jemand gegen ein Gesetz verstieß, dann das Team; dort besorgte und verteilte man schließlich das EPO. Ich hatte nur die Klappe zu halten, den Arm auszustrecken und ein guter Fahrer zu sein. Das war mein Job.

Als der Sommer dann richtig heiß wurde, verbesserten sich meine Platzierungen, ich kam unter die ersten 20, die ersten zehn. Ich war entspannter, weniger nervös. Wenn die anderen Fahrer jetzt Witze über ihren Hämatokritwert machten, lachte ich mit. Ich lächelte wissend, wenn jemand einen EPO-Witz erzählte. Ich war das jüngste Mitglied im Club der weißen Beutel.

Im Juni kam dann die große Nachricht, dass die Organisatoren der Tour de France das Postal-Team eingeladen hatten. Einige Wochen später kam eine für mich noch viel bessere Botschaft: Ich wurde für das Tour-Team aufgestellt, zusammen mit Eki, George, Baffi, Robin und dem Rest des A-Teams. Ich rief meine Eltern in Marblehead an und lud sie ein, herüberzufliegen und sich einen Teil der Tour anzuschauen. Vielleicht würde ich ja nie wieder dort starten können. Ich war im siebten Himmel – zumindest bis zum Start der Rundfahrt.

Die Tour de France 1997 war geradezu irrsinnig schwer. Gut, Tour-Etappen sind immer hart, aber in diesem Jahr hatten die Organisatoren, vielleicht als Reaktion auf die zunehmende Geschwindigkeit des Pelotons, sie *wirklich* hart gestaltet – eine Etappe führte zum Beispiel über 242 Kilometer mitten durch die Pyrenäen; sieben telegene Leidensstunden am Stück. Als Bonus bekamen wir noch grauenhaftes Wetter, das sich aus gefrierendem Regen, Nebel und orkanartigem Wind zusammensetzte. Falls die Organisatoren es darauf anlegten, die Fahrer zum EPO-Konsum zu verführen, machten sie alles richtig. Bei Postal jedenfalls wurden jede Menge weißer Beutel gereicht, und wir waren bestimmt nicht die Einzigen.

Viele Leute fragen sich, warum Dopingsubstanzen bevorzugt bei langen Rundfahrten wie der dreiwöchigen Tour de France eingesetzt werden. Die Antwort ist einfach: Je länger das Rennen, desto mehr bringt Doping – besonders EPO. Faustregel: Wenn man nicht künstlich nachhilft, fällt bei einem dreiwöchigen Rennen der Hämatokritwert um etwa zwei Prozent pro Woche, insgesamt also um sechs Prozent. Das nennt sich Sportanämie. Jedes Prozent weniger bedeutet aber auch ein Prozent weniger Kraft, die man auf die Pedale bringt. Wenn man also ein langes Rennen auf paniagua fährt, ohne künstlich erhöhte Erythrozytenproduktion, hat man nach drei Wochen sechs Prozent weniger Leistungskraft, und in einem Sport, in dem Siege oft durch Unterschiede von Zehntelprozent entschieden werden, verhagelt einem das schlicht die Bilanz.

Mit oder ohne EPO – der härteste Tag der Tour war die vierzehnte Etappe. An diesem Tag inszenierte das französische Festina-Team ein geradezu zirkusreifes Powerplay. So etwas hatte man noch nicht gesehen: Am Fuß des 21,3 Kilometer langen Steigung zum Col du Glandon fuhren alle neun Festina-Fahrer vor zur Spitze, gaben dort richtig Gas und bretterten mit unvorstellbarer Geschwindigkeit die Madeleine-Steigung hinauf – und dann im gleichen Tempo weiter bis nach Courchevel. Danach war allen klar, was geschehen war: Festina hatte was Neues. Etwas, das noch über EPO hinausging. Am nächsten Tag lief das Gerücht um, dass Festina Perfluorcarbone (PFCs) einsetze, synthetisches Blut, das die Sauerstoffversorgung verbessert und nicht nachweisbar war. Solche Mittel waren extrem riskant, unter Umständen sogar lebensgefährlich. Im Jahr darauf landete der Schweizer Mauro Gianetti auf der Intensivstation; die Ärzte vermuteten, er habe PFCs genommen, obwohl Gianetti es abstritt. Wie Festina bewiesen hatte, gab es aber auch Vorteile – was hieß, dass solche Neuerungen, zu wichtig, um lange geheim zu bleiben, bald von anderen Teams übernommen wurden. Ein regelrechtes Wettrüsten – wobei man sich klarmachen muss, dass hier Teams miteinander konkurrierten, nicht die einzelnen Fahrer. Jeder Teamarzt versuchte, den anderen Teamärzten voraus zu sein; die Fahrer hatten einfach zu tun, was man ihnen sagte.[4]

Ich nahm also an der Tour 1997 teil, und ich überlebte sie. Riis war der große Favorit, doch zur allgemeinen Überraschung fuhr einer seiner Teamkameraden an ihm vorbei ins Gelbe Trikot, ein großäugiger, muskelbepackter Deutscher, der erst drei-

---

4 Ausnahmeleistungen wie die von Festina traten oft auf, wenn ein neues Dopingmittel aufkam. Auffällig war zum Beispiel die Vorstellung 1994 beim Flèche Wallonne, als drei Gewiss-Fahrer dem Feld mit unerhörter Geschwindigkeit davonfuhren. Im Radsport hatte es eine derartig drückende Überlegenheit einer Mannschaft zuvor nicht gegeben; es war etwa so, als würde eine Fußballelf ein Meisterschaftsspiel mit 99 : 0 gewinnen. Außerdem platzierten sich gleich sieben Italiener unter den ersten acht dieses Rennens, was zeigt, wie EPO sich, gleich der Renaissance, von Italien aus im Rest der Welt ausbreitete.

Nach dem Rennen wurde Michele Ferrari, der Teamarzt von Gewiss, von einem Reporter direkt gefragt, ob seine Fahrer auf EPO seien. »Ich verschreibe das Zeug nicht«, antwortete er. »Aber in der Schweiz können Sie EPO rezeptfrei legal kaufen, und wenn ein Fahrer das tut, stört mich das nicht.« Als der Journalist auf die zahlreichen Todesfälle nach EPO-Missbrauch hinwies, erwiderte Ferrari: »EPO an sich ist nicht gefährlich, solange man es nicht missbraucht. Auch Orangensaft ist lebensgefährlich, wenn man zehn Liter auf einmal trinkt.«

undzwanzigjährige Jan Ullrich. Dieser Ullrich war wirklich ein Phänomen, mit seinem runden Tritt und einer schier unglaublichen Kraft für einen so jungen Fahrer. Als ich ihn fahren sah, stimmte ich mit den meisten Beobachtern überein, dass hier ganz klar Indurains Nachfolger kam, einer, der die Tour über die nächsten zehn Jahre dominieren würde.

Das Postal-Team schnitt für Neulinge ziemlich gut ab; unser Kapitän Jean-Cyril Robin kam auf den fünfzehnten Platz. Ich war 69. der Gesamtwertung und damit viertbester *Postie*. (Jemison errang den 96. Platz in der Gesamtwertung, eine halbe Stunde hinter mir, George den 104.). Nun, ich war sicher nicht der beste Fahrer der Welt, aber bei Weitem auch nicht der schlechteste. Die neue 50-Prozent-Regel für den Hämatokritwert war kein großes Problem für mich – mir gefiel sie sogar, weil dadurch Überraschungs-Stunts von wild gewordenen Muskelprotzen seltener wurden (es gab ja immer noch keinen Test für EPO). Dank der weißen Beutel und Pedros Zentrifuge konnte man leicht um die 45 Prozent herum bleiben. Und wenn bei jemandem im Team der Wert zu hoch stieg, konnte man sich immer noch eine sogenannte *Speed Bag* reinziehen – sich also einen Beutel Salzlösung intravenös injizieren – oder ganz einfach nur ein paar Liter Wasser mit ein paar Salztabletten darin trinken. Wir nannten es »sich runterwässern«.

Nach dem Finale der Tour stand ich in einem Pariser Hotel vor dem Spiegel und betrachtete meinen Körper. Ich hatte schlanke Arme und Beine mit wirklichen Adern, war hohlwangig und hatte eine neue Härte in den Augen. Ich ging nach unten und traf mich mit dem Team, Thom Weisel und unseren Sponsoren. Wir erhoben die Champagnergläser und stießen auf die Leistung der Mannschaft an. Weisel war zufrieden, aber schon jetzt, das Glas noch in der Hand, sprach er vom nächsten Jahr, wenn wir es *wirklich* allen zeigen würden.

Als der Frühling 1998 kam, waren zwei der Eurodogs nach Hause geflogen; sie hatten das Team verlassen. Scott übernahm das Familienunternehmen; Darren wollte ins Finanzgeschäft einsteigen. George und ich zogen vom Dee-Luxe-Apartment in the Sky in eine moderne Dreizimmerwohnung im Stadtzentrum von Girona nahe den Ramblas um. Es tat uns leid, dass die beiden anderen gingen. Sie waren nette Kerle; wir vermissten sie. Aber wir lernten dabei auch, wie unsere Welt funktioniert. Manche halten mit, andere nicht.[5]

---

5 Man fragt sich automatisch: Wenn jeder EPO nahm, wieso waren dann nicht alle gleich gut? Die Antwort, so die Wissenschaft, liegt darin, dass eine Droge unterschiedliche Effekte auf jeden Menschen hat. Bei EPO wirkt sich das besonders aus, weil die Fahrer sich dank der 50-Prozent-Regel der UCI unterschiedlich stark verbessern konnten. Zum Beispiel beträgt Hamiltons natürlicher Hämatokritwert etwa 42. Wenn er genug EPO nimmt, um seinen Wert auf 50 zu heben, also um 8 Prozent, ist das eine Steigerung um 19 Prozent gegenüber dem vorherigen Wert. Mit anderen Worten: Hamilton konnte seinen Bestand an sauerstofftransportierenden roten Blutkörperchen um 19 Prozent erhöhen – eine Menge zusätzlicher Kraft – und trotzdem unter dem Limit bleiben.
Ein anderer Fahrer, dessen natürlicher Hämatokritwert bei 48 liegt, durfte nur so viel EPO nehmen, um ihn um 2 Prozent zu steigern, also um 4 Prozent im Vergleich zum vorherigen Wert; seine Kraft nahm also gegenüber der Hamiltons nur um ein Viertel zu. Das ist vielleicht einer der Gründe für Hamiltons starke Leistungssteigerung, als er mit der Injektion von EPO begann. Studien zeigen außerdem, dass einige Menschen besser auf EPO ansprechen als andere; außerdem wirkt bei manchen das intensivere Training, das durch EPO möglich wird, besser als bei anderen. Schließlich kommt noch dazu, dass EPO die Faktoren für die Leistungsbegrenzung vom Zentrum des Körpers (Herzleistung) an die Peripherie (Sauerstoffabsorptionsrate der Muskelenzyme) verschiebt.
Fazit: EPO und andere Dopingmittel schalten die physiologischen Möglichkeiten nicht etwa gleich, sondern verlagern sie in völlig neue Regionen und setzen dabei die gewohnten Spielregeln außer Kraft. Dr. Michael Ashenden beschreibt es so: »In einem Dopingrennen ist der Gewinner nicht der, der am härtesten trainiert hat, sondern derjenige, der am härtesten trainiert hat *und* dessen Körper am besten auf die Mittel anspricht.«

ZIMMERGENOSSEN

Als ich hörte, Lance würde in der Saison 1998 zum Postal-Team stoßen, war ich begeistert und ein bisschen nervös. Auf den ersten Blick schien es nur logisch – schließlich waren wir das beste amerikanische Team, und Lance war der beste amerikanische Radprofi, zumindest vor seiner Erkrankung. Wir alle hatten mitbekommen, wie er Operationen und Chemotherapie überstanden und dann die letzten 14 Monate gerackert hatte, um wieder in Form zu kommen. Wir hatten von seinen Bemühungen um Verträge mit den großen europäischen Teams gehört und wie Weisel ihn dann für die verhältnismäßig geringe Summe von 200 000 Dollar plus Prämien unter Vertrag genommen hatte. Die große Frage aber lautete: War Lance noch Lance? Oder hatte der Krebs seinen Körper, seine Persönlichkeit verändert? Die Antwort erhielten wir am ersten Tag im kalifornischen Trainingslager.

»Scheiß auf euch alle!«, schrie Lance und zog davon, während wir uns abmühten, ihm hinterherzukommen. Und er war stark – wir mussten kräftig in die Pedale treten, um ihn einzuholen.

»Mehr bringt ihr Säcke nicht?«, rief er, als wir ihn eingeholt hatten. »Ihr Weicheier lasst euch von Cancer Boy zeigen, was eine Harke ist?«

Ich atmete auf. Was hatte ich erwartet – dass Lance kahlköpfig und mit schwacher Stimme, auf einen Rollator gestützt, angeschlurft kommen würde? Gut, er hatte ein paar Kilo verloren – seine Arme sahen nicht mehr aus wie bei einem Footballer –, aber ansonsten war er ganz der Alte, genauso aggressiv wie immer und stets bereit anzugreifen.

Wenn Lance irgendwo auftaucht, bringt er Bewegung in die Dinge, die Raumtemperatur steigt spürbar an. Ich glaube inzwischen, er selbst kann gar nichts dafür – es ist, als sei er allergisch gegen Ruhe, als fühle er sich nicht wohl, solange nicht alles in Bewegung ist, und zwar pausenlos. Er hatte ein Gespür für Schwächen und Fehler und legte stets den Finger in jede Wunde. Zu allem und jedem fällte er sofort sein Urteil: über die einzig akzeptablen Frühstücksflocken, die einzig akzeptablen Strecken zum Trainieren, die einzig akzeptablen Verschlüsse der Bidons [Wasserflaschen, Anm. d. Verlags], darüber, welcher Betreuer am besten massierte, wo man das beste Brot bekam, wie man Espresso macht, welche Technologieaktie demnächst anziehen würde … Egal was, er wusste Bescheid und sagte es einem auch. Was er schätzte, erntete ein anerkennendes Nicken; was er nicht mochte, kommentierte er mit leicht hochgezogener Oberlippe und einem Geräusch, das wie *pfff* klang (das hatte er wohl bei den Europäern abgeschaut). Für ihn gab es keine Grauzone; alles war entweder großartig oder schrecklich. Wir witzelten immer, man könne Lance mit einem einzigen Wort auf die Palme bringen: Mit dem Wort »vielleicht«.

Am meisten hasste Lance *choads*. Ich weiß nicht, woher er das Wort hatte. Vielleicht ist es eine Eigenschöpfung aus *chump*, »Vollpfosten«, und *toad*, »Kröte«, jedenfalls bedeutete es das, wonach es klang. Choads waren Jammerlappen, Schwächlinge, Typen, die es nicht brachten oder – noch schlimmer – die es nicht brachten und dann darüber jammerten. Wer sich ein paarmal verspätete oder Termine vergaß, war ein Choad. War man zu weich, um auch bei schlechtem Wetter zu fahren, oder brachte man Ausreden für eine schlechte Leistung, wurde man zum Choad. War man ein »Lutscher« (jemand, der sich in den Windschatten anderer Fahrer hängt, um die eigene Kraft zu sparen), wurde man zum Choad. Und einmal ein Choad, immer ein Choad.

Bobby Julich zum Beispiel, ein amerikanischer Spitzenfahrer, ehemaliger Teamkamerad von Lance bei Motorola. Ich weiß nicht, warum, aber Lance hatte etwas gegen Bobby. Vielleicht lag es daran, dass sie schon als Junioren gegeneinander gefahren und Rivalen geblieben waren, vielleicht lag es daran, dass Bobby manchmal ziemlich kultiviert und europäisch-intellektuell daherkam (so was vertrug Lance überhaupt nicht), oder daran, dass Bobby gern über seine neuesten Verletzungen oder Ernährungsideen referierte, als gäbe es auf der Welt nichts Interessanteres. Wenn jedenfalls von Bobby die Rede war, schüttelte Lance immer den Kopf, mit dieser Mischung aus Abscheu und Verachtung, die er in Gegenwart eines ausgewiesenen Super-Choad an den Tag legte. (Bobby muss man allerdings zugutehalten, dass es ihm egal war, was Lance von ihm dachte.)

Oder Johnny Weltz, der Leiter des Postal-Teams. Johnny war ein herzlicher, freundlicher Mensch, besaß aber überhaupt kein Organisationstalent. Anfang 1998 leistete er sich ein paar Schnitzer – ich glaube, es ging um Hotelbuchungen, Rennterminpläne oder die Ausrüstung –, und von da an sah Lance sich nach einem neuen Teamleiter um. Das zeigt, wie mächtig Lance im Team war: Wenn er was wollte, bekam er es. Ich sage nicht, dass Lance ungerecht war – Johnny war manchmal wirklich sehr konfus. Interessant und kaum nachzuvollziehen fand ich allerdings, wie schnell und unbeirrbar Lance sich entschied, so als habe er – zack – einen Schalter umgelegt. Von jetzt auf gleich war Weltz ein Choad und hieß für Lance nur noch »der beschissene Johnny Weltz«. Was immer schiefging, »der beschissene Johnny Weltz« war schuld.

Zum Glück hatten wir auch zwei beispielhafte Anti-Choads: den zähen Russen Wjatscheslaw Jekimow und unseren neuen Teamkameraden Frankie Andreu, der vorher mit Lance für Motorola gefahren und gerade bei uns eingestiegen war. Lance respektierte nur wenige Menschen, doch einer davon war Eki – wegen seiner Disziplin, seiner Professionalität und seiner Fähigkeit, jede Herausforderung anzunehmen, ohne mit der Wimper zu zucken. Eki zählte immer mit, wie viele Kilometer er in der Saison schon absolviert hatte; manchmal fragten wir ihn danach, einfach nur, um die Zahl zu hören. Meistens waren es um die 40 000, also einmal rund um die Welt.

Frankie war sozusagen Ekis amerikanische Ausgabe und für Lance eine Art großer Bruder. Frankie war einfach Frankie: ein mächtiger, bärenstarker Typ aus Michigan, der stets geradeheraus sagte, was er dachte. Jeder respektierte ihn. Frankie und Lance waren, wie gesagt, schon bei Motorola zusammen gefahren. Auf dem Rad war Frankie ein richtiges Pferd – er war 1996 beim olympischen Straßenrennen in Atlanta als Vierter über den Zielstrich gekommen und besaß einen phantastischen Riecher, wenn's darum ging, eine erfolgreiche Attacke zu lancieren. Seinen größten Einfluss auf die Mannschaft aber hatte er, wenn er nicht auf dem Rad saß. Er war nämlich einer der wenigen, der allen rundweg die Meinung sagte, sogar Lance. Die Betreuer nannten ihn »Ajax« – wie das blaue Scheuerpulver –, weil man sich nach einem Gespräch mit ihm immer so fühlte, als sei man mit harter Wahrheit abgeschrubbt worden.[1]

Anfangs war diese Wahrheit nicht eben schmeichelhaft für Lance. Zu Saisonbeginn 1998 wollte er durchstarten wie früher – auf Trainingstouren fuhr er so viel wie möglich an der Spitze, legte Sprints zu Stoppzeichen ein und raste Abfahrten runter wie im Rennen. Er holte das Letzte aus sich heraus in dem verzweifelten Versuch, uns und sich selbst zu beweisen, dass er in alter Form zurück war. Das Problem war allerdings: Er war nicht mehr der Lance von früher. Mal verfügte er über seine ganze Kraft, dann versiegte diese wieder auf unerklärliche Weise. An manchen Tagen war er unschlagbar, an anderen brachte er kaum die Kurbel in Bewegung. Dann kehrte er

---

1 Im Jahr darauf, 1999, als Armstrong sich nach dem Tour-de-France-Sieg mit der Auszahlung der traditionellen Prämien verspätete, ging Andreu zu ihm und erinnerte ihn daran, jedem seine 25 000 Dollar zu geben.

um und fuhr ins Hotel zurück, ohne ein Wort und in düsterer Stimmung. Man sah, wie diese Formschwankungen ihn verrückt machten. Seine Nerven flatterten, denn für ihn war jeder Tag entweder Sieg oder Niederlage, Triumph oder Tragödie. Dazwischen gab es nichts.

Zurück in Europa, war unser erstes Rennen die Ruta del Sol in Spanien; Lance kam auf den fünfzehnten Platz. Das Team wollte ihm zu seinem guten Resultat gratulieren, aber er wehrte ab. Er war nicht gerade enttäuscht, aber es ging ihm nicht in den Kopf, dass er nicht gewonnen hatte. Er betont gern, wie sehr er es hasse, zu verlieren, aber ich glaube, letztlich ging das sogar tiefer. Nicht zu gewinnen verursacht in Lance' Kopf einen Kurzschluss: Es ist unlogisch, es kann nicht sein. Es ist wie ein Verstoß gegen ein universelles Gesetz, ein Fehler, der dringend behoben werden muss. Ich glaube, nach diesem Rennen war uns allen klar, wie groß sein Ehrgeiz war und wie viel er noch aufzuholen hatte. Im Grunde tat er mir leid.

Damals verbrachten Lance und ich immer mehr Zeit miteinander, auf dem Rad und auch sonst. Ich glaube, er brauchte jemanden, mit dem er reden konnte; ich war ihm wohl ein guter Zuhörer. Auf Trainingstouren fuhren wir jetzt nebeneinander und gingen öfter einen Kaffee trinken. Bald darauf, im Frühling 1998, teilten wir uns bei den Rennen ein Hotelzimmer. Für mich war das eine große Ehre, denn es konnte nur auf Lance' ausdrücklichen Wunsch hin geschehen sein.

Manchmal frage ich mich, warum Lance gerade mich als Zimmergenossen wollte. Wahrscheinlich lag es daran, dass ich mich bei ihm nicht so einschmeichelte wie einige andere Fahrer. Kaum zu glauben, wie manche Leute sich in Gegenwart von jemandem wie Lance verändern – plötzlich reden sie lauter, ziehen eine Riesen-Show ab oder tun übertrieben vertraut mit ihm. Ich weiß noch, dass eine Menge Fahrer im Team seine Frau Kristin mit dem Spitznamen riefen, den Lance selbst ihr gegeben hatte, »Kik«. – »Ich war gestern mit Lance und Kik unterwegs.« Das klang dann so, als sprächen sie von ihrem besten Kumpel. Ich tat das nie, ich fand das zu intim. Lance' Frau war für mich immer Kristin, nie Kik. Ob es nun Höflichkeit war oder meine Neuengland-typische Zurückhaltung, ich hatte den Eindruck, dass Lance meine Art schätzte.

Wenn wir uns ein Zimmer teilten, redete fast nur Lance. Ausführlich analysierte er jedes Rennen und ließ sich darüber aus, was in der Mannschaft richtig oder falsch gelaufen war. Er nickte und *pfff*-te, je nachdem, wie sich die Teamleitung verhalten hatte, prangerte Johnny Weltz' schwache Organisation an und lobte auch Fortschritte. Hauptsächlich aber sprach er über andere Fahrer.

Zwei Teamkameraden, die sich gerade kennenlernen, führen eine besondere Form der Konversation (zumindest war es damals so, zu unserer Zeit). Es ist schon komisch: Beide wissen voneinander, dass sie dopen, aber man spricht nicht darüber, zumindest anfangs nicht. Stattdessen redet man über andere. Zum Beispiel sagt man: »Der ist heute ja förmlich geflogen«, oder man zieht Vergleiche zwischen jemandem und einem Motorrad und nennt ihn »super-super-stark«. Andere Fahrer wissen dann, was man meint, dass man auf Doping anspielt und in Wirklichkeit sagt, der Typ fuhr nur deshalb so schnell, weil er gedopt war.

Eine Formulierung, die Lance in den Rennen oft benutzte, war »nicht normal«. Das sagte er immer, wenn ein Fahrer ungewöhnlich stark war, und er stieß es laut und grimmig hervor, ein bisschen scherzhaft, aber immer bedeutungsvoll und immer so, dass alle es mitbekamen. Manchmal sagte er es auch auf Französisch – *pas normal*. Zum Beispiel:

Ein sonst ziemlich unauffälliger Fahrer reitet urplötzlich eine furiose Attacke und gewinnt ein wichtiges Rennen – *nicht normal*.

Ein schwerer, muskulöser Sprintspezialist führt das Feld einen langen, steilen Anstieg hinauf– *nicht normal*.

Ein kleines, weitgehend unbekanntes Team bringt plötzlich

drei Fahrer unter die ersten zehn eines Rennens – *nicht normal.*

Bald übernahm ich diese Redensart. Sie gaukelte mir Sicherheit vor, weil sie mir zu ignorieren half, dass in unserer Welt gar nichts normal war. Mit der Zeit fassten Lance und ich Vertrauen zueinander und redeten offener. Wir sprachen darüber, wie viel EPO wir pro Dosis nahmen und wie viel es uns brachte (unser Leistungszuwachs war in etwa vergleichbar). Wir sprachen darüber, welche Aufbaumittel wir gut vertrugen und welche wir eher mieden. Wir sprachen über Cortison, das bei den längeren Etappenrennen routinemäßig gegen Erschöpfung und zur schnelleren Erholung eingesetzt wurde (es war im Prinzip illegal, aber mit einer medizinischen Ausnahmegenehmigung »für therapeutische Zwecke« – also einem ärztlichen Attest – war es gestattet).

Lance erzählte mir, dass er sich am Tag nach einer Cortison-Injektion manchmal wie blockiert fühle – er konnte seine Reserven dann nicht voll ausschöpfen – und es lieber am Morgen einer leichteren Etappe nehme. Er erzählte mir, wie bei einer zu hohen Dosis das Gesicht anschwillt, und erinnerte mich daran, wie aufgequollen Jan Ullrichs Gesicht beim abschließenden Zeitfahren der Tour '97 gewesen war – da hatte sein Kopf ausgesehen wie ein verdammter Kürbis. Lance war ein wandelndes Lexikon: Er kannte sämtliche Geschichten und Geschichtchen – auch von Rennen, an denen er gar nicht teilgenommen hatte. Keine Ahnung, wie er es machte, aber er hatte überall seine Quellen. Ständig sammelte er Daten über das Training anderer Fahrer, ihre Ärzte und deren Methoden, und er gab gerne mit seinem Wissen an. Ich weiß noch, wie seltsam mir das vorkam – ich kümmerte mich nur um mein eigenes Training.

»Verdammte ONCE«, sagte er dann etwa und meinte das spanische Team, das bei der Ruta del Sol alle drei ersten Plätze belegt hatte. »Das erste Rennen des Jahres, und das ganze Team ist schon voll bis an die Kiemen. Kein Wunder, dass sie fliegen!«

»Voll bis an die Kiemen« hieß natürlich gedopt. Überhaupt, wir hatten eine eigene Sprache: EPO hieß *zumo*, das spanische Wort für »Saft«. Wir nannten es auch »O.J.«, »Salsa«, »Vitamin E«, »Therapie« und »Edgar«, eine Abkürzung für »Edgar Allan Poe«. Ich weiß nicht mehr, wer darauf gekommen war, aber uns gefiel der Ausdruck: *Muss mal kurz mit Edgar reden. Ich gehe Edgar besuchen. Mein alter Kumpel Edgar.* Ein uneingeweihter Zuhörer musste glauben, Edgar sei ein Fahrer des Teams.

Lance machte so seine Witze über die Spanier, aber im Grunde nahm er sie ernst. Er respektierte das ONCE-Team und seine professionelle Einstellung. Dieses Team hatte ein gutes Trainingsprogramm, einen Stall erfahrener Fahrer, gute Ärzte und mit Manolo Saiz einen legendären, mit allen Wassern gewaschenen Sportlichen Leiter. Lance sah ONCE als Vorbild für das Postal-Team.

Im Frühjahr 1998 zeigte sich dann, dass Lance viel größere Probleme hatte als dieses. Paris-Nizza, das erste größere Rennen der Saison, wurde ein harter Rückschlag für ihn. Schon der Prolog lief enttäuschend, dann kam die eisig kalte zweite Etappe. Nachdem er einen Tag lang nur mühsam um Anschluss gerungen hatte, schmiss Lance hin. Er zog die Reißleine und tat, was wir alle am liebsten getan hätten. Er sagte: »Scheiß drauf«, fuhr rechts ran, nahm seine Rennnummer ab, stieg in den Mannschaftswagen und flog nach Hause, ohne sich abzumelden. Frankie erlebte es mit und meinte, nun sei Lance wohl fertig mit dem Radsport.

Ich fand es schade. Ich wusste, wie viel Energie Lance in sein Comeback gesteckt hatte und wie viel es ihm bedeutete. Ich wusste, dass er es schaffen würde – Lance hatte schließlich Erfolg bei allem, was er sich vornahm. Ich konnte mir ihn gut an der Wall Street, als Firmenchef oder Medien-Macher vorstellen.

Ein paar Wochen lang geschah gar nichts, dann aber kam die Überraschung: Lance war doch noch nicht fertig mit dem

Radsport. Im Juni kam er zurück über den Atlantik zu einem weiteren Versuch bei der Tour de Luxembourg. Es würde kein leichtes Rennen werden, das Feld war gespickt mit zahlreichen internationalen Topstars wie Erik Dekker, Stuart O'Grady, Erik Zabel und Francesco Casagrande, die alle schon die Tour de France im Blick hatten. Niemand sprach es laut aus, aber es war klar, worum es ging: Dies war die vielleicht letzte Chance für Lance; wenn er in Luxemburg erneut keinen vorderen Platz belegte, war sein Comeback wohl gescheitert.

Lance und ich teilten uns wieder ein Zimmer. Es war ein billiges Hotel, ein enger Raum mit zwei Doppelstockbetten. Wir fühlten uns wie Schulkinder im Sommercamp. Lance lag auf seinem Bett auf der Seite, den Kopf auf die Ellenbogen gestützt, und fragte mich ab.

»Glaubst du, ich kann Casagrande schlagen?«

»Klar.«

»*Wirklich?*« Seine Stimme wurde höher.

»Er ist gut am Berg, aber im Zeitfahren machst du ihn fertig.«

»Ich mache ihn im Zeitfahren fertig«, wiederholte er, als ob er die Worte auswendig lernen wolle. »Ich mache ihn im Zeitfahren verdammt noch mal fertig.«

»Keine Sorge, da ist er kein Gegner für dich.«

Einige Sekunden Schweigen, dann fragte Lance wieder.

»Glaubst du, ich kann Dekker schlagen?«

»Dekker kannst du vernichten«, sagte ich und lachte, um ihm zu zeigen, wie einfach es sein würde. Dann zählten wir einzeln die Gründe auf, warum er Dekker vernichten würde.

So gingen wir fast alle wichtigen Fahrer dieses Rennens durch, bis es klang, als hätten wir die Rollen getauscht: Auf einmal war ich der alte Hase und er der Neuling, unsicher und verletzlich. Zum Schluss hatte er dann noch eine Frage. Lance sah mir direkt in die Augen – wie bei unserem ersten Gespräch damals. Doch diesmal wollte er keine Botschaft loswerden, sondern wirklich wissen, was ich dachte.

»Glaubst du, ich kann irgendwann die Tour gewinnen?«

Ich zögerte, weil ich es mir eigentlich nicht vorstellen konnte. Lance war bestimmt ein toller Fahrer, aber die Tour war eine Liga für sich. Ich erinnerte mich, dass Indurain ihn 1994 förmlich ausradiert hatte, er noch nie das Gesamtklassement einer dreiwöchigen Rundfahrt angeführt hatte und dass er bei seinen bisherigen vier Starts bei der Tour nur einmal ins Ziel gekommen war.

»Klar. Du bist doch jetzt schon stark. Warte noch ein bisschen, dann wird die Form sich schon einstellen.«

»Wirklich?«

Er traute mir nicht. Er sprach, wie so oft, seinen wunden Punkt an: die Schwäche am Berg.

»Du kletterst nicht schlechter als die anderen. Du solltest beim Klettern besser keine wilden Attacken reiten, aber das Tempo der Gruppe hältst du ohne Weiteres. Attackier sie beim Zeitfahren, das ist deine starke Seite. Wenn du dich am Berg nicht abhängen lässt und beim Zeitfahren Punkte holst, kannst du gewinnen. Also, ja, du hast eine Chance, die Tour zu gewinnen.«

»Du machst mir nichts vor? Du glaubst also wirklich, ich kann die Tour gewinnen?«

»Absolut.«

Das Interessante daran war: Er wusste, dass ich nicht daran glaubte. Lance kann man nichts vormachen, aber in diesem Fall brauchte er die Lüge.

Als ich ihn so sah, spürte ich, wie sehr er unter Druck stand. Einerseits musste er die physische Schlacht für sich entscheiden – nämlich wieder in Rennform kommen. Dann die strategische Schlacht – er brauchte ein gutes Team, das ihn unterstützte. Hatte er das geschafft, waren immer noch Champions vom Schlage eines Riis und Casagrande zu überwinden, die alles tun würden, um ihm das Hinterrad zu zeigen. Ich erkannte auch, warum er sich so auf die Tour konzentrierte: Sie war das mit Abstand wichtigste Rennen der Welt, das eine Ziel, das all diesen Aufwand wert war.

Die Tour de Luxembourg fing nicht schlecht an; Lance fand allmählich zurück zu seiner Form. Am letzten Tag rangierte er weit vorn, bereits in Sichtweite des Gesamtsieges. Das Wetter war besonders mies, wir hatten Dauerregen und starken Seitenwind. Lance motivierte das nur, er mochte schlechtes Wetter – nicht aus Masochismus, sondern weil er wusste, dass es die anderen demoralisierte.

Ich vergesse manchmal, wie viel Spaß es machte, mit ihm Rennen zu fahren. Er ging da nicht mit vagen Vorstellungen heran wie etwa, »am Ende möglichst gut abzuschneiden«. Nein, er war völlig aufs Geschehen fixiert, brannte vor Begeisterung, bei jeder Aktion ging es um alles. Klappte es nicht, kam der Absturz – nichts war schlimmer für ihn. Aber wenn es klappte, war es ein magisches Erlebnis.

Im Bus bei der Fahrt zum Etappenstart erklärte Lance den Plan: Wir würden jeden einzelnen Vorstoß kontern und dann am steilsten Anstieg selbst angreifen. Es funktionierte. Am Anfang der Etappe wagten Lance, Marty Jemison, Frankie Andreu und ich einen Ausreißversuch und ließen das Feld hinter uns. Lance flippte aus, schrie und brüllte wie verrückt. Wir hatten seine Verfolger schon längst abgehängt, aber er wollte mehr.

»Los, los, los, los, verdammt noch mal, los! Heute verdient ihr mal ein bisschen Geld. Was meint ihr, was das Kröten gibt, wenn wir hier gewinnen!«

Frankie, schlau wie immer, gewann die Etappe mit einem unwiderstehlichen Antritt kurz vor dem Etappenziel; wir anderen fuhren eine Minute später über die Ziellinie, und Lance hatte den Gesamtsieg in der Tasche. Als wir ins Ziel kamen, dröhnte Springsteens *Born in the U.S.A.* aus den Lautsprechern, und Lance strahlte wie ein Weihnachtsbaum. Er jubelte, schrie, schlug uns auf den Rücken. Er rief Bill Stapleton an, seinen Agenten. Er rief Weisel an. Er rief bei *VeloNews* an. Er rief seine Mutter an.

»Wir haben gewonnen, wir haben gewonnen, wir haben gewonnen!«

Mir gefiel, wie er es sagte.

Wir.

Lance hatte Glück, dass er die Tour de France 1998 lieber noch übersprang und stattdessen für die dreiwöchige Spanien-Rundfahrt trainierte. So kam sein Comeback nicht parallel zum grandiosen Fiasko der Festina-Affäre in die Schlagzeilen. Er entging dieser Katastrophe, ich jedoch nicht. Es war meine zweite Tour de France; und wie sich herausstellte, sollte sie bemerkenswert werden, wenn auch nicht in positiver Hinsicht.

Es fing damit an, dass ein Wagen des Festina-Teams, gesteuert von einem belgischen Betreuer namens Willy Voet, bei der Einreise vom französischen Zoll kontrolliert und durchsucht wurde. Im Kofferraum fand sich ein Lager leistungssteigernder Medikamente, mit dem man mehrere Apotheken hätte ausstatten können. Die Beamten fanden 234 Dosen EPO, 82 Ampullen mit menschlichem Wachstumshormon, 160 Kapseln Testosteron und Verschiedenes mehr (das entsprach vermutlich ziemlich genau dem, was auch Postal und viele andere Teams dabeihatten). Ich weiß noch, dass auch Hepatitis-Impfstoff darunter war und ich das ziemlich vorausschauend fand, wenn man bedachte, wie viele Spritzen diese Fahrer gesetzt bekamen.

Das Ergebnis war sofortiges Chaos. Gendarmen überschwemmten das Fahrerlager, durchsuchten Autos und Busse der Teams. Die Funktionäre des Festina-Teams stritten ein paar Tage lang alles ab, dann, als die Beweise zu erdrückend wurden, flog die Equipe aus dem Rennen. Es gab eine Polizeirazzia in der Geschäftsstelle von Festina, wo ein weiteres Dopingmittellager gefunden wurde, das auch PFCs enthielt. Wie sich herausstellte, gab es eine schwarze Kasse für den Ankauf der Mittel, in die die Fahrer den Gegenwert einiger Tausend Euro einzahlen mussten. Am meisten überraschte mich, dass einige französische Fahrer tatsächlich angeklagt wurden – anders als in den USA ist Doping in Frankreich eine Straftat. Die Fahrer veranstalteten dramatische, letztlich aber fruchtlose Proteste und drohten, so lange zu streiken, bis man sie wieder mit Respekt behandele. Währenddessen wurden in den Toiletten von Bussen, Wohnmobilen und Hotels hektisch Medikamente im Wert von vielen Tausend Euro entsorgt. Ich weiß noch, wie Jekimov witzelte, er könnte ja ins Klo des Postal-Wohnmobils tauchen und das Zeug wieder herausfischen.[2]

Die Polizei griff hart durch. Am schweizerischen Festina-Fahrer Alex Zülle führte man eine Leibesvisitation durch, er wurde dann 24 Stunden in eine Zelle gesperrt und bekam während dieser Zeit nichts als ein Glas Wasser. Er räumte ein: »Alle wussten, das ganze Peloton war gedopt. Ich hatte die Wahl, entweder nachzugeben und mitzumachen oder aufzugeben und wieder als Anstreicher zu arbeiten. Es tut mir leid, dass ich gelogen habe, aber es ging nicht anders.«

Es war das einzige Mal, dass ich Pedro nervös erlebte. Auf einmal kamen Leute ins Gefängnis; sogar Pedros Nachfolger bei ONCE, ein Arzt namens Terrados, wurde festgenommen. Ich selbst verfolgte die Vorgänge mit einer seltsamen Leichtigkeit. Ich hatte ja kein EPO dabei (außer in meinen Adern vielleicht, aber dafür gab es noch immer keinen Test). Es war ein eigentümlich gutes Gefühl zu wissen, dass wir jetzt alle wieder von gleichen Voraussetzungen ausgehen und den Rest der Tour gemeinsam auf paniagua fahren würden. Frankie, erinnere ich mich, steuerte eine kleine Ajax-Wahrheit bei, indem er sagte, der ganze Wahnsinn mit der Polizei sei vielleicht gar nicht so schlecht, weil der Radsport langsam außer Kontrolle geraten sei. Schließlich waren wir nur die Infanterie in diesem durchgedrehten Rüstungswettlauf.

Mitten in diesem Chaos kamen dann noch Gerüchte auf, dass einige Fahrer einen entweder sehr waghalsigen oder unglaublich dummen Schritt taten und einen Plan B in Kraft setzten:

---

2 In David Walshs Buch *From Lance to Landis* (New York: Ballantine Books 2007) gibt die Postal-Betreuerin Emma O'Reilly zu Protokoll, Postal-Mitarbeiter hätten den Wert der damals über die Toilette des Wohnmobils entsorgten Medikamente auf 25 000 Dollar geschätzt.

Sie besorgten sich ihren eigenen Edgar. Auf Hotelparkplätzen gab es heimliche Übergaben durch Freundinnen; Mechaniker besorgten das Zeug, Verwandte oder ein Barmann, den der Coach kannte. So lief es. Wo die Behörden eine Tür schlossen, öffneten die Fahrer dafür zwei Fenster.

Unter dem Eindruck der Razzien wurde aus der Tour 1998 ein ganz anderer Wettkampf. Nun ging es nicht mehr so sehr darum, wer der Stärkste war, sondern wer bereit war, das höchste Risiko einzugehen – und den besten Plan B hatte. Dabei stellte sich heraus, dass einige ziemlich gute dabei waren. Das Polti-Team gestand später, es habe da eine Thermosflasche mit EPO in einem Staubsauger gegeben ... Das GAN-Team machte Witze über Verstecke am Straßenrand. Tour-Sieger wurde am Ende der italienische Kletterkönig Marco Pantani, ansonsten dominierte die französische Cofidis-Equipe, deren Fahrer drei der sieben vorderen Plätze belegten. Bobby Julich wurde Dritter. Cofidis' Erfolg löste Gerüchte aus, die Mannschaft habe weiter EPO genommen, nachdem alle anderen keins mehr hatten; doch nichts davon wurde je bewiesen. Wir anderen fuhren auf paniagua, kämpften uns durch und überlebten.[3]

Mitten in diesem ganzen Tohuwabohu kam ich zu meinem großen Moment, und im Nachhinein erkenne ich, wie sehr er mich verändert hat. Am 18. Juli, dem Tag nach dem Ausschluss des Festina-Teams, fuhren wir die erste wirklich schwere Etappe dieser Tour: ein 58 Kilometer langes Einzelzeitfahren in Corrèze – ein gnadenloser Kurs mit einem Profil,

---

3 Die Leistung des Cofidis-Teams von 1998 war, statistisch gesehen, ein Ausreißer. Die vier besten Cofidis-Fahrer (Julich, Christophe Rinero, Roland Meier und Kevin Livingston) fuhren insgesamt fünfzehnmal die Tour de France und belegten dabei durchschnittlich nur Platz 45.
»Es machte Lance wahnsinnig, dass Bobby [Julich] bei der Tour [1998] Dritter wurde«, erinnert sich Betsy Andreu, Frankies Ehefrau. »Lance hielt Bobby nie für einen Topfahrer, also zogen wir ihn damit auf. Rückblickend würde ich sogar sagen, dass es für Lance ein Motivationsschub war – wenn Bobby auf den dritten Platz kommen konnte, hatte er, Lance, gute Chancen auf den Gesamtsieg.«

gezackt wie Haifischzähne. Auf derartigen Parcours sind die eher groß gewachsenen, bulligen Fahrer im Vorteil, weniger solche Leichtgewichte wie ich. Selbst in der eigenen Mannschaft gab man mir kaum Chancen. Jedenfalls schickte man mir nicht einmal ein Begleitfahrzeug hinterher, aus dem ich im Fall eines Defekts hätte Hilfe erhalten können. Ich war stinksauer, hielt aber den Mund. Lieber ließ ich meine Beine sprechen.

Und diese Beine sprachen dann nicht nur – sie sangen sogar! Ich überschritt meine normalen Leistungsgrenzen, kam wieder mal an die vertraute alte Mauer und – fand dort plötzlich einen Extragang, eine neue Übersetzung. Jedenfalls überholte ich einen Fahrer nach dem anderen, ließ sie förmlich stehen. Ich raste der Ziellinie entgegen, sah, tief in der Sauerstoffschuld, längst schwarze Punkte vor den Augen. Als die sich wieder verzogen, hatte ich sämtliche Fahrer der Tour de France geschlagen – nur einen nicht, den deutschen Wunderknaben Jan Ullrich. Die Kommentatoren waren außer sich, und ich war fast genauso überrascht wie sie: ich auf dem zweiten Platz der härtesten Etappe der Tour. Unglaublich!

Am Abend bekam ich Besuch von Pedro. Er war ganz Stolz und Freude, seine Augen leuchteten. Mehr als jeder andere verstand er die wahre Bedeutung meiner Leistung. Im Radsport nennt man so etwas »Durchbruch« – das Rennen, bei dem sich zeigt, dass jemand das Zeug zum Champion hat. Pedro sagte mir, heute sei der Tag meines Durchbruchs gewesen und, noch besser, ich hätte es mit einem Hämatokritwert von lediglich 44 geschafft.

Vierundvierzig! Er wiederholte es mehrfach. Diese Zahl elektrisierte ihn, weil er an ihr erkannte, wie schnell ich hätte sein *können* – und wieder werden konnte –, wenn ich nur noch ein wenig professioneller würde. Dann legte er mir väterlich die Hand auf die Schulter und sagte etwas, das mein Leben veränderte.

»Eines Tages gewinnst du die Tour de France.«

Ich lachte und sagte, das sei doch Unsinn. Aber Pedro meinte es ernst. Ich könne die Tour gewinnen. Nicht dieses Jahr und auch noch nicht nächstes. Aber irgendwann danach. Er sagte es mit seiner erprobten, absolute Sicherheit ausstrahlenden Arztstimme.

»Du kannst Zeitfahren gewinnen, du bist gut am Berg, und du machst weiter, wenn alle anderen aufgeben. Hör mir zu, Tyler. Denk daran, ich habe viele, viele Fahrer erlebt, aber du hast etwas Besonderes an dir, Tyler. Du bist ein ganz besonderer Fahrer.«

Im Herbst, zu Saisonende, kehrte ich in die USA zurück. Einige Monate später heirateten Haven und ich. In dieser Rennpause kam hin und wieder auch das Thema Doping auf. Viele Leute hatten von der Festina-Affäre gehört und wollten gerne wissen, wie es wirklich gewesen war. Ich antwortete dann meistens, die Geschichte sei völlig übertrieben worden, es gebe sicher ein paar faule Äpfel, aber die seien jetzt aussortiert. Ich sagte ihnen, ich sei sogar dankbar für den Skandal, weil er uns anderen, die sauber fahren wollten, eigentlich nur half.

Eines Nachmittags kam dann mein Vater damit an. Er setzte sich zu mir und fragte mich nach Festina. Mein Vater ist ein kluger Mann; er wusste, dass man diese Affäre nicht so einfach abhaken konnte. Er ließ keinen Zweifel daran, dass er mich davor schützen wollte, in eine kriminelle Szene zu geraten, aus der es irgendwann vielleicht kein Entkommen mehr gab.

Ich zögerte keinen Moment.

»Dad, wenn ich dieses Zeug je nehmen muss, um mithalten zu können, steige ich aus.«

Ich hatte es mir schwierig vorgestellt, meinen Vater anzulügen, aber es ging ganz leicht. Ich blickte ihm in die Augen, die Worte kamen so selbstverständlich, dass ich mich schäme, wenn ich nur daran denke. Die Wahrheit schien eben viel zu kompliziert, um sie so einfach ausbreiten zu können. Den ganzen Herbst über sagte ich immer wieder dasselbe, jedes Mal ein bisschen überzeugter, wenn mich meine Freunde nach Festina fragten: *Wenn ich je dieses Zeug nehmen muss, um mithalten zu können, steige ich aus.* Es war ein gutes Gefühl, das zu sagen, und die Lüge fiel jedes Mal leichter. Alle wollten ja gern glauben, dass ich sauber war, und ich eigentlich auch.

Als ich diesen Satz zu meinem Vater sagte, verschloss ich mein Leben als Radprofi hinter einer dicken Stahltür. In diesem Augenblick lernte ich, was wir alle lernen mussten: gleichzeitig in zwei Welten zu leben. Nur Haven und ich kannten die Wahrheit. Und während ich meinem Vater versicherte, alles sei in Ordnung, wusste ich auch schon, dass ich noch viel, viel weiter gehen würde.

Auf dem Postal-Festbankett nach der Tour in Paris hatte sich intern bereits herumgesprochen, dass die Teams nach dem Festina-Fiasko ihren Fahrern kein EPO oder andere Mittel mehr besorgen konnten. Das Postal-Team würde gegebenenfalls zwar alle juristischen Kosten übernehmen, aber ansonsten seien wir jetzt auf uns selbst gestellt. Ich begriff die Botschaft sofort. Eine neue Ära brach an.

5

GEBORENE VERLIERER

Auf den ersten Blick wirkt es vielleicht nicht so, aber Radsport ist ein absoluter Mannschaftssport. Der Kapitän ist nichts ohne seine Teamkollegen – die sogenannten Wasserträger –, die ihre ganze Kraft einsetzen, um ihn vor Gegenwind abzuschirmen, für ihn Tempo zu machen, die Attacken der Konkurrenz abwehren und ihm Wasser und Essen bringen. Ein wenig weiter im Hintergrund gibt es noch eine zweite Ebene von Helfern: den Teamleiter, die Betreuer, die Mechaniker und Fahrer der Teamfahrzeuge, ein ganzes Netzwerk von Menschen, die alle im Wesentlichen einem einzigen Ziel verpflichtet sind. Jedes Radrennen ist eine Übung in Kooperation. Das heißt, wenn alles gut läuft, erlebt man ein unvergleichliches Hochgefühl, ein Gefühl von Zusammenhalt und Bruderschaft. Alle für einen, einer für alle.

Ich bin für etliche Mannschaften gefahren, doch nirgendwo lieber als für das Postal-Team von 1999. Nicht wegen der bemerkenswerten Erfolge, die wir zusammen erreichten, sondern weil wir dabei so einen ungeheuren Spaß hatten. Jetzt, im Rückblick, habe ich allerdings durchaus gemischte Gefühle, was die Methoden betrifft, die uns den Tour-Sieg einbrachten.

Aber ich will nicht leugnen, dass es einfach toll war, Teil dieser Mannschaft gewesen zu sein, denn erstens tat das Postal-Team nichts, was nicht auch andere gute Teams hätten tun können, und zweitens hatten wir absolut nichts zu verlieren.

Wir hatten Frankie Andreu, unseren Feldmarschall mit seiner heiseren Ajax-Stimme, die man noch in 100 Meter Entfernung hörte. Wir hatten George Hincapie, meinen stillen Zimmergenossen aus Girona, der zu einem der stärksten Fahrer der Welt heranreifte.

Wir hatten Kevin Livingston, frisch vom Cofidis-Team zu uns gestoßen, der als Tempomacher agierte, und zwar auf dem Rad ebenso wie in der Gruppe. Kevin war ein exzellenter Bergfahrer und ein nicht weniger exzellenter Spaßmacher. Ich habe selten mehr gelacht als mit Kevin, wenn wir zusammen ein Bier trinken gingen – er konnte wirklich jeden im Team täuschend echt nachahmen (sogar Lance, aber damit hielt er sich klugerweise zurück). Im Rennen spielte Kevin dann seine überaus wichtige Fähigkeit aus, sich selbst »ins Grab zu schaufeln«, das heißt, sich für einen Teamkameraden bis zum Kollaps und darüber hinaus zu verausgaben, besonders wenn es dabei um Lance ging. Kevins Beziehung zu Lance reichte weit zurück: Als Lance sich von der Chemotherapie erholt hatte, war Kevin sein erster Trainingspartner.

Wir hatten Jonathan Vaughters, einen echten Computerfreak. Hätte Bill Gates sich für eine Karriere als Radprofi entschieden, wäre er vielleicht wie Jonathan geworden. Jonathan war ungeheuer schlau und talentiert – und im Team für vier Eigenschaften bekannt: (1) seine Qualitäten als Bergfahrer; (2) seine unglaublich chaotischen Hotelzimmer, die stets aussahen, als wäre darin eine Waschmaschine explodiert; (3) seine noch unglaublicheren Darmwinde, Resultat der Proteindrinks, die er ständig trank; und (4) seine Neigung, unbequeme Fragen zu stellen, besonders, wenn es um Doping ging. Wir anderen taten brav alles, was der Doktor sagte, aber Jonathan las sportwissenschaftliche Fachbücher und entwarf seine eigenen Trainingsprogramme. Er forschte ständig nach: Woher stammt das Zeug? Was bewirkt es genau? Er zeigte sich denn auch spürbar beunruhigter in Sachen Doping als wir anderen, war aber beileibe kein Abstinenzler: Nein, er stellte sogar einen Streckenrekord für den Mont Ventoux auf, eine der berüchtigtsten und schwersten Bergpassagen im Radsport.

Wir hatten Christian Vande Velde, einen lässigen, ungemein talentierten Fahrer aus Chicago, dessen Ruhm nicht nur auf seiner eigenen Stärke beruhte, sondern auch darauf, dass sein Vater John Vande Velde in der klassischen Filmkomödie *Breaking Away* (dt.: *Vier irre Typen – Wir schaffen alle, uns schafft keiner*) einen bösen italienischen Radrennfahrer gespielt hatte. Christian war 23 Jahre alt, fuhr das zweite Jahr in Europa und war von allem noch sehr beeindruckt; er erinnerte mich ein bisschen an mich selbst.

Wir hatten Peter Meinert Nielsen aus Dänemark und den Franzosen Pascal Deramé, zwei gute Tempomacher auf der Ebene – und zwei überaus nette Kerle. Wir hatten ein tolles Betreuerteam, darunter Emma O'Reilly aus Irland und Freddy Viane aus Belgien, die voll auf Zack und noch dazu immer lustig waren.

Dann gab es noch eine andere Art Teamkameraden: die unsichtbaren, über die man nie spricht, die aber auf lange Sicht vielleicht sogar wichtiger sind. Auftritt Motoman und Dr. Michele Ferrari. Ich begegnete ihnen ungefähr zur gleichen Zeit, im Frühling 1999, während der Vorbereitung auf die Tour.

Motoman traf ich am 15. Mai in Lance' und Kristins Villa in Nizza, kurz nach meiner Ankunft aus Boston. Sein Vorname war Philippe, den Nachnamen habe ich nie erfahren. Er schnitt gerade die Rosen. Ich weiß noch, wie sorgfältig er die Rosenschere handhabte, als sei seine Aufgabe von entscheidender Wichtigkeit. Philippe war schlank und muskulös, hatte kurz geschorenes braunes Haar und eine breite Stirn. Er trug einen goldenen Ohrring und strahlte diese typisch französische Coolness aus, die signalisiert: *Nichts, was du sagst oder tust, kann mich überraschen.*

Lance gab mir einen kurzen Überblick über Philippes Lebenslauf: Er war früher als Amateur für ein französisches Team gefahren und darüber hinaus Kumpel von Sean Yates, einem britischen Profi, der wiederum mit Lance befreundet war. Er arbeitete als Mechaniker in einer Fahrradwerkstatt in der Nähe, kannte alle Straßen der Gegend aus dem Effeff und konnte uns die besten Kletterstrecken zum Trainieren zeigen. Lance hatte ihn als eine Art Hausmeister und Mädchen für alles eingestellt. Philippe schien sehr stolz auf diesen Status, aber genauso stolz war Lance, dass er diesen coolen französischen Typen kannte. Am allercoolsten war Philippes Motorrad. Ich sah es, als er abfuhr; es war eine mörderische, chromblitzende Maschine mit dem Appeal eines Gangsterbikes.

Kristin kam heraus und begrüßte uns; sie war im vierten Monat schwanger. Lance und sie hatten die Villa erst kürzlich gekauft, und zwar, so wie sie aussah, für ein Vermögen. Es überraschte mich nicht, dass Lance auf großem Fuß lebte; er hatte schon vor seiner Krebserkrankung gut verdient und wusste, wie man das Geld stilvoll wieder ausgab. Um uns herum waren Handwerker mit den Renovierungsarbeiten beschäftigt und ließen einen Termin nach dem anderen platzen, wie es am Mittelmeer üblich ist.

»Scheißfranzosen«, knurrte Lance.

Auf mich wirkte die Villa wie eine Filmkulisse. Rosenbeete, Swimmingpool, Marmorbalkone mit Blick über die roten Ziegeldächer von Nizza auf das blaue Meer. Unwillkürlich wurde ich ein bisschen neidisch; Lance und Kristin bauten sich ein Leben auf, wie Haven und ich es uns manchmal erträumten. Wir waren uns einig, dass es noch zu früh für Kinder war, bevor wir uns ein bisschen eingerichtet hatten, auch schwebte uns eher ein Landhaus vor als eine mondäne Villa. Aber eines Tages – unbedingt.

Im Moment dachte ich aber eher an die unmittelbare Zukunft. Ich hatte zwei Wochen in Boston verbracht und dabei ohne unseren Freund Edgar auskommen müssen (damals war ich noch nicht so weit, EPO durch den Zoll zu schmuggeln, und im Land selbst hatte ich keine Quelle dafür). Folglich war mein Hämatokritwert ganz unten, und ich brauchte einen ordentlichen Kick, gerade jetzt vor einer harten Trainingsperiode. Als Kristin uns allein ließ, fragte ich Lance:

»He, Mann, hast du ein bisschen Poe, das ich mir ausborgen könnte?«

Lance wies lässig auf den Kühlschrank. Als ich ihn öffnete, sah ich in der Tür, neben einer Tüte Milch, einen Karton EPO – die Ampullen standen aufrecht wie kleine Soldaten in ihren Pappfächern. Ich fand es erstaunlich, dass Lance so offen damit umging. Wenn ich in Girona EPO in meinem Kühlschrank aufbewahrt hatte, nahm ich es immer aus dem Karton, wickelte es in Folie und versteckte es ganz hinten. Aber Lance schien das egal zu sein. Ich dachte mir, er werde schon wissen, was er tue, nahm eine Ampulle heraus und bedankte mich.

Ich musste jetzt in Topform sein, denn die nächsten Wochen würden nicht leicht werden. Das Postal-Team war von Lance nach seinen Vorstellungen umgebaut worden und konzentrierte sich jetzt ganz auf die Tour. Teamleiter Johnny Weltz war durch Lance' Wunschkandidaten ersetzt worden, einen gewitzten Exprofi aus Belgien namens Johan Bruyneel. Johan brachte ideale Voraussetzungen mit: Früher war er für das geniale spanische ONCE-Team gefahren und kannte dessen System von innen. Johan war genauso schlitzohrig und detailversessen wie Lance; von Anfang an konnten sie Sätze beenden, die der jeweils andere angefangen hatte. Diese Personalveränderung zog weitere nach sich: Auf Pedro folgte der ehemalige Teamarzt von ONCE, ein humorloser, koffeinsüchtiger Doktor aus Valencia namens Luis García del Moral, der bei uns Fahrern schnell »das Teufelchen« oder »El Gato Negro« (Schwarze Katze) hieß. Del Morals barsche Art wurde durch das freundliche, lässige Wesen seines Assistenten Pepe Martí ein wenig ausgeglichen.

Und es änderte sich noch mehr. Das neue System nach der Festina-Affäre bedeutete, dass wir unser EPO während der Rennen nicht mehr über das Team bekamen, sondern es uns selbst besorgen mussten. Ich holte es mir in Morals Praxis in Valencia; andere Fahrer fuhren in die Schweiz und kauften es dort legal und offen in der Apotheke. Laut Theorie sollte dieses neue System »sicherer« sein und eine Wiederholung der Festina-Affäre verhindern. Mir kam es eher gefährlicher vor, weil das Risiko beim Einschmuggeln jetzt ganz auf die Fahrer abgewälzt wurde – und natürlich auch die Kosten. Das passte mir nicht – noch eine lästige Aufgabe, um die ich mich kümmern musste. Aber ich erledigte sie. Am 25. Mai fuhr ich nach Valencia und holte mir 20 000 Einheiten – genug für ein paar Monate –, die etwa 2000 Dollar kosteten.

Drängender noch waren andere Fragen. Uns blieben nur noch sechs Wochen bis zur Tour. Würde Lance fit genug sein, um zu starten? Würde das Team stark genug sein, um ihn zu unterstützen? Und dann noch, unausgesprochen, eine weitere Frage: Würden wir es riskieren, Edgar mit in die Rundfahrt zu nehmen? EPO in Mannschaftsfahrzeugen zu verstecken kam nicht mehr infrage, aber jeder Fahrer, der es während des Rennens bekommen konnte, würde, wie wir aus dem vergangenen Jahr wussten, einen enormen Vorteil genießen.

Hier kam Philippe ins Spiel.

Wir standen alle bei Lance in der Küche, als er uns seinen Plan erklärte: Er würde Philippe engagieren, die Tour auf seinem Motorrad zu begleiten – mit einer Thermosflasche voller EPO und einem Mobiltelefon mit anonymer Prepaid-Karte. Sobald wir Edgar brauchten, würde Philippe sich durch den Tour-Tross schlängeln und eine schnelle Übergabe machen. Ganz einfach. Ganz schnell. Rein und wieder raus. Kein Risiko. Um nicht aufzufallen, würde Philippe nicht alle neun Fahrer versorgen, sondern nur die Kletterspezialisten, die es am meisten brauchten und davon am meisten profitieren würden: Lance, Kevin Livingston und mich.[1] Los Amigos del Edgar. Von diesem Moment an war Philippe nicht mehr einfach der Hausmeister. Lance, Kevin und ich nannten ihn »Motoman«.

---

1 Livingston hat sich nie öffentlich zu Dopingvorwürfen geäußert. Auf Interviewanfragen reagierte er nicht.

Lance strahlte aus allen Knopflöchern, als er mir diesen Plan erläuterte – er fand solchen Geheimagentenkram klasse. Außer Johan Bruyneel würden nur wir drei Bescheid wissen. Die französische Polizei konnte uns den ganzen Tag lang durchsuchen und würde trotzdem nichts finden. Außerdem waren wir sicher, dass die meisten anderen Teams sich etwas Ähnliches wie unseren Motoman ausdenken würden. Warum auch nicht? Lance hatte gerade den Krebs überwunden; er wollte sich nun nicht zurücklehnen und darauf hoffen, dass alles irgendwie funktionieren würde. Er wollte dafür sorgen, dass es funktionierte. Er konnte unmöglich tatenlos herumsitzen, weil er die ganze Zeit nur daran dachte, was die anderen wohl alles in Bewegung setzen würden. Dieselbe Unrast trieb ihn an, seine Ausrüstung im Windkanal zu testen, seine Ernährung rigoros zu planen und im Training gnadenlos zu sein. Es ist schon komisch; alle Welt vermutete die Ursache dieses Getriebenseins immer in Lance selbst, meiner Meinung nach kam sie jedoch eher von außen – aus seiner Angst heraus, jemand könnte schlauer, zäher und strategisch besser sein als er. Ich nannte es bei mir die Goldene Lance-Regel: *Was immer du tust, die beschissene Konkurrenz tut mehr.*

Aus dieser Logik heraus arbeitete Lance mit dem anderen unsichtbaren Teammitglied zusammen: Dr. Michele Ferrari. Ferrari war ein italienischer Sportarzt, 45 Jahre alt und mit der Reputation behaftet, derart genial und innovativ zu sein, dass er den Radsport quasi im Alleingang komplett umgekrempelt habe. Er hatte für die besten Fahrer und Teams gearbeitet, er verlangte die höchsten Honorare, und er gab sich so geheimnisvoll, dass er im Peloton nur »der Mythos« hieß.

Ich begegnete Ferrari zum ersten Mal im April 1999, auf einem Rastplatz neben der Autobahn zwischen Monaco und Genua. Ferrari entpuppte sich als dünner, bebrillter, vogelartiger Mensch, der ein ganz normales kleines Wohnmobil fuhr. Das war zuerst eine kleine Enttäuschung. Bei seiner Reputation (ganz zu schweigen von seinem Namen) hätte er ja eigentlich in einem schicken italienischen Sportwagen auftauchen müssen. Erst mit der Zeit wurde mir klar, wie brillant die Idee mit dem Wohnmobil war: die perfekte Tarnung.

Ferrari glich keinem anderen Arzt, den ich vorher oder nachher kennengelernt habe. Pedro legte viel Wert auf die menschliche Seite; Ferrari dagegen betrachtete einen wie eine Rechenaufgabe, die es zu lösen galt. Er hatte seine eigene Waage und spezielle Messschieber dabei, um die Dicke des Unterhautfettes festzustellen. Außerdem eine Hämatokrit-Zentrifuge, Spritzen und einen Taschenrechner. Aus dunklen Augen sah er mich durch seine übertrieben große Achtzigerjahre-Brille an, und ich konnte beinahe sehen, wie die Zahlen in seinem Gehirn herumwirbelten. Anders als Pedro war es Ferrari völlig egal, wie es einem ging oder was man gerade durchmachte. Er interessierte sich ausschließlich für Körpergewicht, Fettanteil, Wattzahl (das Maß der Kraft – also im Grunde, wie viel Power man auf die Pedale bringt) und Hämatokritwert. Ich hoffte, ihn mit meiner guten Form zu beeindrucken; schließlich würden wir in sechs Tagen die 257 Kilometer von Lüttich-Bastogne-Lüttich angehen, einen der härtesten Tests vor der Tour. Aber als Ferrari mich untersuchte, schüttelte er enttäuscht den Kopf.

»Ahhh, Tyler, du bist zu fett.«

»Ahhh, Tyler, dein Hämatokritwert ist nur 40.«

»Ahhh, Tyler, du hast nicht genug Kraft.«

Rede du nur, dachte ich. Dann aber sagte er:

»Tyler, du wirst LBL nicht schaffen.«

Und ob ich es schaffe, dachte ich. Ferraris Selbstgewissheit ärgerte mich. Ich war schließlich nicht nur irgendeine Gleichung. Wie konnte er wissen, was ich zuwege brachte? Wie sich herausstellte, lag er dann auch wirklich falsch. Ich kam in Lüttich nicht nur ins Ziel, sondern sogar auf den 23. Platz, meine bis jetzt beste Platzierung. Aber ich dachte das ganze Rennen über an Ferrari.

Lance hingegen fand Ferrari toll. Ferrari passte zu seiner Vorliebe für Präzision, Zahlen und Gewissheit. Ich hatte den

Eindruck, Lance' Verhältnis zu Ferrari glich meinem zu Pedro: völliges Vertrauen. Es war klar, dass Ferrari Lance gesagt hatte, wenn er bestimmte Werte erreiche, habe er eine Chance auf den Tour-Sieg. Diese Vorstellung hatte Lance förmlich elektrisiert und gab ihm exakt das Ziel vor, das er zur Motivation brauchte. In den Monaten vor der Tour trainierten wir so hart wie noch nie. Lance konzentrierte sich ganz auf Ferraris Versprechen: Bring du die Werte, der Rest kommt von alleine.[2]

Es war ziemlich klar, wie wichtig Ferrari für Lance war, vor allem, weil Lance die ganze Zeit über ihn sprach, besonders während des Trainings. Zehn Leute konnten ihm zehnmal denselben Ratschlag geben, ohne dass er ihn befolgt hätte; gab Michele ihn ein elftes Mal, wurde er zum Evangelium. Für mich war klar: Lance hielt so große Stücke auf Ferrari, dass die beiden eine Art Exklusivität miteinander vereinbart hatten; Ferrari würde also keine anderen Fahrer mit Ambitionen auf einen Tour-Sieg trainieren. Kevin und ich lästerten oft, Lance spreche inzwischen öfter von Michele als von Kik.

Trotzdem versuchte Lance seine Beziehung zu Ferrari vor dem Rest des Teams geheim zu halten – wenn auch nicht immer erfolgreich.

JONATHAN VAUGHTERS: Einmal, während der Setmana Catalunya [der katalanischen Woche] im März 1999, do-

---

2 Offenbar galt das auch umgekehrt: Wenn Armstrong die Werte nicht brachte, wurde er nervös – was im Januar 1999 auffällig wurde, als das Postal-Team in Solvang, Kalifornien, ein Trainingslager hatte. Das ganze Team absolvierte ein Zehn-Kilometer-Zeitfahren, anschließend gab es einen Bluttest; Blutwerte und Fahrzeit wurden dann in einem Gesamt-Fitnessindex kombiniert. Lance wurde nur Zweiter hinter Christian Vande Velde. Aber statt es Lance zu sagen, manipulierte Bruyneel lieber das Testergebnis ein bisschen, sodass er vorn lag. George Hincapie erklärte Juliet Macur, einer Reporterin der *New York Times,* später: »Wir wollten es Lance nicht sagen, weil es ihn aufgebracht hätte, und Christian hat es auch keiner erzählt, weil es die Hierarchie durcheinandergebracht hätte.«

minierte Marco Pantani die erste Bergetappe nach Belieben: Er flog die Steilpassagen geradezu hinauf, fuhr atemberaubend – und Lance war bloß in der Mitte des Feldes. Am Ziel, kaum im Teamauto, hängte Lance sich sofort an sein Handy und hatte ein sehr intensives Gespräch mit jemandem darüber, was er tun müsse, um in drei Monaten bei der Tour schneller als Pantani zu sein. Aber das war kein normales Gespräch, es fand in einer Geheimsprache statt. Die genauen Formulierungen weiß ich nicht mehr, aber es klang ungefähr so: »Soll ich diese Woche einen Apfel essen oder nächste Woche zwei?« Dann legte Lance auf, und ich fragte, wer dran gewesen sei. Lance antwortete nur: »Geht dich nichts an.« Später habe ich zwei und zwei zusammengezählt – es musste Ferrari gewesen sein.

Im Rückblick ist es schon erstaunlich, wie viele zufällige Faktoren sich bei der Tour de France 1999 zu unseren Gunsten addierten. Und noch erstaunlicher, wenn man bedenkt, wie wichtig die Tour von 1999 später wurde, wie sie die Räder ins Laufen brachte für den Wahnsinn, der danach kam. Und am verrücktesten ist – das geht mir manchmal noch heute, 15 Jahre später, durch den Kopf, wenn ich im Bett liege –, dass all das um ein Haar gar nicht passiert wäre.

Am 3. Juli brachen wir zum Prolog der Tour de France auf, und es war nicht schwer zu erkennen, welches Team hier die Rolle des Underdogs spielte. Überall um uns herum standen Busse von Teams wie ONCE, Banesto und Telekom, die aussahen wie Tourbusse von Rockstars, voll ausstaffiert mit Sofas, Halogenbeleuchtung, Stereoanlagen, Fernsehern, Duschen und Espressomaschinen.

Wir dagegen waren sofort als die geborenen Verlierer auszumachen. Wir hatten zwei der schrottigsten Wohnmobile des ganzen Kontinents. Eines war gemietet; das andere gehörte Julien DeVriese, dem schrulligen Chefmechaniker des Postal-Teams. Wir nannten es »Chitty Chitty Bang Bang«, weil während der Fahrt alles daran klapperte. In jeder Kurve flogen die Schranktüren auf, die Scharniere quietschten zum Gotterbarmen. Die Kiste war so laut, dass man sich während der Fahrt kaum unterhalten konnte. Julien hatte eine eiserne Regel: *Nicht im Wohnmobil scheißen.* Da verstand er keinen Spaß. Wir merkten es deutlich, weil er jedes Mal, wenn wir ihn nur sahen, seinen dicken Zeigefinger auf uns richtete und mit rauer Stimme erklärte: »Nicht im Wohnmobil scheißen!« Wir eröffneten ihm daraufhin, seine Schrottkiste könne doch nur gewinnen, wenn man hineinschiss.

Ich selbst konnte mich eigentlich nicht beklagen, weil ich dem vergleichsweise besseren Wohnmobil zugeteilt war. Besser deshalb, weil nur drei Fahrer darin wohnten – Lance, Kevin und ich –, dazu noch ein Chauffeur. Im schlechteren Wohnmobil drängten sich die restlichen sechs Mitglieder des Postal-Teams wie Collegestudenten beim Rekordversuch in einer Telefonzelle. Der Grund für diese Aufteilung war Motoman: Lance, Kevin und ich sollten als einzige unseres Teams während der Tour EPO bekommen, also war es sinnvoll, wenn die Amigos del Edgar ein wenig Privatsphäre hatten. »Sauberer«, nannte Lance es. Wir redeten natürlich nicht darüber, aber die anderen merkten schon, dass da was im Busch war.

Trotz der miesen Fahrzeuge hatten wir ein immer besseres Vorgefühl, was die Tour anging. Schon in der Vorbereitungsphase erreichten uns fast wöchentlich neue Überraschungsnachrichten über unsere Konkurrenten.

– Schon im Januar testete der französische Radsportverband die Blutprofile seiner Fahrer; die Prozedur hieß »Längsschnitt« und bedeutete hauptsächlich, dass es für die Franzosen schwieriger sein würde, unentdeckt EPO zu nehmen.

– Im Mai wurde der belgische Radsportstar Frank Vandenbroucke wegen des Ankaufs von Medikamenten gesperrt.

– Im Juni wurde Marco Pantani, der Vorjahressieger
der Tour de France und einer der Fahrer, die Lance
am meisten fürchtete, kurz vor seinem zweiten Sieg im
Giro d'Italia wegen Überschreitung des Hämatokrit-
werts von 50 Prozent gesperrt.

– Mitte Juni erschien im Nachrichtenmagazin *Der Spiegel* ein Enthüllungsbericht über Dopingpraktiken im
größten deutschen Radrennstall, dem Team Telekom,
für das auch Bjarne Riis und Jan Ullrich fuhren. Der
Artikel brachte ausführliche Einzelheiten bis hin zu
Trainingsplänen (EPO hieß bei Telekom »Vitamin
E« und kostete viel weniger als bei uns – sie bezahl-
ten nur ungefähr 50 Dollar für 1000 Einheiten, wir
dagegen fast 100). In dem Bericht war von einer Pri-
vatklinik die Rede, über die die Versorgung gelaufen
sei; Zitate von Teamtrainern belegten, dass Riis bei der
Tour 1995 – einem der wenigen Rennen, die er *nicht*
gewonnen hatte – mit einem Hämatokritwert von 56,3
gefahren sei. Wir verfolgten die Berichterstattung und
die anschließende öffentliche Debatte mit gemischten
Gefühlen: Einerseits fürchteten wir ähnliche Enthül-
lungen über uns, waren aber andererseits erleichtert,
nicht unter solchem Druck durch die Öffentlichkeit zu
stehen wie die großen europäischen Teams.

– Ende Juni verletzten sich sowohl Riis als auch Ullrich
bei der Tour de Suisse – Riis brach sich den Ellenbogen,
Ullrich erwischte es am Knie –, und zwar so schwer,
dass sie nicht bei der Tour de France antreten konnten.

All das kam zusammen und machte aus der Tour 1999 eines
der ergebnisoffensten Radrennen aller Zeiten, die erste Tour
seit 50 Jahren ohne einen ehemaligen Gesamtsieger am Start!
Lance stand auf einer langen Kandidatenliste, zusammen mit
Alex Zülle (jetzt nicht mehr bei Festina und nach einer kurzen
Sperre und einer Geldstrafe wieder zugelassen), dem französi-

schen Favoriten Richard Virenque (für den das Gleiche galt), dem spanischen Bergspezialisten Fernando Escartín, den Italienern Ivan Gotti und Wladimir Belli sowie Bobby Julich. Die Veranstalter machten das Beste aus dieser Lage, indem sie von einer »Tour der Erneuerung« sprachen.

Wie die meisten gab ich Lance keine großen Gewinnchancen, vor allem, weil er am Berg erst noch beweisen musste, dass er in der Spitze mithalten konnte. Außerdem machte ich mir Sorgen wegen unserer Motoman-Verschwörung. Jedes Mal, wenn ich einen Gendarmen sah, dachte ich an Philippe, der irgendwo da draußen mit unserem EPO und dem Mobiltelefon herumkarjolte. Wenn er nun angehalten und kontrolliert wurde? Wenn er alles gestand – der Polizei, der Presse? Auf einmal kam mir die Motoman-Geschichte wie ein irrsinnig riskantes Glücksspiel vor. Wenn Lance sich ebenfalls Sorgen machte, zeigte er es nicht. Er ist immer dann in seinem Element, wenn er einen Einsatz wagt, einen Schritt weitergeht, seinen Zug macht. Wenn er mir meine Sorgen ansah, beruhigte er mich sogleich. *Es klappt schon. Die Sache ist narrensicher. Wir werden ihnen alle die beschissenen Ohren lang ziehen.* Auch Johan Bruyneel war offenbar sehr zuversichtlich.

> JONATHAN VAUGHTERS: Ein paar Tage vor dem Tourstart ging ich zu Johan und fragte ihn geradeheraus, ob das Team irgendetwas nach Frankreich einschmuggeln würde. Ich hatte gesehen, wie es dem Festina-Team ergangen war, und, ehrlich gesagt, eine Scheißangst, verhaftet zu werden. Ich frage Johan also: »Wir bringen doch nichts Illegales nach Frankreich mit, oder?« Johan lächelt, ein breites wissendes Lächeln, und erwidert: »Du musst dir überhaupt keine Sorgen machen.«

Das Komischste war, dass die Tour fast geplatzt wäre, bevor sie auch nur begonnen hatte. Einen Tag oder so vor dem Start berichtete Johan, offizielle Tests der Veranstalter hätten gezeigt, dass mehrere unserer Hämatokritwerte gefährlich nahe daran seien, die 50-Prozent-Grenze zu überschreiten. Ich weiß die genauen Zahlen nicht mehr, aber sie lagen alle in den oberen Vierzigern. George war 50,9 (damals wurde die Sperre noch so interpretiert, dass man noch fahren durfte, solange eine 50 vor dem Komma stand; später wurde der Wert auf 50,0 gesenkt). De facto war keiner von uns positiv, aber doch verdammt dicht dran, und das sah in den Augen der UCI nicht besonders gut aus. Ich weiß noch, Jonathan Vaughters war besonders besorgt. Nun, wir machten uns daran, das Problem auf die übliche Weise zu lösen: Wir nahmen Salztabletten und tranken so viel Wasser dazu, wie es nur ging. Jonathan erzählte, er habe in dieser Nacht alle zwei Stunden aufs Klo gemusst.

Dann wurde es noch einmal ganz, ganz eng. Am Tag des Prologs fuhren wir den 6,8 Kilometer langen Parcours ein letztes Mal ab, und Lance wollte testen, ob er die letzte schwere Steigung in einem großen Gang bewältigen konnte. So pufferte er in vollem Speed auf der Ebene los, schaute kurz runter, um die Kettenblätter zu checken – als direkt vor ihm ein Fahrzeug des Streckenfunks mitten in die Straße zog. Lance wäre tatsächlich ungebremst in ihn hineingebrettert, hätte George das Auto nicht gesehen und sofort losgebrüllt. Lance sah gerade noch rechtzeitig hoch, drehte sich noch leicht weg und wurde dann vom Seitenspiegel gestreift. Er stürzte, blieb aber unverletzt. Ich frage mich manchmal, was geschehen wäre, wenn George nicht aufgepasst und keinen Warnruf ausgestoßen hätte.

Lance gewann den Prolog mit Bravour. Sieben Sekunden vor Zülle! Ich glaube, er selbst war hinterher nicht weniger fassungslos als alle anderen. Er fuhr über die Ziellinie und wusste gar nicht, was er nun tun sollte. Der Erste, den er umarmte, war das Teufelchen, Dr. del Moral. In den Interviews, die er danach geben musste, wirkte Lance auf charmante Weise unbeholfen und um Worte verlegen. Er sagte immer dasselbe – wie toll es für sein Team, für die Betreuer, für alle überhaupt sei. Dieser Sieg fühlte sich irgendwie nicht echt an, ein Sieg auf Zeit. Wie ein Irrtum, der sicher bald korrigiert werden würde.

Zwei Tage später geschah das genaue Gegenteil. Die zweite Etappe führte durch die Bretagne und unter anderem auch über die Passage du Gois, eine schmale Dammstraße zwischen der Insel Noirmoutier und dem Festland, die überhaupt nur bei Ebbe befahrbar ist. Die Tourveranstalter lieben spektakuläre Bilder, deswegen mussten wir jetzt bei etwa Kilometer 80 wie der Teufel über diesen schmalen, nassen und rutschigen Damm rasen. Lance und George hatten sich vorausschauenderweise nach vorne durchgekämpft; der Rest von uns versuchte sich ihnen anzuschließen, falls es zu einem Sturz kam. Es kam, wie es kommen musste: Gleich am Anfang dieser verdammten Fahrt über den Schlick rutschte jemand in der Mitte des Feldes weg. Die folgende Massenkarambolage wirbelte Dutzende Fahrer durch die Luft, blockierte den Weg und kostete Jonathan Vaughters die weitere Teilnahme an der Tour. Die meisten Favoriten – unter ihnen Zülle, Belli und Gotti – saßen hinter dem Massensturz fest. In wilder Panik sprangen sie wieder auf die Räder und versuchten die Spitze einzuholen, doch dieser Zug war abgefahren.

Mit einem Mal hatte Lance jetzt einen enormen Vorsprung von sechs Minuten auf seine Hauptrivalen. Es hieß allgemein, da habe er Glück gehabt; aber wir, die wir dabei gewesen waren, und vor allem Lance selbst sahen es nicht so. Jeder wusste, dass die Dammstraße rutschig sein würde. Stürze waren da absehbar. Jeder hatte die Chance gehabt, beizeiten in die Spitze vorzufahren. Es war so wie immer: Eine vermeintliche Unfairness trug dazu bei, die Tour fair zu machen, weil eben jeder mit ihr zu kämpfen hatte. Entweder man schaffte es – oder eben nicht. Punkt.

Aber die Tour war ja noch lange nicht vorbei. Allen war klar, das achte und das neunte Teilstück würden die Schlüsseletappen sein: ein 56 Kilometer langes Zeitfahren in Metz, gefolgt von einem Ruhetag, und dann die Königsetappe – eine brutale

Folge von drei Anstiegen: zuerst hoch zum Télégraphe, weiter über den Galibier und schließlich hinauf zum Ziel im italienischen Skiort Sestriere. Während wir uns diesem Showdown näherten, peitschten die Medien eine Woche lang die Emotionen hoch – mit den stets gleichen dicken Überschriften: War das Peloton wirklich sauber? Würde Lance, der auf den europäischen Monster-Bergetappen bislang nie brilliert hatte (bei seinen vier Versuchen hatte er die Tour nur einmal beendet, als Sechsunddreißigster), seinen Konkurrenten auch in der Kletterdisziplin widerstehen können?

Ein paar Tage zuvor taten wir, was nötig war. Philippes geheimes Telefon klingelte, er schlängelte sich durch die Menge und lieferte. Weil wir das EPO nicht mit ins Hotel nehmen wollten, fanden die Injektionen meistens im Wohnmobil statt. Das lief so ab: Nach dem Zieleinlauf der Etappe gingen wir sofort ins Wohnmobil, uns waschen, etwas trinken und uns umziehen. Die Spritzen warteten dort schon, manchmal in den Turnschuhen versteckt, in den Sporttaschen.

Der Anblick der Spritze bereitete mir jedes Mal Herzklopfen. Man wollte die Injektion am liebsten sofort hinter sich bringen – rein mit dem Zeug und dann weg mit den Beweisen. Manchmal setzte del Moral die Spritzen, manchmal wir selbst, je nachdem, was schneller ging. Und schnell waren wir – das Ganze dauerte höchstens 30 Sekunden. Präzision war Nebensache: Arm, Bauch, jede Stelle war recht. Wir gewöhnten uns an, die gebrauchten Spritzen in einer leeren Coladose zu verstecken. Sie passten genau durch die Öffnung – *plonk, plonk, plonk* –, man hörte die Nadeln klappern. Diese Coladose behandelten wir dann sehr vorsichtig. Sie war die *radioaktive* Coladose, die uns Tour und Karriere kosten, das Team ruinieren und uns womöglich in ein französisches Gefängnis bringen konnte. Waren die Spritzen einmal in der Dose, zerknüllten und verbeulten wir sie, damit sie richtig nach Abfall aussah; del Moral verstaute sie ganz unten in seinem Rucksack, setzte seine Pilotenbrille auf, öffnete die windige Tür des Wohnmobils und ging durch die

Knäuel von Fans, Journalisten, Funktionären und sogar Polizisten, die sich um den Bus drängten, einfach davon. Alle wollten Lance sehen. Keiner achtete auf den unauffälligen Typen mit dem Rucksack, der unsichtbar zwischen ihnen verschwand.

Im Zeitfahren der achten Etappe schlug Lance sich gut und gewann mit fast einer Minute Vorsprung vor Zülle (ich war auch nicht schlecht – fünfter Platz). Aber alle warteten auf die neunte Etappe – den Aufstieg nach Sestriere. Die erste große Bergetappe der Tour ist jedes Mal eine Art Coming-out-Party, der Augenblick, in dem die Rundfahrt wirklich beginnt. Alle schauen hin, wenn die Sieganwärter ihre Karten endlich auf den Tisch legen.

Der Morgen war kalt und regnerisch. Im ersten Teil der Etappe gab es zahlreiche Ausreißversuche; alle versuchten sich ins Bild zu setzen. Frankie leistete exzellente Arbeit als Kontrolleur – er behielt potenzielle Ausreißer permanent im Blick und stellte sicher, dass kein Favorit etwa das Weite suchte. Wir schützten Lance, so lange wir konnten, dann ließen wir uns zurückfallen und ihn mit der Spitzengruppe allein. Einige Fahrer brachen unerwartet aus; Escartín und Gotti, die allgemein als die Top-Bergspezialisten galten, setzten nach. Der weitere Ablauf schien klar: Lance hatte sich gut gehalten, aber jetzt war die Zeit für die echten Kletterkönige gekommen. Und hier hatten Escartín oder Gotti sicher die besten Karten.

Etwa acht Kilometer vor dem Ziel geschah dann das Unerwartete: Lance griff an, überholte Escartín und Gotti und donnerte allein los, um sich den Etappensieg zu sichern. Ich wusste, er fuhr wie vom Teufel gehetzt, weit vor mir hörte ich das Brausen der aufgeregten Menge. Johan und Thom Weisel schickten ekstatische Schreie über den Teamfunk. Doch erst am Abend, als ich die Höhepunkte der Etappe im Fernsehen sah, begriff ich, wie unwiderstehlich Lance da angetreten hatte.

»Armstrong passierte sie, als wären sie auf der Stelle stehen geblieben!«, rief Kommentator Paul Sherwen. Lance' Angriff auf Escartín und Gotti war umso eindrucksvoller, weil er ihn nicht im Stehen lanciert hatte, wie man es bei einer Attacke meist macht, sondern im Sitzen. Sein Rhythmus änderte sich kaum, er wurde nur immer schneller, während er seine monströse Übersetzung knetete. Und die anderen fielen zurück wie trockenes Herbstlaub. Ich wusste, wie stark Lance war, schließlich hatten wir täglich nebeneinander trainiert. Aber hier wurde auch ich aufmerksam, so wie eine Menge anderer Leute. Das war ein neuer Lance, einer, den ich noch nicht kannte. Er hatte eine neue Dimension erreicht.

Sofort meldeten sich die Zweifler. Später hörten wir, dass ein paar alte Hasen unter den Reportern im Pressezentrum laut gelacht hatten, als Lance seinen Vorstoß lancierte – nicht aus Bewunderung, sondern weil er ihrer Ansicht nach so offensichtlich gedopt wirkte. Die Medienberichte am nächsten Tag beschrieben Lance als »Außerirdischen«, das Codewort der Presse für einen gedopten Fahrer. Die Sportzeitung *L'Équipe* schrieb, Armstrong sei »*sur une autre planète*« – auf einem anderen Planeten.

Es kam noch schlimmer. Die Tageszeitung *Le Monde* enthüllte, Lance sei nach dem Prolog positiv auf Cortison getestet worden, was einen kurzen, aber sehr intensiven Sturm der Entrüstung auslöste, und zwar nicht nur gegen Postal, sondern gegen die gesamte Tour, die sich keinen neuen Dopingskandal leisten konnte. Mit Lance hatten sie das perfekte Comeback, die Verkörperung der triumphalen Wiederauferstehung aus dem Dunkel der Festina-Affäre. Das alles stand plötzlich auf dem Spiel.

Das Postal-Team und Lance erledigten die Sache auf die einfache Art. Sie dachten sich eine Erklärung aus: Lance habe sich am Sattel wund gescheuert und eine Hautcreme gebraucht, die Cortison enthielt; deren Rezept wurde zurückdatiert.[3] Obwohl

---

3 Postal-Betreuerin Emma O'Reilly erzählt in *From Lance to Landis:* »Einmal waren zwei Teamfunktionäre zusammen mit Lance im Zimmer. Alle

die Zweifler insistierten, Armstrong habe das Mittel auf seinem medizinischen Fragebogen bei der Tour-Anmeldung nicht angegeben, schien das außer einigen Journalisten niemanden zu interessieren. Die UCI wollte Lance nicht zu Fall bringen; sie akzeptierte das Rezept, und die Tour der Erneuerung konnte weitergehen.[4]

Damals veränderte die Tour ihr Gesicht; ab sofort ging es vor allem auch darum, die Berichterstattung und damit die Journalisten zu kontrollieren. 1999 wollten die Medien sich, wie in all den anderen Jahren, eigentlich auf das Drama und die Romantik der Tour de France konzentrieren und die Dopingfrage so weit wie möglich ausklammern. Doch nicht alle. Eine kleine Gruppe versteifte sich auf unbequeme Fragen. Armstrong nannte sie die »Trolle«. Die Rollenverteilung war einfach: Die Trolle wollten Lance zur Strecke bringen, und er versuchte ihnen zu entkommen.

Zuerst war Lance nicht sehr gut in diesem Spiel. Er fühlte sich angegriffen, wirkte unausgeglichen und reizbar. »Das geht jetzt schon eine Woche so, und niemand hat etwas gefunden«, sagte er in einem Interview mit etwas zu lauter Stimme. »Und auch Sie werden nichts finden. Ob *L'Équipe,* Channel 4, eine spanische Zeitung, eine holländische Zeitung, eine belgische – da gibt's nichts zu finden.« Ein andermal betonte er: »Ich bin nie positiv getestet worden. Mir konnte noch nie jemand etwas nachweisen.«

redeten durcheinander. ›Was sollen wir tun, was sollen wir nur tun? Behalten wir die Ruhe. Wir müssen zusammenhalten. Keine Panik. Wir gehen hier alle mit derselben Geschichte raus.‹« O'Reilly berichtet, dass Armstrong nach der Besprechung zu ihr gesagt habe: »So, Emma, jetzt weißt du genug, um mich zu Fall zu bringen.«

4 Die UCI praktizierte eine solche Kooperation nicht zum ersten Mal. Der Festina-Betreuer Willy Voet schreibt in seinem Buch *Massacra à la chaîne* (1999) (dt.: *Gedopt*), dass die UCI auch beim französischen Fahrer Laurent Brochard eine ähnlich zurückdatierte therapeutische Ausnahmegenehmigung für Lidocain akzeptiert habe, um ihm einen positiven Test zu ersparen.

Noch nie etwas nachweisen?

Aber Lance lernte schnell. Bei einer Pressekonferenz meinte ein Journalist, vielen Menschen komme sein Erfolg wie ein Wunder vor. Ob er das nicht auch finde? Lance, der nicht religiös ist, überlegte zwei Sekunden und lieferte dann eine geniale Antwort.

»Doch, es ist wirklich ein Wunder«, erwiderte er. »Weil ich vor 15 oder 20 Jahren überhaupt nicht überlebt hätte, geschweige denn jetzt bei der Tour antreten oder sie gar anführen könnte. Also, ja, ich halte das für ein Wunder.«

Als die Trolle die Cortisongeschichte nicht ruhen lassen wollten, tat Lance, was er am besten konnte: Er griff sie frontal an. Zuerst bezeichnete er *Le Monde* (eine angesehene, seriöse Tageszeitung) als »Revolverblatt« und ihre Berichte als »Aasgeier-Journalismus«. Er baute seine Verteidigung aus; statt sich auf sich selbst zu beziehen, nahm er die Motive und die Glaubwürdigkeit seiner Angreifer ins Visier. Als ein hartnäckiger Reporter bei einer Pressekonferenz keine Ruhe geben wollte, fragte Lance ihn: »Mister Le Monde, nennen Sie mich einen Lügner oder Doper?«

So etwas hätte ich nie gewagt – und was hätte ich denn sagen sollen, wenn der Journalist geantwortet hätte: »Ich nenne Sie sogar beides«? Aber Lance zeigte mir, was ein ungebremster Frontalangriff wert sein kann. Er kam damit durch, weil er wirklich glaubte – und noch immer glaubt –, dass sein Handeln kein Betrug war, denn schließlich waren alle Tour-Favoriten auf Cortison, alle hatten ihren Motoman, und alle taten alles, um zu gewinnen. Und wer das nicht tat, war ein Choad und verdiente es gar nicht, zu gewinnen.

Öfter schon habe ich gesagt, man hätte uns damals an die besten Lügendetektoren der Welt anschließen können; man hätte uns fragen können, ob wir gelogen und betrogen hätten. Der Test hätte uns nicht überführt. Und zwar nicht, weil wir uns etwas vormachten – wir wussten, wir brachen die Regeln –, sondern weil wir das nicht für Betrug hielten. Es schien uns nur fair, die Regeln zu brechen, weil wir wussten, alle anderen taten es auch.

Nennen Sie mich einen Lügner oder Doper?

Ich glaube, dies war der Moment, in dem Lance die Oberhand gewann. Er zeigte ihnen, dass er nicht wie die anderen war, dass er sich nicht winden und halbherzige Ausflüchte murmeln und alles abstreiten würde, bis die Trolle ihn am Ende niedermachten. Und es funktionierte. Die Presseberichte des nächsten Tages hielten sich nicht mit Verdächtigungen oder positiven Tests auf, sondern drehten sich vielmehr um Lance' Kampf gegen die Anschuldigungen, einen Kampf, der einen unweigerlich an seinen Kampf gegen den Krebs und die Rückkehr in den Sport erinnern musste. Lance attackierte seine Zweifler genauso wie den Krebs, und es funktionierte.

Journalisten waren natürlich nicht die Einzigen, mit denen er es aufnehmen musste. Da gab es noch den französischen Fahrer Christophe Bassons. Er war ein interessanter Mensch, ein großes Naturtalent (sein VO_2-Max, der maximale Sauerstoffaufnahmewert, lag bei 85, zwei Punkte über dem von Lance), der das Doping nicht nur verweigerte, sondern auch die Omertà brach, indem er sich offen dagegen aussprach. Seine Teamkameraden nannten ihn »Monsieur Propre« – den Saubermann. Ein echtes Problem für Lance war, dass Bassons den Mund nicht halten konnte. Während er die Tour 1999 fuhr, schrieb er zugleich eine Kolumne für *Le Parisien,* in der er die Dinge beim Namen nannte: Die Festina-Affäre hatte nichts geändert.

Lance klärte das Problem unverzüglich. Am Tag nach seinem Sieg in Sestriere fuhr er unterwegs an Bassons heran und erklärte ihm, seine Kommentare schadeten dem Radsport; Bassons entgegnete, er schreibe schließlich nur die Wahrheit; Lance schlug ihm daraufhin vor, sich zu verpissen und aus dem Radsport zu verabschieden.

Die anderen Fahrer hätten sich jetzt auf Bassons' Seite stellen und ihre Stimme erheben können. Aber warum auch immer – vielleicht aus Angst, vielleicht wegen Lance' Charisma, vielleicht aus purer Gewohnheit – sie schwiegen. Auf dieser Etappe und am nächsten Tag wurde klar, dass Bassons isoliert dastand. Niemand verteidigte ihn. Die anderen sprachen auch nicht mehr mit ihm, nicht einmal seine eigenen Teamkameraden. Bassons verstand und erklärte am nächsten Tag seine Aufgabe.

Mitten in diesem Tohuwabohu fanden wir als Team immer enger zusammen. Da Lance das Gelbe Trikot trug, mussten wir das Rennen kontrollieren, und das kostete unsere ganze Kraft. Es wurde härter. Jonathan war bereits ausgefallen; dann verloren wir auch noch Peter Meinert Nielsen, der sich eine schwere Sehnenentzündung im Knie zuzog. Die Tage liefen alle gleich ab: Johan erklärte uns eine komplexe Strategie, die es gewöhnlich erforderte, dass wir die Etappe größtenteils kontrollierten. Dann warf uns Lance ein paar lockere Worte zu, und uns wurde wieder bewusst, was wir hier Unwahrscheinliches vollbrachten: Wir, die geborenen Verlierer in zwei schrottreifen Wohnmobilen, waren gerade dabei, das härteste Radrennen der Welt zu gewinnen! Und es funktionierte: Jeden Tag gingen wir emsig ans Werk, uns selbst zu begraben, und sorgten dafür, dass Lance das Gelbe Trikot behielt.

Im weiteren Verlauf der Tour bauten die Fahrer, die kein Edgar bekommen konnten, immer mehr ab. Sie fuhren gnadenlos auf paniagua und leisteten wirklich Übermenschliches. Wir überlegten, wie wir wohl helfen könnten. Eines Abends in der zweiten Woche hatten wir etwas Edgar übrig – ein paar Tausend Einheiten vielleicht. Was sollten wir damit anfangen? Wegwerfen wollten wir es nicht, nehmen aber auch nicht, um unseren Hämatokritwert nicht zu hoch zu drücken. Lance machte dann den Vorschlag, es Frankie zu geben. Jemand wurde zu ihm ins Zimmer geschickt; wie sich herausstellte, war Frankie vor lauter Erschöpfung schon eingeschlafen. Als man ihn weckte, nickte er müde und nahm das Geschenk an.

Mit jeder überstandenen Etappe rückte der Zieleinlauf in Paris näher. Wir versuchten, nicht an den Gesamtsieg zu denken, sondern konzentrierten uns darauf, Zülle und die anderen

Favoriten in Schach zu halten. Am 21. Juli jedoch, als wir in das Pyrenäenstädtchen Pau einrollten, lag Lance immer noch in Führung und die letzte Bergetappe hinter uns. Jetzt wurde die Chance auf den Sieg plötzlich real. Wenn nicht noch eine Katastrophe dazwischenkam – ein schwerer Sturz, eine plötzliche Krankheit oder Verletzung –, würde Lance allen Ernstes die Tour de France gewinnen.

Die einzige schlechte Nachricht war, dass einer aus unserem Team es langsam nicht mehr schaffte: Philippe. Motoman war am Ende. Ich konnte es nachfühlen: Tag für Tag, Woche für Woche der Tour hinterherzufahren war bestimmt anstrengend. Alles wimmelt vor Menschen, Straßen werden gesperrt, alle Hotels sind ausgebucht. Philippe übernachtete, wo es gerade ging – im Zelt, in improvisierten Biwaks am Straßenrand oder auf Parkplätzen. Bei einem Telefongespräch mit Johan oder Lance gestand er uns dann, dass er nicht mehr konnte. Da ging nichts mehr. Zum Glück hatten wir das Rennen jetzt, eine Woche vor Schluss, in der Tasche. Motoman wurde verabschiedet und durfte nach Nizza zurückfahren.[5]

---

5 Im Jahr 2005 wurden im Rahmen einer retrospektiven Studie des französischen Doping-Untersuchungslabors Châtenay-Malabry Urinproben der Tour de France 1999 nachträglich auf EPO getestet. Mithilfe der sechsstelligen Fahrernummer stellte Damien Ressiot von *L'Équipe* fest, dass 15 der Proben von Armstrong stammten. Von diesen 15 wurden sechs positiv auf EPO getestet, nämlich die nach dem Prolog sowie nach den Etappen 1, 9, 10, 12 und 14 genommenen; auch mehrere andere zeigten das Vorhandensein künstlich zugeführter EPOs in zu geringer Konzentration für ein positives Testergebnis. Alle nach der 14. Etappe genommenen Proben wurden negativ getestet.
Armstrong behauptete, die Proben müssten manipuliert worden sein. Laut Dr. Michael Ashenden, einem der führenden Dopingexperten weltweit, sei es allerdings praktisch überhaupt nicht machbar, genau dieses Muster von Spitzenwerten und allmählichem Abflachen des EPO-Spiegels künstlich darzustellen; es gebe seines Wissens keine Laborausrüstung, die dafür präzise genug arbeite. Ashenden meint: »Ich persönlich hege keinerlei Zweifel, dass [Lance Armstrong] während der Tour 1999 EPO genommen hat.«
Noch interessanter ist womöglich, dass Armstrong 1999 in der Minderheit war. Von den 89 anderen Urinproben, die damals genommen wurden, fielen nur sieben (also 8,6 Prozent) positiv auf EPO aus.

Kurz vor der Schlussetappe schlug Lance Kevin und mir vor, es wäre doch nett, wenn wir uns bei Philippe für seine harte Arbeit erkenntlich zeigen könnten. Wir wussten, dass Lance einige seiner Betreuer und sonstigen Teammitarbeiter mit Rolex-Uhren bedachte, also beschlossen Kevin und ich, auch Philippe eine zu schenken. Wir legten zusammen, und Becky, Kevins Verlobte, kaufte die Uhr in Nizza und brachte sie mit nach Paris.

Die letzte Woche lief dann ab wie ein Uhrwerk; alles ging so reibungslos und schnell, dass wir es gar nicht richtig glauben konnten, als wir es dann in trockenen Tüchern hatten. Nach dem Zieleinlauf kam noch die traditionelle Parade die Champs-Élysées hinunter zum Arc de Triomphe. Überall enorme Menschenmengen, die amerikanische und texanische Flaggen schwenkten. Wir stiegen von den Rädern und liefen in ungläubiger Glückseligkeit über die Pflastersteine, umarmten unsere Frauen, unsere Familien und einander. Champagnerkorken knallten, eine Million Blitzlichter zuckten, irgendwer in der Menge spielte Tuba. Es war wie in einem Hollywood-Film.

Die Siegesfeier war genauso phantastisch. Thom Weisel mietete das oberste Stockwerk des Musée d'Orsay, der weltberühmten Gemäldegalerie am Ufer der Seine; ungefähr 200 Sponsoren, Familienmitglieder und Freunde waren eingeladen. Weisel triumphierte, prostete jedem zu, den er traf, und erinnerte ihn daran, dass wir gerade die beschissene Tour de France gewonnen hatten. Lance' Agent Bill Stapleton stand mit seinem Telefon auf dem Balkon und vereinbarte einen Termin nach dem anderen – Letterman, Leno, Nike, die *Today Show* und immer so weiter, das Display blinkte wie die Leuchtreklame am Times Square. Irgendwann während der Party klingelte dann auch Lance' Mobiltelefon. Er stand auf, ging hinaus und kam einige Minuten später zurück.

»Cool«, sagte er. »Das war eben Präsident Clinton.«

Es war an der Zeit, denjenigen zu danken, die all das ermöglicht hatten. Lance stieg aufs Podium und erklärte: »Ich habe heute das *maillot jaune* auf die Champs-Élysées getragen, aber mein eigener Anteil an diesem Erfolg ist vielleicht gerade einmal so groß wie der Reißverschluss. Der ganze Rest – Brust und Rücken, Ärmel und Kragen sind der des Teams, seiner Mitarbeiter und meiner Familie. Und das meine ich von ganzem Herzen.«

In all dem Trubel schafften wir es, eine ruhige Ecke für eine kleine private Zeremonie zu finden. Kevin und ich überreichten einem erschöpften, aber glücklichen Motoman seine Rolex, die Belohnung dafür, dass er den Sieg möglich gemacht hatte. Wir umarmten ihn, und er probierte die Uhr an. Sie passte perfekt.[6]

---

6 Als Hamilton mir im August 2010 von Philippe/Motoman erzählte, erinnerte er sich nur an den Vornamen. Nach einigen Monaten gelang es mir, einen Mann aufzutreiben, den Hamilton auf einer Fotografie als Motoman identifizierte. Sein Name ist Philippe Maire. Er wohnt in Cagnes-sur-Mer, einige Kilometer von Nizza entfernt, und betreibt dort seinen eigenen Rennradladen namens Stars' n' Bikes. Das Geschäft führt die Marken Trek, Oakley und Nike Livestrong. Im Juni 2012 war auf Maires Facebook-Seite eine Fotografie aus der Zeit um 1999 zu sehen, auf der Maire und Armstrong Arm in Arm in einem Fahrradladen zu sehen sind. Die Bildunterschrift lautete: »Gut gemacht«.
Ich rief Maire an, und er bestätigte mir, dass er als Mechaniker und Gärtner für Armstrong gearbeitet hatte, als dieser in Nizza gelebt hatte. Ich fragte Maire, ob er die Tour 1999 auf seinem Motorrad begleitet habe.
PM (wird lauter): »Nein, ich weiß, ich begleite gar nichts. Wenn Sie mit mir reden wollen, kommen Sie in den Laden, wir können uns treffen, ich kann Sie kennenlernen, aber jetzt, ich verstehe nicht. Die Jungs, die können mich anrufen, mir erklären, weil ich verstehe nicht.«
»Könnte Tyler Hamilton Sie anrufen?«
PM (schnell): »Nein, nein, nein, nein. Wenn Sie wollen, sagen Sie Kevin Livingston, er soll mich anrufen, er soll mir erklären, was Sie wollen. Ich verstehe nicht, tut mir leid.«
»Stimmt es denn nun oder nicht, dass Sie die Tour de France 1999 auf Ihrem Motorrad begleitet haben?«
PM: »Ahhh, nein, nein.«
»Es stimmt also nicht? Es ist nicht die Wahrheit?«
PM: »Es ist ... nicht wahr.«

Die sagen mir also nicht die Wahrheit, wenn sie sagen, dass Sie die Tour 1999 auf Ihrem Motorrad begleitet haben.

PM (hastig): »Tut mir leid, tut mir leid. Ich bin Radfahrer. Ich verkaufe Fahrräder, aber ich verstehe nicht, was Sie wollen. Ich sage auf Wiedersehen.« [Legt abrupt auf.]

Einige Wochen später rief ich Maire abermals an. Als ich auf die Tour 1999 zu sprechen kam und ihm erzählte, was Hamilton erzählte, wies Maire mehrfach darauf hin, dass er sich in Frankreich und nicht in den USA aufhalte.

»Das ist ein verdammter Witz. Ich bin niemand. Nur ein unwichtiger Typ in Frankreich; ein guter Mechaniker, mehr nicht.«

Maire gab zu, auf der Siegesfeier des Postal-Teams im Pariser Musée d'Orsay dabei gewesen zu sein. Als ich anmerkte, es sei vielleicht ein wenig ungewöhnlich, dass Armstrongs Gärtner und Mechaniker 1000 Kilometer weit reise, um an der Siegesfeier des Teams teilzunehmen, erklärte Maire, er sei nach Paris gekommen, um sich die Schlussetappe anzuschauen. Als ich Maire fragte, ob Hamilton und Livingston ihm eine Rolex geschenkt hätten, lachte er.

»Nein, nein, nein, nein, nein!«, sagte er. »Niemand kauft mir Rolex. Niemand, haha. Aber wenn Sie jemanden kennen, der mir eine kauft, ja gerne. Ich mag auch Cartier, haha, Chanel, Gautier, ganz klar.«

6

Du und Haven, ihr solltet nach Nizza umziehen.

Lance sagte das beiläufig, aber es fühlte sich wichtig an. Im Herbst 1999 wohnte ich immer noch in Girona, aber es war klar, dass sich der Schwerpunkt des Teams nach Nizza verlagert hatte, in diese wunderschöne Stadt im Herzen der französischen Riviera. Lance und Kristin lebten dort, ebenso Kevin Livingston und seine jetzige Frau Becky sowie Frankie Andreu und seine Frau Betsy. Michele Ferrari war nur eine halbe Auto-Tagesfahrt entfernt. Haven hatte vor Kurzem bei Hill Holliday gekündigt, jetzt konnten wir in Europa zusammenleben. In Nizza zu wohnen, das hörte sich mehr als perfekt an: Wir würden alle zusammen sein, gemeinsam trainieren, arbeiten, leben und uns auf die nächste Tour vorbereiten. Haven und ich zogen also im März 2000 in ein kleines gelbes Haus am Ende einer mit Rosen überwachsenen Gasse in Villefranche-sur-Mer, knapp zwei Kilometer von Lance und Kristin entfernt. Außerdem hatten wir zum ersten Mal Geld: einen neuen Jahresvertrag über 450 000 Dollar (eine kräftige Steigerung von 300 000 Dollar im Vergleich zum letzten Jahr) sowie einen Bonus von 100 000 Dollar, wenn ich mithalf, Lance einen weiteren Tour-Sieg zu sichern.

Es fühlte sich an wie ein Umzug auf einen anderen Planeten: Im Hafen dümpelten die Jachten der Milliardäre, am Ufer flanierten die älteren französischen Ehepaare mit gewaltigen Sonnenbrillen und winzigen Hunden. Von unserem neuen Wohnort aus hatten wir einen Blick auf Nellcôte, die Villa, in der die Rolling Stones 1971 ihre LP *Exile on Main Street* aufgenommen hatten. Monaco war gleich nebenan. Es war ein Ort, an dem man auf der Straße einer glamourösen Frau begegnete, und eine Sekunde später dämmerte es einem: *Mensch, das war doch Tina Turner.*

Kevin, Lance und ich. Wir fuhren meist zusammen, manchmal stieß auch noch Frankie dazu. Meist trafen wir uns auf der Straße am Meer und machten uns dann auf den Weg ins bergige Hinterland nördlich von Nizza. Ein Training dieser Art ist in etwa so, als würde man mit Freunden zusammensitzen und gemeinsam einen Film anschauen – in diesem Fall war der Film die französische Landschaft, die an uns vorbeirauschte. Wie beim Filmeschauen verbrachten wir die meiste Zeit damit, Unsinn zu reden, unsere Beobachtungen anzustellen und miteinander herumzualbern.

Wir hatten alle unsere Rollen. Frankie war der Anker: klarsichtig und nicht aus der Ruhe zu bringen. Kevin war der Temperamentsbolzen: mit übersprudelndem Humor, albernen Witzen und einem stetig wachsenden Repertoire von persönlichen Eindrücken (auf Zuruf gab er Michele Ferrari: *Aaaah, Tyler, du bist zu fett!).* Ich war der Kumpel und Helfer, der Stille mit dem trockenen Humor, der alles sah und nicht viel redete.

Lance war der große Boss, beflügelt von diesem neuen Leben und vom Erfolg. Er war schon früher sehr entschieden aufgetreten, aber jetzt schien sich diese Entschiedenheit noch verdoppelt zu haben. Er kümmerte sich um alles. An einem Tag waren Technologie-Aktien *die beste beschissene Investition auf dem Markt*; am nächsten Tag war es irgendeine Bäckerei in der Normandie, die das *beste beschissene Brot* hatte, *das du je gegessen hast*; beim nächsten Mal ging es um irgendeine Band, die *beste beschissene Band, die je gehört hast.* Und meistens hatte er auch noch recht.

Lance hatte auch ein Auge auf die Konkurrenz. Er verbrachte viel Zeit mit Gesprächen über Ullrich, Pantani, Zülle und die anderen. Lance wusste eine Menge – wer mit welchem Arzt zusammenarbeitete, wer sich auf welches Rennen vorbereitete, wer fünf Kilo Übergewicht hatte, wer vor der Scheidung stand. Lance war eine Einmannzeitung: Ging man mit ihm zwei Stunden trainieren, wusste man hinterher Bescheid über das gesamte Peloton.

Manchmal war er zu gesprächig. Ich erinnere mich, dass ich einmal mit ihm und Kevin in einem Hafenrestaurant in Nizza saß, und Lance sprach über eine neue Art von EPO, die seinen Informationen zufolge einige spanische Fahrer verwendeten. Er sprach ziemlich laut und offen, er verwendete keine Codewörter, und ich wurde nervös, hoffte, dass am nächsten Tisch nicht jemand saß, der Englisch verstand. Ich war so beunruhigt, dass ich tatsächlich so etwas sagte wie: »Hey, Mann, hier könnten die Wände Ohren haben.« Aber ihm schien das nichts auszumachen, er plauderte munter weiter. Es war wie mit seinem EPO-Depot im Kühlschrank. Während wir anderen halb verrückt vor Angst waren, erwischt zu werden, benahm sich Lance, als sei er unverwundbar. Vielleicht gab es ihm auch mehr Sicherheit, so zu tun, als sei er unverwundbar.

Von Lance lernte ich viel, aber meine wahre Ausbildung fand alle paar Wochen statt, wenn Michele Ferrari zu Besuch kam. Ferrari war unser Trainer, unser Arzt, unser Gott. Er dachte sich gern Trainingseinheiten aus, die wie Folterinstrumente wirkten: Sie brachten uns fast um, aber eben nicht ganz. In späteren Jahren hörten wir oft, wie Lance in der Öffentlichkeit erzählte, Chris Carmichael sei sein offizieller Coach – und Carmichael baute auf dieser Beziehung ein beachtliches Unternehmen auf. Ich wusste, dass die beiden befreundet waren. Die Wahrheit ist jedoch, dass Lance in all den Jahren, in denen ich mit ihm trainierte, niemals Chris' Namen erwähnte oder einen Rat, den er von ihm bekommen hatte. Ferraris Namen nannte Lance dagegen mit fast ärgerlicher Häufigkeit. *Michele sagt, wir sollten dies tun. Michele sagt, wir sollten das tun.*[1]

---

1 In seinen Büchern und auf seiner Website behauptet Carmichael, dass er bei allen sieben Tour-Siegen Armstrongs Coach gewesen sei. In einem Inter-

Ich musste noch viel lernen. Bis dahin hatte ich trainiert wie die meisten Radprofis der alten Schule – nach Gefühl. O ja, ich betrieb Intervalltraining und zählte die Stunden, ging dabei aber nicht sehr wissenschaftlich vor. Man kann das an meinen Trainingstagebüchern ablesen, in denen an den meisten Tagen nur eine einzige Zahl steht: Wie viele Stunden ich gefahren bin – je mehr, desto besser. Das hörte in dem Augenblick auf, als ich nach Nizza kam. Lance und Ferrari zeigten mir, dass es mehr Trainingsvariablen gab, als ich mir je hätte träumen lassen, und sie alle waren wichtig: Wattzahlen, Trittfrequenzen, Intervalle, Herzfrequenz-Zonen, Joules, Milchsäure und, natürlich, der Hämatokritwert. Jede Trainingsfahrt war eine mathematische Aufgabe, eine präzise ausgearbeitete Reihe von Werten, die es zu erreichen galt. Das hört sich einfach an, war aber in Wirklichkeit unglaublich schwierig. Sechs Stunden lang radzufahren ist die eine Sache. Etwas ganz anderes ist es, sechs Stunden lang radzufahren und dabei nach einem Programm von Wattzahlen und Trittfrequenzen zu arbeiten, vor allem dann, wenn einen diese Wattzahlen und Trittfrequenzen an den Rand der körperlichen Leistungsfähigkeit bringen. Mithilfe stetig zugeführter Dosen von Edgar und den roten Pillen trainierten wir, wie ich es mir niemals hätte vorstellen kön-

---

view mit *USA Today* beschrieb Carmichael im Juli 2004 ein System, in dem Armstrong seine Trainingsdaten täglich an Ferrari schickte, der sie dann an Carmichael weiterreichte, woraufhin dieser die Feinabstimmung vornahm.
In Interviews für das Buch *Lance Armstrong's War* sagte Ferrari allerdings, er habe niemals mit Carmichael kommuniziert. »Ich arbeite nicht mit Chris Carmichael«, sagte er. »Ich arbeite für Lance. Nur für Lance.«
Hier folgen Kommentare von Postal-Fahrern zu diesem Thema:
Jonathan Vaughters: »In zwei Jahren erwähnte Lance Chris' Namen kein einziges Mal.«
Floyd Landis: »Lass gut sein. Carmichael ist ein netter Kerl, aber er hatte nichts mit Lance zu tun. Carmichael war ein Strohmann.«
Christian Vande Velde: »Chris hatte mit Lance' täglichem Training nichts zu tun. Ich glaube, dass seine Rolle eher die eines Freundes war, mit dem Lance über das große Ganze sprach.«

nen: Tag für Tag fiel ich nach der Rückkehr nach Hause völlig erschöpft und wie bewusstlos ins Bett.

Ferrari reiste etwa einmal im Monat aus seinem Wohnort Ferrara an, um uns zu testen. Seine Besuche glichen wissenschaftlichen Experimenten, allerdings maß er nur nach, auf welche Art und Weise wir ihn enttäuschten. Er wohnte immer bei Lance und Kristin, also fuhr ich morgens zur Untersuchung hin. Er erwartete mich mit Waage, Fettkaliper und Blutzentrifuge. Die Zange kniff, die Zentrifuge rotierte.

Und Ferrari schüttelte den Kopf.

»Aaah, Tyler, du bist zu fett.«

»Aaah, Tyler, dein Hämatokritwert ist zu niedrig.«

Ferrari testete uns gerne am Col de la Madone, einer steilen, zwölf Kilometer langen Bergstrecke ganz in der Nähe von Nizza. Manchmal fuhren wir mit allmählich gesteigerter Wattzahl eine einen Kilometer lange Teststrecke bergauf. Ferrari bestimmte dann den Laktatwert in unserem Blut und übertrug die Ergebnisse in ein Schaubild, sodass wir unsere anaerobe Schwelle erkennen konnten (das zeigte uns, wie viel Energie wir dauerhaft mobilisieren konnten, ohne zu übersäuern). Dann fuhren wir die gesamte Steigung mit maximalem Tempo und jagten den Motor bis zum Anschlag hoch. Am Col de la Madone für Ferrari gut zu fahren, fühlte sich fast so wichtig an wie ein Rennsieg.

Ich benutzte Ferrari als Informationsquelle. Die Fragen an ihn schrieb ich gerne auf Papierservietten, damit ich sie nicht vergaß. Er erklärte mir, warum Hämoglobin eine bessere Messgröße für das Energiepotenzial war als der Hämatokritwert – weil sich die Sauerstoffbindungsfähigkeit des Blutes über das Hämoglobin genauer messen ließ. Er beschrieb, wie eine höhere Trittfrequenz die Muskeln weniger belastet und die Last von der Physis (den Muskelfasern) an einen dafür geeigneteren Ort verlagert: ins Herz-Kreislauf-System und ins Blut. Er erklärte mir, die beste Messgröße für die körperliche Leistungsfähigkeit sei die Bestimmung der Wattzahl pro Kilogramm – die produzierte Energiemenge wird dabei durch das Körpergewicht geteilt. Ferrari sagte, 6,7 Watt pro Kilogramm seien die magische Zahl, denn so viel brauche man für einen Sieg bei der Tour.

Michele war besessen vom Gewicht – und damit meine ich: ganz und gar besessen. Er redete mehr über das Körpergewicht als über Wattzahlen, mehr als über den Hämatokritwert, der mit ein bisschen Edgar mühelos gesteigert werden konnte. Der Grund für die Obsession: Abnehmen war die schwierigste, aber effizienteste Methode zur Steigerung der alles entscheidenden Wattzahl pro Kilogramm und somit auch für ein erfolgreiches Abschneiden bei der Tour. Ferrari verbrachte mehr Zeit damit, uns mit Ernährungsfragen zu nerven, als er jemals für unseren Hämatokritwert aufwendete. Ich erinnere mich daran, wie ich mich mit Lance und Kevin darüber lustig machte: Die meisten Menschen hielten Ferrari für einen übergeschnappten Chemiker, für uns war er eher ein wandelndes Weight-Watchers-Programm.

Mit ihm zu essen war der reinste Alptraum. Sein Adlerauge registrierte jeden Bissen, der in unserem Mund verschwand. Ein Keks oder ein Stück Kuchen ließ seine Augenbraue nach oben wandern, hinzu kam eine enttäuschte Miene. Er brachte Lance sogar dazu, eine Lebensmittelwaage zu kaufen, mit der er sein Essen abwiegen konnte. So weit ging ich nie, aber unter Ferraris Anleitung erprobte ich verschiedene Strategien. Ich trank zum Beispiel literweise Mineralwasser mit Kohlensäure, um meinem Magen vorzutäuschen, er wäre voll. Mein Körper, der belastet wurde wie noch nie zuvor, reagierte verständnislos – er brauchte Nahrung, sofort! Aber bei diesem Thema hatte Ferrari recht, wie bei so vielen Dingen: Mit abnehmendem Körpergewicht verbesserten sich meine Leistungen. Sie wurden immer besser.

Das war ein anderer Sport als der, der mir vertraut war. Unsere Gegner waren nicht die anderen Fahrer oder die Berge oder auch nur wir selbst. Es waren die Zahlen, diese heiligen

Zahlen, die er uns vor die Nase hielt und denen er uns nachjagen ließ. Ferrari verwandelte unseren Sport – einen romantischen Sport, bei dem ich früher einfach auf mein Fahrrad stieg und auf einen guten Tag hoffte – in etwas ganz anderes, das eher einer Schachpartie glich. Ich begriff, dass die Tour de France nicht von Gott oder den Genen, sondern durch Anstrengung und Strategie entschieden wurde. Wer am härtesten arbeitete und am schlausten plante, würde gewinnen.

Jetzt ist möglicherweise ein günstiger Zeitpunkt, um eine wichtige Frage anzusprechen: War es zu dieser Zeit überhaupt noch möglich, ein Profiradrennen zu gewinnen, ohne zu dopen? Konnte ein sauberer Fahrer es mit denen aufnehmen, die mit Edgar fuhren?

Die Antwort lautet: Das kommt aufs Rennen an. Bei kürzeren Rennen, sogar bei einwöchigen Etappenrennen, ist die Antwort meiner Ansicht nach ein Ja mit Vorbehalten. Ich habe kleinere viertägige Rennen mit paniagua und einem Hämatokritwert von 42 gewonnen. Ich habe Zeitfahren unter ähnlichen Voraussetzungen gewonnen und von anderen Fahrern gehört, die so etwas auch geschafft haben.

Aber sobald eine Renndauer von einer Woche überschritten wird, wird es sauberen Fahrern ganz schnell unmöglich, mit Konkurrenten mitzuhalten, die Edgar einnehmen. Edgar verschafft einen zu großen Vorteil. Je länger die Rundfahrt dauert, desto größer wird dieser Vorteil, daher die immense Wirkung von Edgar bei der Tour de France. Der Grund dafür ist der Verschleiß – im physiologischen Sinn. Große Anstrengungen – Siege bei Alpenetappen oder beim Zeitfahren – kosten zu viel Energie. Sie lassen den Körper abbauen, der Hämatokritwert sinkt, der Testosteronwert stürzt ab. Ohne Edgar und die roten Pillen summiert sich dieser Verschleiß. Mit Edgar und den roten Pillen hingegen kann man sich erholen, neu austarieren und auf demselben Niveau weiterfahren. Doping ist also weniger ein magischer Energieschub, sondern eher eine Möglichkeit, der Abnahme der Leistungsfähigkeit entgegenzuwirken.

In jenem Frühjahr in Nizza trainierten wir härter und länger, als ich mir jemals hätte vorstellen können. Es funktionierte. Hier folgen ein paar Einträge aus dem Trainingstagebuch im Jahr 2000. (Dabei ist zu beachten: Am 30. März hatte ich bereits seit fast sechs Wochen Rennen gefahren. Außerdem schrieb ich »RP« neben den Hämatokritwert, damit eventuelle Leser dachten, das sei mein Ruhepuls. Schlau, nicht wahr?)

30. MÄRZ
Gewicht: 63,5 kg
Körperfettanteil: 5,9 Prozent
Durchschnittliche Wattzahl: 371
Watt pro Kilo: 5,84
HR [Hämatokrit]: 43
Hämoglobin: 14,1
Maximalpuls: 177
Madone-Zeit: 36:03

31. MAI
Gewicht: 60,8 kg
Körperfettanteil: 3,8 Prozent
Durchschnittliche Wattzahl: 392
Watt pro Kilo: 6,45
HR [Hämatokrit]: 50
Hämoglobin: 16,4
Maximalpuls: 191
Madone-Zeit: 32:32

Innerhalb von sechzig Tagen gelangte ich von Durchschnittswerten im Feld bis in die unmittelbare Reichweite von Ferraris magischer Zahl für den Tour-Sieg – eine Verbesserung um zehn Prozent in einer Sportart, in der ein halbes Prozent ein großes Rennen entscheiden kann. Das Timing war perfekt für mich, weil die Dauphiné Libéré unmittelbar bevorstand, jenes einwöchige Rennen in den französischen Alpen, das den Tour-Teilnehmern traditionell als Aufwärmübung diente. Ich wusste, dass Lance hier gewinnen wollte, dachte aber, dass ich dabei auch selbst gut abschneiden und meine Rolle als sein wichtigster Helfer festigen könnte.

Etwa zu diesem Zeitpunkt spürte ich eine Veränderung in meinem Verhältnis zu Lance. Er kannte meine Leistungswerte. Er sah, wo ich stand und wie rasch ich mich verbesserte. Mir fiel auf, dass Lance sein Vorderrad ein kleines Stückchen vor meines schob, wenn wir Seite an Seite trainierten. Ich bin allerdings stur und reagierte entsprechend. Das entwickelte sich zu einem Verhaltensmuster: Lance schob sich 15 Zentimeter nach vorn, und ich reagierte, indem ich mein Vorderrad einen Zentimeter hinter seinem platzierte. Er ging abermals 15 Zentimeter nach vorn, und ich rückte nach – Abstand: ein Zentimeter. Ich blieb immer einen Zentimeter hinter ihm, um ihn das Tempo kontrollieren zu lassen. Dieser eine Zentimeter, der uns trennte, bekam eine große Bedeutung. Es war wie eine Unterhaltung, und Lance stellte die Fragen.

Wie fühlt sich das an?
Bin noch da.
Und das?
Immer noch da.
Okay, und das?
Immer noch da, Mann.

Damals war ich stolz darauf – stolz, beweisen zu können, was für ein starker erster Helfer ich war. Erst später begriff ich, dass diese Situation den Keim zum Fiasko in sich trug.

Der andere Teil meiner Lehrzeit war mit dem häuslichen Leben verbunden. Haven ist ein Organisationstalent, und sie stürzte sich mit aller Energie in unser neues Leben in Nizza. Sie nahm Französischunterricht. Sie kaufte ein, erledigte Bankgeschäfte, Papierkram aller Art, alles, was anfiel. Sie entdeckte einen tollen Obst- und Gemüsemarkt, den sie täglich plünderte. Sie schnitt meinen Salat in kleine Stückchen, weil sie dachte, er sei so leichter zu verdauen. Es waren diese kleinen, aber wichtigen Dinge, für die ich sie so mochte. Haven war nicht einfach nur mitgekommen, sie war entschlossen, mir in jeder nur möglichen Weise zu helfen, als Teil unseres Zweierteams.

Wir kamen großartig miteinander aus, mit einer Ausnahme. Gehen. Ich weiß, das klingt verrückt, aber eine der ersten Regeln, die ich lernte, als ich in den Spitzenradsport einstieg, lautete: *Wenn du stehst, setz dich hin; wenn du sitzt, leg dich hin; und meide Treppen wie die Pest.* Der Radrennsport ist der einzige Sport in der Welt, bei dem man, je besser man wird, immer mehr einem gebrechlichen alten Mann gleicht. Ich bin mir der physiologischen Gründe dafür nicht sicher, aber Tatsache war: Längeres Gehen und Stehen erschöpften mich, verursachten Gelenkschmerzen und warfen mich im Training zurück. (Der fünfmalige Tour-Sieger Bernard Hinault hasste Treppen so sehr, dass er sich bei manchen Tour-Veranstaltungen von seinen Masseuren und Betreuern lieber ins Hotel tragen ließ, statt zu Fuß zu gehen.) Wenn Haven also einen Sonntagmorgenspaziergang am Strand, eine Wanderung in den nahen Bergen oder einen Gang zum Laden an der Ecke vorschlug, erhielt sie meist einen Korb. *Tut mir leid, Schatz, ich muss mich ausruhen.*

Allerdings hielten mich andere Besorgungen für den Haushalt auf Trab, und viele davon hatten mit Edgar zu tun. Zunächst einmal musste ich das Zeug beschaffen, was mittlerweile komplizierter war, weil das Team bei Rennen kein EPO mehr dabeihatte. Das führte zum Kauf des ersten meiner zahlreichen Geheimtelefone – Prepaid-Handys. Mit dem Geheimtelefon rief ich del Moral oder seinen Assistenten Pepe Martí an und meldete Bedarf an »Vitaminen« oder »Allergie-Medikamenten« oder »Eisentabletten«, je nach aktuellem Codewort. Dann fuhr ich zu einem mit Pepe vereinbarten Treffpunkt und holte einen Vorrat an roten Pillen und EPO aus

Dr. del Morals Klinik ab. Normalerweise kaufte ich Stoff für etwa 20 Injektionen, was rund zwei Monate lang reichte. Den Transport bewerkstelligte ich mit einer Kunststoff-Kühltasche mit einigen Kühlelementen, und del Moral legte ein gefälschtes Rezept für Haven bei – üblicherweise stand da irgendetwas über menstruationsbedingten Blutverlust –, für den unwahrscheinlichen Fall, dass ich von der Polizei angehalten und kontrolliert wurde, was Gott sei Dank nie passierte.

Im Unterschied zu Lance traute ich mich nicht, weiße Schachteln mit AMGEN- oder EPREX-Etikett neben meine Diät-Cola zu legen. Also dachte ich mir ein System aus. Zunächst weichte ich die Außenverpackung in Wasser ein, bis die Aufschrift unleserlich war, dann zerriss ich sie in winzige Stückchen und spülte sie in die Toilette. Daraufhin kratzte ich mit dem Daumennagel die Klebeetiketten von den EPO-Glasfläschchen, die damals knapp vier Zentimeter lang und etwa zwölf Millimeter breit waren, und entsorgte auch diese Fetzen über die Klospülung. Schließlich wickelte ich das ganze Material in Alufolie und schob das kleine Päckchen im Kühlschrank ganz nach hinten, versteckt hinter einem Haufen Gemüse. Später kaufte ich mir, in aller Raffinesse, eine Limodosen-Attrappe mit abschraubbarem Geheimfach, wie man sie auf der Rückseite eines Comic-Heftchens bestellen kann. Andererseits fürchtete ich, jemand könnte die Dose vielleicht für echt halten und versuchen, sie auszutrinken. Alufolie erwies sich als am besten geeignet, weil niemand kleine, zerknitterte Päckchen auswickeln will, die nach Essensresten aussehen. Das System funktionierte gut, bis auf einen Nachteil: Die zusammengeknüllten Etiketten waren klebrig und landeten immer wieder in meinen Hemd- oder Hosentaschen. Wenn ich beim Abendessen außer Haus oder im Lebensmittelladen die Hand aus der Tasche nahm, klebte dann manchmal ein EPO-Etikett an meiner Hand. Hoppla!

Das war meist schon alles. Keine große Drogenauswahl. Nur Edgar und Testosteron (Andriol). In der Trainingsphase reichte eine rote Andriol-Pille pro Woche oder alle zwei Wochen meist aus. Wenn man einen kleineren Schub brauchte, konnte man so eine Pille auch mit einer Sicherheitsnadel anbohren, etwas Öl auf die Zunge drücken und den Rest für später aufbewahren. Ferrari entwickelte eine Methode, bei der Andriol mit Olivenöl vermischt wurde. Er füllte die Mischung in eine dunkle Glasflasche mit einer Pipette, für kleine Dosierungen. Ich erinnere mich daran, wie ich einmal bei einem Rennen von Lance etwas Öl bekam: Er hielt mir die Pipette hin, und ich öffnete den Mund wie ein kleines Vögelchen. Auf del Morals Vorschlag hin versuchte ich es während eines Trainingsblocks einmal mit Wachstumshormon – ein halbes Dutzend Injektionen, über einen Zeitraum von 20 Tagen verteilt –, aber meine Beine fühlten sich danach schwer und aufgedunsen an, und es ging mir miserabel, also hörte ich damit auf.

Etwa jeden zweiten oder dritten Tag nahm ich einen Schuss Edgar zu mir, meist 2000 Einheiten, was nach viel klingt, aber es entspricht nur etwa dem Volumen eines Bleistift-Radiergummis. Ich injizierte es unter die Haut, entweder in den Arm oder in den Bauch. Die Nadel war so klein, dass sie kaum eine Spur hinterließ. Das ist im Nu erledigt – und danach prickelt's ein bisschen im Blut.

Ein leeres Fläschchen wickelte ich in mehrere Lagen Papierhandtücher oder Toilettenpapier und schlug mit einem Hammer oder Schuhabsatz zu, bis das Glas in winzige Stückchen zersplittert war. Dann hielt ich den Glassplitter-Papier-Knäuel unter den laufenden Wasserhahn und wusch alle EPO-Spuren ab. Schließlich spülte ich das ganze Zeug in die Toilette oder warf die feuchte Masse in den Abfall und deckte sie mit dem geruchsintensivsten Zeug zu, das gerade zur Hand war, mit alten Bananenschalen etwa oder mit Kaffeesatz. Manchmal schnitt ich mich an den Glassplittern, aber insgesamt war es ein gutes System. Ich konnte ruhig schlafen, ohne mich vor einer Hausdurchsuchung durch die französische Polizei fürchten zu müssen.

Wir konnten schlafen, will ich damit sagen. Ich hatte keine Geheimnisse vor Haven. Sie wusste von den Beschaffungs-Ausflügen, den Kosten, von meinem Zertrümmerungs- und Spülsystem, sie wusste alles. Es wäre nicht richtig gewesen, ihr nichts zu sagen, und außerdem war es sicherer, wenn wir beide im Bild waren, falls die Polizei oder ein Dopingtester auftauchte. Es war nicht so, dass wir uns bei Toast und Kaffee über EPO unterhielten. Wir hassten es beide, darüber zu reden, hassten es, uns damit zu beschäftigen. Aber das Thema war immer präsent, diese lästige, unangenehme Pflicht, die wir nicht mochten, die aber erledigt werden musste, lag in der Luft. Keine Arbeit war zu niedrig und keine zu schwer.

Ich kann nicht für alle Teammitglieder sprechen, hatte aber den Eindruck, dass die meisten Fahrer im Umgang mit ihren Frauen und Freundinnen dieselbe Linie völliger Offenheit verfolgten. Es gab nur eine bemerkenswerte Ausnahme: Frankie Andreu. Frankie war in einer schwierigeren Lage, weil er mit Betsy verheiratet war, und Betsys Einstellung zu Doping entsprach der Einstellung des Papstes dem Teufel gegenüber.

Betsy Andreu war eine attraktive, dunkelhaarige Frau aus Michigan mit einem herzlichen Lachen und einer offenen, direkten Art, die auch ihren Mann auszeichnete. Sie hatte sich schon jahrelang in Lance' Freundeskreis bewegt (Lance und Frankie waren beide von 1992 bis 1996 für Motorola gefahren). Betsys Beziehung zu Lance umfasste zwei Kapitel. Im ersten Kapitel, vor der Krebserkrankung, waren die beiden gut miteinander ausgekommen. Beide waren starke Persönlichkeiten, die gern über politische und religiöse Fragen diskutierten (Lance war Atheist; Betsy war praktizierende Katholikin und gegen Abtreibung). Lance vertraute Betsy so sehr, dass er seine neuen Freundinnen von ihr begutachten ließ. (Betsy, die nicht immer eine positive Meinung von den Frauen hatte, für die Lance sich entschied, hatte bei Kristin gleich Zustimmung signalisiert.) Lance vertraute Betsy, weil es für sie, wie auch für ihn, keine Grauzonen gab. Betsy sah die Welt klar und deutlich – für sie gab es nur wahr und unwahr, gut und böse. Beide würden das sehr ungern hören, aber sie sind sich mehr als nur ein bisschen ähnlich.

Die Beziehung zwischen Lance und Betsy hatte sich an einem Herbsttag des Jahres 1996 verändert, als sie und Frankie, seit Kurzem verlobt, Lance mit einer kleinen Gruppe von Freunden in einem Krankenhaus in Indianapolis besuchten, wo er sich von der Krebstherapie erholte. Nach Darstellung von Betsy und Frankie, der später unter Eid zu diesem Vorfall aussagte, kamen zwei Ärzte ins Krankenzimmer und stellten Lance eine Reihe medizinischer Fragen. Betsy sagte: »Ich glaube, wir sollten Lance jetzt allein lassen« und stand auf, um aus dem Zimmer zu gehen, aber Lance bestand darauf, dass sie blieben, und das taten sie auch. Dann beantwortete Lance die Fragen. Einer der Ärzte wollte wissen, ob Lance jemals leistungssteigernde Substanzen eingenommen habe, worauf er er in sachlich-nüchternem Tonfall mit einem Ja reagierte. Er habe EPO eingenommen, Cortison, Testosteron, Wachstumshormon und Steroide. (Armstrong hat später unter Eid ausgesagt, dieser Vorfall habe sich nie ereignet.)

Meiner Ansicht nach war das ein klassischer Lance-Auftritt, bei dem er unbekümmert über Doping sprach – und zwar aus derselben Haltung heraus, aus der er sein EPO-Depot in Nizza ganz vorn im Kühlschrank lagerte und in einem Restaurant offen darüber plauderte. Er möchte Doping den Nimbus nehmen, zeigen, dass es keine große Sache ist, dass es auf ihn, Lance, ankommt und nicht auf irgendeine Spritze oder Pille.

Im Krankenzimmer ließen sich Betsy und Frankie nichts anmerken, aber sobald sie auf den Gang hinaustraten und die Tür hinter ihnen geschlossen war, ging Betsy in die Luft. Sie sagte Frankie, wenn er bei dieser Scheiße mitmache, sei die Hochzeit abgesagt. Frankie schwor, dass er nichts von dem Zeug nehme, und Betsy beruhigte sich allmählich wieder. Sie heirateten wenige Monate später, aber Betsy sah Lance und den Radsport seit diesem Vorfall mit anderen Augen.

Mit Blick auf die Anforderungen unseres Berufes kann man sich vorstellen, dass Frankie dadurch in große Schwierigkeiten geriet. Kevin, Lance und ich sprachen oft auch in Gegenwart unserer Ehefrauen und Freundinnen über Ferrari und Edgar, aber sobald Betsy dabei war, änderte sich das. Frankies Standardsatz zum Thema war: *Betsy bringt mich um.* Vor einem gemeinsamen Abendessen mit der ganzen Gruppe war er besonders nervös. *Redet nicht über dieses Zeug, Jungs – Betsy bringt mich um.*[2]

---

2 Betsy stellte Frankie zur Rede, als sie sah, wie er während der Tour de France 1999 bei den Bergetappen fuhr, und fragte ihn: »Wie zum Teufel konntest du in den Bergen so gut mithalten?« Frankie gab keine Antwort. Betsy zog ihre eigenen Schlussfolgerungen: Postal hatte ein Dopingprogramm, und das alles ging von Ferrari und Armstrong aus.

Betsy wurde in den Folgejahren zu einer leidenschaftlichen Dopinggegnerin und zu einem Quälgeist für Armstrong und Postal. Ihr Engagement verstärkte sich 2003, als sie David Walsh bei seinem Buch *L.A. Confidentiel* unterstützte, und 2005, als sie im Rahmen von Armstrongs Rechtsstreit mit SCA Promotions zu einer eidesstattlichen Aussage über die Krankenhaus-Szene von 1996 aufgefordert wurde. Betsy Andreu wurde im Lauf der Zeit zu einer Art Clearinghaus für Informationen; Journalisten wie auch mit der Dopingbekämpfung befasste Institutionen erhielten bei ihr Auskunft.

»Es ist eigenartig«, sagt sie über ihre Rolle. »Lance stellt mich gerne als fette, verbitterte, besessene Hexe hin, die ihn drankriegen will. Aber das Einzige, was mich von Anfang an interessiert hat, war, dass die Wahrheit herauskommt.«

Frankie wiederum nimmt eine andere Haltung ein. Im Gespräch mit der *New York Times* legte er 2006 ein Teilgeständnis ab und berichtete dabei, er sei 1995 in die Verwendung leistungssteigernder Substanzen eingeführt worden, als er zusammen mit Armstrong noch für Motorola fuhr. Außerdem gab er zu, sich 1999 mit EPO auf die Tour de France vorbereitet zu haben. Meistens zieht er es jedoch vor, über das Thema Doping zu schweigen. Diese Einstellung sorgt in dem kleinen Ranchhaus, in dem sie mit ihren drei Kindern wohnen, mitunter für außergewöhnliche Spannungen. Jeff Novitzky, ein Ermittler der Food and Drug Administration (FDA), einer unter anderem für die Drogenbekämpfung zuständigen Behörde des US-Gesundheitsministeriums, befragte Frankie im Sommer 2010 zwei Stunden lang telefonisch. Als das Gespräch beendet war, machte Frankie auf seine Frau einen erschütterten Eindruck. Sie fragte ihn, was er gesagt habe. »Ich möchte nicht darüber sprechen«, erwiderte Frankie. Betsy rief daraufhin Novitzky an und fragte ihn. Novitzky lachte. »Er ist Ihr Mann«, antwortete er, »fragen Sie ihn.«

Frankie tat, was er tun musste. Zu seinem Glück war das weniger, als Kevin, Lance und ich tun mussten. Der Grund dafür war, dass Frankie ein *rouleur* war, ein großer Kerl, spezialisiert auf Flachetappen, bei denen »gerollt« wird – deshalb brauchte er weniger Edgar und andere Therapien als wir Kletterer. Während wir unseren Motor bei der Tour auf 99 Prozent Leistungsfähigkeit tunen mussten, kam Frankie auch durch, indem er ein wenig »naturnäher« fuhr.

Ich bewunderte Betsys ethische Grundsätze, die ich selbst allerdings nicht teilte, und lernte rasch. Mithilfe von Ferraris Blutzentrifuge ermittelte ich zum Beispiel, wie viel EPO ich nehmen musste, um für mein immer intensiveres Training gerüstet zu sein. Ferrari lehrte mich, dass eine EPO-Injektion unter die Haut wie ein Thermostat wirkte, den man in einem Haus aufdreht: Sie entfaltete ihre Wirkung langsam und sorgte dafür, dass der Körper im Lauf der Woche mehr rote Blutkörperchen bildete. Dreht man zu wenig auf, ist das Haus zu kalt – der Hämatokritwert bleibt zu niedrig. Dreht man zu weit auf, wird es zu heiß – der Wert schießt über die Grenze von 50 hinaus.

Ich brachte es so weit, dass ich meinen Hämatokritwert anhand der Farbe meines Blutes schätzen konnte. Ich betrachtete die kleinen Tröpfchen genau, wenn mich Ferrari mit einer Lanzette in den Finger stach, um eine Laktatbestimmung vorzunehmen. War das Blut hell und wässrig, war der Hämotokritwert niedrig. War es dunkel, lag er höher. Ich mochte diese dunkle, kräftige Farbe, all diese Zellen, die da wie in einer dicken Suppe schwammen, zur Arbeit bereit. Dann wollte ich unbedingt noch härter trainieren.

Dieses Training fühlte sich an wie ein Spiel. Wie schwer kannst du arbeiten? Wie schlau kannst du sein? Wie mager kannst du werden? Kannst du dich an diesen Zahlen messen, kannst du sie erreichen?

Und hinter allem anderen stand immer die Befürchtung, die dich antrieb und weiterarbeiten ließ: *Was du auch tust, die anderen Scheißkerle tun mehr.*

Dann gab es noch ein anderes Spiel, das hatte jedoch nichts mit EPO zu tun, sondern mit Lance – damit, wie man mit ihm auskam. Er ist ein reizbarer Mensch, und als die Tour des Jahres 2000 näher rückte, wurde er noch reizbarer. Vom rauen Charme der geborenen Verlierer aus dem vergangenen Jahr war in diesem Juni nichts mehr übrig. Lance war angespannter, distanzierter. Uns behandelte er nicht mehr wie ein Teamkamerad, sondern wie ein Vorstandschef: Liefere die vorgegebenen Zahlen, sonst … Kleinigkeiten brachten ihn in Rage, und man wusste, dass es so weit war, sobald man diesen Blick bekam – diesen drei Sekunden langen unbewegten Blick in die Augen.

Für die Medien war *der Blick* seltsamerweise ein Zeichen für Höchstleistungen, also etwas, das er in großen Augenblicken bei Rennen zeigte, doch wir kriegten diesen Blick öfter im Mannschaftsbus oder am Frühstückstisch ab. Wenn man Lance unterbrach, während er redete, schenkte er einem *den Blick*. Wenn man dem widersprach, was Lance sagte, gab es *den Blick*. Wenn man sich zu einer Trainingsfahrt mehr als zwei Minuten verspätete, reagierte er mit *dem Blick*. Und einen besonders intensiven Blick fing man sich ein, wenn man sich über ihn lustig machte. Unter seiner rauen Schale war Lance ein außerordentlich empfindlicher Mensch. Mein Teamkamerad Christian Vande Velde machte eines Morgens einen Scherz über irgendwelche neuen Nike-Schuhe, die Lance beim Frühstück trug. Christian ist ein toller Kerl – er hatte mit dieser Bemerkung nichts weiter im Sinn, er wollte nur, aus der allgemeinen Stimmung heraus, einen kumpelhaften Kommentar über Lance' Schuhe anbringen. *Hübsche Scheißschuhe, Mann!* Christian lachte. Lance aber reagierte sauer und schenkte Christian *den Blick*. Und das war's dann auch. Ich bin mir sicher, dass der Vorfall nicht das Ende von Christians Laufbahn bei Postal war. Aber hilfreich war er ganz bestimmt nicht.

Eine der sichersten Methoden, Lance in Rage zu bringen, war allerdings, sich über Doping zu beklagen.

Jonathan Vaughters lieferte das vielleicht beste Beispiel

dafür. Mit seinem kritischen Verstand war JV nicht der Typ, der Doping ungeprüft hinnahm. Er tat nicht einfach das, was Lance und Johan sagten. Er stellte die Fragen, die kein anderer stellte: Warum tun wir das? Warum setzt die UCI die Regeln nicht durch? Und JV wurde nervös, wenn es ans Dopen ging. Er fürchtete sich immer vor der Polizei oder vor Testern. Er sprach sogar von Schuldgefühlen – und Schuld war ein Gefühl, von dem sich die meisten von uns schon vor langer Zeit verabschiedet hatten. Für Lance waren JVs Fragen und Zweifel der Beleg dafür, dass es ihm an der richtigen Einstellung fehlte. Ich erinnere mich daran, wie Lance JV nach der Dauphiné Libéré 1999 zur Schnecke machte, als dieser den Fehler begangen hatte zu sagen, er sei auch mit dem zweiten Platz bei einer Etappe zufrieden – mit dem Rang also, den Lance gern als »erster Verlierer« bezeichnete. Nach der Tour 1999 war uns allen klar, dass JV nicht zu Lance' und Johans System passte.

Vaughters wechselte 2000 von US Postal zum französischen Team Crédit Agricole, bei dem die strengeren französischen Anti-Doping-Gesetze die Mannschaft auf Kurs hielten. JV verkürzte de facto seine Karriere, um von der Dopingkultur wegzukommen. Aber damals hielt Lance JV für den allergrößten Choad. In Lance' Denken ist Doping eine Konstante des Lebens, so wie der Sauerstoff oder die Schwerkraft. Entweder du machst mit – und dann mit aller Konsequenz –, oder du hältst den Mund und hörst auf. Fertig, aus. Kein Gemecker, kein Geheule, keine Haarspaltereien. In Lance' Augen war JV der größte Heuchler, weil er diesen Zweijahresvertrag bei Crédit Agricole mit seinen Postal-Ergebnissen an Land gezogen hatte. Deshalb war er seinem neuen Sponsor gute Ergebnisse schuldig. Schließlich wurde er dafür bezahlt. Doch plötzlich war JV der Saubermann, beklagte sich über Doping, erklärte seine Rechtschaffenheit – und kam inmitten des Hauptfeldes ins Ziel. So ein Choad![3]

3 Vaughters berichtete, er habe mit den Ärzten bei Crédit Agricole ein offenes Gespräch geführt, bevor der Vertrag unterzeichnet worden sei. Dabei

Es gab natürlich auch direktere Methoden, Lance gegen sich aufzubringen. Ein Vorfall dieser Art ereignete sich im Frühling 2000, als wir von einer sechsstündigen Trainingsfahrt nach Hause kamen und die schmale Straße zu meinem Haus hinauffuhren. Lance und ich waren müde, durstig, hungrig und wollten nur noch nach Hause und ein Schläfchen einlegen. Aber dann kommt dieser Kleinwagen mit hoher Geschwindigkeit hinter uns den Berg herauf, rammt uns beinahe, und im Vorbeifahren ruft uns der Fahrer irgendetwas zu. Ich ärgere mich und rufe etwas Passendes zurück. Aber Lance sagt kein Wort. Er tritt einfach mit voller Kraft an und jagt dem Auto nach. Lance kannte die Wege hier, nahm eine Abkürzung und erwischte den Kerl oben auf dem Berg an einer roten Ampel. Als ich dort ankam, hatte er den Mann bereits aus dem Auto gezerrt und schlug auf ihn ein, während der andere sich unter den Schlägen wand und weinte. Ich beobachtete die Szene etwa eine Minute lang mit ungläubigem Staunen. Lance' Gesicht war puterrot. Er war außer sich vor Zorn, den er ungebremst an seinem Kontrahenten ausließ. Schließlich war alles vorbei. Lance schubste den Mann zu Boden und ließ ihn liegen. Wir stiegen wieder auf unsere Räder und fuhren schweigend nach Hause. In den folgenden Tagen erzählte Lance diese Geschichte Frankie und Kevin, als ob das etwas Lustiges gewesen wäre – noch so eine verrückte Sache, die in Frankreich passiert war. Ich versuchte mitzulachen, konnte das aber nicht. Ich sah immer noch diesen Typen, der sich niederduckte und dabei weinte und bettelte, während Lance auf ihn einschlug. Ich hatte mehr gesehen, als ich sehen wollte.

Diese düstere Seite von Lance' Persönlichkeit belastete uns, aber für die Mannschaftsleistung insgesamt war sie förderlich. Unter seiner und Johan Bruyneels Führung funktionierte Postal

---

habe er eingeräumt, dass er bei Postal gedopt habe und man deshalb von ihm nicht dieselben Ergebnisse erwarten könne. »Es kam alles auf den Tisch, bevor der Vertrag unterschrieben wurde«, sagt er.

wie ein Schweizer Uhrwerk. Bessere Hotels. Bessere Behandlung seitens der Rennveranstalter. Bessere Planung. Bessere Ernährung. Bessere Sponsoren. Bessere Technik, Windkanal-Tests inklusive. Wir lebten, als wären wir emsige, gut vernetzte Teile eines großen, kühnen Unternehmens, wie Astronauten, die sich auf eine NASA-Mission vorbereiteten. Dann war da noch die umfassendere, schlichtere Tatsache, dass wir mit unseren Rädern Tag für Tag durch eine der schönsten Landschaften der Welt fuhren; das Gefühl, mehr aus uns herauszuholen als je zuvor, wodurch wir uns neue, kraftvolle Identitäten zulegten … Und dass wir dafür auch noch bezahlt wurden! Auf unseren Fahrten sahen wir uns manchmal einfach nur staunend an, als wollten wir sagen: Ist es zu glauben, wie verrückt das Ganze ist?

Als der Termin für die Dauphiné Libéré näher rückte, war ich voll stiller Zuversicht. Ich war leichter und stärker als je zuvor. Beim letzten Fitnesstest hatte Ferrari einen Laut von sich gegeben, den ich noch nie von ihm gehört hatte – *Ooooh, Tyler!* So hört sich Anerkennung an.

Ich wollte stark sein, vor allem am wichtigsten Tag der einwöchigen Rundfahrt, bei der Schlüsseletappe auf den Mont Ventoux. In Frankreich gibt es zahllose legendäre Anstiege, aber der Mont Ventoux ist vielleicht der berühmteste von allen. Man nennt ihn auch den Riesen der Provence, und es ist unangenehm genug, dass er ein Opfer gefordert hat: Tom Simpson, den britischen Straßenweltmeister von 1965, der hier zwei Jahre später bei der Tour an einer kombinierten Überdosis von Erschöpfung, Alkohol und Amphetaminen starb.

Auf dem ersten Teil des Ventoux-Anstiegs fühlte ich mich großartig. Ich sollte vielleicht hinzufügen, dass sich ein Radprofi eigentlich nicht großartig fühlt, wenn er so etwas sagt. In Wirklichkeit fühlt man sich wie in der Hölle – man leidet, das Herz hämmert, als wollte es aus der Brust springen, die Beinmuskulatur brüllt, Schmerzsignale durchzucken den Körper, als wäre die gesamte Weihnachtsbaumbeleuchtung auf Strobo-skop geschaltet. Mit »großartig« ist eigentlich gemeint: Man fühlt sich selbst zwar beschissen, weiß aber, dass es den Jungs um einen herum noch viel beschissener geht. Und an feinen Anzeichen, an verräterischen Signalen lässt sich ablesen, dass sie zuerst nachlassen werden. Der eigene Schmerz fühlt sich in einer solchen Situation bedeutsam an. Er kann sogar ein groß-artiges Gefühl sein.

Hier am Mont Ventoux, bei der Dauphiné, fühlte ich mich also großartig. Lance fuhr neben mir im Gelben Trikot des Spitzenreiters und war in einer guten Ausgangsposition für den Gesamtsieg. Zehn Kilometer vor dem Etappenziel bildeten wir mit einer Handvoll weiterer Favoriten die Spitzengruppe. Meine Aufgabe war es, auf Attacken zu reagieren – Ausrei-ßer zu stellen, sodass niemand allein wegkam. Sobald mir das gelang, sollte Lance aufschließen, seinerseits attackieren und die Etappe für sich entscheiden. Es war ein Plan wie aus dem Einführungskapitel des Handbuchs für Radprofis: die klassi-sche Doppelspitze.

Der erste Teil funktionierte gut: Ich folgte den Ausreißern und wartete dann darauf, dass Lance die Lücke zufuhr.

Kein Lance zu sehen.

Ich hörte Johan über Funk, drängte auf Anweisungen. Die Zeit verging.

Allmählich wurde ich nervös, ich sah, wie Alex Zülle und der spanische Kletterspezialist Haimar Zubeldia zu mir aufschlos-sen; andere Fahrer folgten ihnen. Aber wo war Lance?

Die Uhr lief weiter. Noch mehr Konkurrenten zogen nach, allmählich wurde es voll in dieser Gruppe. Aber Lance war immer noch nicht zu sehen. Dann hörte ich Johans Stimme.

»Lance schafft es nicht. Tyler, fahr los.«

Ich fragte bei Lance nach.

»Fahr los. Verdammt, fahr einfach.«

Ich attackierte, als wir an der Gedenkstätte für Tom Simpson vorbeikamen, eineinhalb Kilometer vor der Wetterstation, die aussieht wie ein Leuchtturm und den Berggipfel markiert. Ich ging weit bei dieser Attacke, vielleicht weiter als jemals zuvor. Die Welt verengte sich zu einem hellen Gang. Ich spürte Zülle und Zubeldia neben mir, dann spürte ich, wie sie zurückfielen. Ich spürte die Zuschauer, spürte meine Beine, die in die Pedale traten, aber sie fühlten sich gar nicht mehr wie meine Beine an. Ich fuhr mit dem letzten Rest der Kraft, nahm die letzte Rechtskurve, die zur Ziellinie führte, und überquerte sie.

Chaos. Menschen, die nach mir greifen, mir ins Ohr brüllen, Reporter drängen sich um mich.

Ich bin im Delirium.

Ich hatte am Mont Ventoux gewonnen.

Ein Postal-Betreuer schnappte mich, legte mir ein Handtuch um den Hals und lenkte mich zum Mannschaftsbus hin. Im Bus war es so still. Ich setzte mich, löste den Helmverschluss und ließ das Geschehen auf mich wirken. Es fühlte sich surreal an.

Ich war stärker gewesen als alle anderen.

Jetzt war ich Mitfavorit auf den Gesamtsieg.

Die Tür ging auf. Lance kletterte mit grimmiger Miene in den Bus, den Kopf gesenkt. Er saß drei Meter von mir entfernt, trocknete sich mit einem Handtuch ab, sagte kein Wort. Ich sah, dass er sauer war. Die Stille wurde ungemütlich.

Wenige Sekunden später öffnete sich die Tür abermals – mit sorgenvollem Gesichtsausdruck ging Johan direkt zu Lance. Er berührte ihn an der Schulter, setzte sich neben ihn, sprach leise und beruhigend, wie eine Krankenschwester oder ein Psychiater.

»Das war nicht von Bedeutung, Mann«, sagte Johan. »Vielleicht war die Höhenlage schuld. Vielleicht hast du zu hart trainiert. Wir reden mit Michele. Die Tour beginnt erst in drei Wochen. Keine Sorge, es ist noch viel Zeit.«

Nach ein paar Minuten fragte Johan dann schließlich: »Und wer hat gewonnen?«

Lance zeigte auf mich, ohne aufzusehen.

Johan wurde rot, tiefrot. Er kam herüber, umarmte mich ungeschickt, gab mir die Hand, gratulierte. Ich glaube, es war ihm peinlich. Er wusste, was für ein großartiger Sieg das war – und er hatte mich völlig ignoriert. Jetzt machte er das gut.

Aber Lance blieb schlecht gelaunt. Beim Abendessen an jenem Tag, als alle anderen auf meinen Sieg anstießen, suchte er kaum Blickkontakt. Es sah ganz so aus, als habe er seine Reaktion nicht unter Kontrolle, wie bei einer Allergie: Mein Rennerfolg – der gut für Postal war, also auch gut für ihn – trieb ihn die Wände hoch.

Bei der nächsten Etappe am Tag darauf gelang Lance und mir ein später Ausreißversuch. Im ersten Moment war ich begeistert. Wenn wir das durchhielten, bedeutete das für mich die Gesamtführung, und, was genauso wichtig war, wir würden zugleich zeigen, dass Postal das stärkste Team im Peloton der Tour war. Es fühlte sich jetzt nur so an, als versuchte Lance, mich abzuhängen. Er machte bei den letzten Anstiegen der Etappe weiter Tempo und fuhr viel schneller, als wir eigentlich mussten. Anschließend rauschte er die Abfahrten so schnell hinunter, dass wir beide zu stürzen drohten. Ich musste ihn schließlich anschreien, er solle doch langsamer fahren.

Wir fuhren gemeinsam über die Ziellinie. Nach jenem Tag trug ich das Gelbe Trikot des Gesamtführenden, das gepunktete Trikot des besten Bergfahrers und das weiße Trikot des Punktbesten. Mit dem Sieg bei der Dauphiné Libéré, einer Rundfahrt, zu deren früheren Gewinnern Eddy Merckx, Bernard Hinault, Greg LeMond und Miguel Indurain zählten, hatte ich mir mit einem Schlag einen Namen gemacht. Ab sofort gehörte ich zu den möglichen Anwärtern auf den Tour-Sieg. Aber abseits des oberflächlichen Geschehens dachte ich darüber nach, wie Lance versucht hatte, mich auf diesen Anstiegen fertigzumachen. Es war dasselbe Muster wie bei unseren Trainingsfahrten: *Schaffst du das? Das? Und das?*

Am letzten Abend der Dauphiné Libéré kamen Lance und Johan auf mein Hotelzimmer. Ich rechnete mit einem Gespräch über das Rennen, vielleicht auch mit einem Plan für die bevorstehende Tour. Stattdessen eröffneten sie mir, dass wir am kommenden Dienstag, zwei Tage nach Abschluss dieser Rundfahrt, nach Valencia fliegen würden, um dort eine Bluttransfusion vornehmen zu lassen.

7

DIE NÄCHSTE EBENE

Als Radprofi entwickelt man im Lauf der Zeit die Fähigkeit, ein Pokerface aufzusetzen. Ganz egal, wie extrem die eigene Befindlichkeit gerade ist – wie nahe man selbst dem körperlichen Zusammenbruch ist –, man tut alles, um dies zu überspielen. Das ist im Rennen wichtig. Es ist ein Schlüssel zum Erfolg, seine wahre Verfassung vor den Gegnern zu verbergen, weil es sie von Attacken abhält. Du fühlst einen lähmenden Schmerz? Schau entspannt drein, wenn möglich sogar gelangweilt. Du bekommst keine Luft mehr? Mach den Mund zu. Du stehst kurz vor dem Exitus? Lächle.

Ich habe ein ziemlich gutes Pokerface. Lance beherrscht das großartig. Aber es gibt einen Burschen, der besser ist als wir beide: Johan Bruyneel. Und nie setzte er es so gut ein wie an jenem Abend am Schluss der Dauphiné 2000, als er mir die Pläne für die Bluttransfusion eröffnete. Ich hatte schon von Transfusionen gehört, aber das war immer ein theoretisches, abseitiges Thema gewesen – in Geschichten wie: Ist das zu glauben, dass so ein paar Typen tatsächlich ihr Blut einlagern, um es sich dann vor einem Rennen wieder zuführen zu lassen? Das wirkte unheimlich, frankensteinmäßig, wie eine Horrorgeschichte aus den 1980er-Jahren – über Olympia-Androiden irgendwo hinter dem Eisernen Vorhang. Aber Johan ließ den Plan ganz normal klingen, fast sogar langweilig, als er ihn bei der Dauphiné erklärte. Er ist gut darin, das Unerhörte normal klingen zu lassen – das könnte sogar sein größtes Talent sein. Es ist irgendetwas in seiner Ausdrucksweise, die Überzeugungskraft seiner sonoren belgischen Stimme, die äußerst lässige Art, wie er mit den Schultern zuckt, wenn er die Einzelheiten eines Plans darlegt. Immer wenn ich die liebenswerten Gangster bei den *Sopranos* sehe, denke ich an Johan.

Lance, Kevin und ich, so erklärte Johan, würden nach Valencia fliegen. Wir würden uns jeder einen Beutel voll Blut entnehmen lassen, der dann eingelagert werden würde, und am nächsten Tag wieder nach Hause fliegen. Später dann, vor der entscheidenden Etappe der Tour, würde das eingelagerte Blut wieder zugeführt werden und uns einen Energieschub verschaffen. Es würde wie EPO wirken, nur besser. Es gab außerdem bereits Gerüchte über die Entwicklung eines EPO-Tests für die Olympischen Spiele 2000, und es war zu hören, dieser Test werde vielleicht schon bei der Tour eingesetzt. Ich hörte Johan zu, nickte, zeigte ihm mein Pokerface. Als ich Haven davon erzählte, hielt sie es ebenso (Ehefrauen können das auch gut). Aber ich dachte auch: *Was zum Teufel soll das?*

Vielleicht war ich deshalb spät dran an jenem Dienstagmorgen, als wir nach Valencia flogen. Es gab keinen Grund für eine Verspätung – wir alle wussten, dass Lance nichts so sehr hasste wie Unpünktlichkeit –, aber an diesem so wichtigen Morgen waren wir volle zehn Minuten zu spät dran. Ich steuerte unseren kleinen Fiat mit hoher Geschwindigkeit durch die engen Straßen von Villefranche. Haven hielt sich fest und bat mich, langsamer zu fahren. Ich gab weiter Gas. Bis zum Flughafen von Nizza waren es noch gut zwölf Kilometer. Während dieser Fahrt klingelte mein Handy dreimal. Es war Lance.

»Mann, wo seid ihr?«

»Was ist los? Wir starten bald.«

»Wie schnell fährt eure Scheißkarre? Beeilt euch!«

Mit quietschenden Reifen rauschten wir auf den Parkplatz des Flughafens. Ich hastete durch den Sicherheitsbereich und auf die Startbahn. Ich war noch nie mit einem Privatjet geflogen, also sah ich mir alles ganz genau an: die Ledersitze, den Fernseher, den kleinen Kühlschrank, den Steward, der mich fragte, ob ich etwas trinken wolle. Lance gab sich zwanglos, als ob Privatjets etwas Alltägliches wären – was für ihn auch zutraf. Seit dem vergangenen Juli war er ziemlich regelmäßig so gereist, dank Nike, Oakley, Bristol-Myers Squibb und anderen Unternehmen, die um das Privileg wetteiferten, ihn befördern zu dürfen. Die Zahlen waren unglaublich. *USA Today* schätzte Lance' Jahreseinkommen auf 7,5 Millionen Dollar, für einen Vortrag erhielt er 100 000 Dollar, und sein Buch *It's Not About the Bike* (Deutscher Titel: *Tour des Lebens. Wie ich den Krebs besiegte und die Tour de France gewann*) wurde sofort zum Bestseller. Man spürte förmlich, wie der Geldstrom neue Möglichkeiten eröffnete. Jetzt mussten wir nicht mehr mit dem Auto nach Valencia fahren, mussten uns nicht mehr um Zollkontrollen oder Sicherheitsmaßnahmen am Flughafen sorgen. Der Jet gehörte jetzt, wie alles andere auch, zu unseren Arbeitsmitteln.

Die Turbinen brachten uns auf Startgeschwindigkeit, die Räder hoben ab, und wir waren in der Luft. Unter uns sahen wir die Côte d'Azur, die Villen, die Jachten; es war ein surreales Gefühl, wie in einer Phantasiewelt. Im Flugzeug war meine Unpünktlichkeit schon verziehen. Lance war zuversichtlich, glücklich, aufgeregt, und das war ansteckend. Diese Zuversicht wuchs noch, als wir in Valencia landeten und am Flughafen vom Postal-Team abgeholt wurden: Johan, Pepe Martí und del Moral. Sie hatten Sandwiches dabei, Bocadillos – wir mussten vor dem, was jetzt anstand, etwas im Magen haben.

Vom Flughafen aus fuhren wir eine halbe Stunde lang durch eine Sumpflandschaft nach Süden, und Johan und del Moral sprachen über die Transfusion. Es sei so einfach, sagten sie. So leicht. Und vollkommen sicher, kein Grund zur Besorgnis. Mir fiel auf, dass Johan mehr mit mir und Kevin redete als mit Lance, und Lance schien überhaupt nicht zuzuhören. Ich hatte das Gefühl, dass dies nicht seine erste Transfusion war.

Wir fuhren zu einem Hotel namens Sidi Saler – es sah aus wie ein gestrandeter Wal – in der Nähe des Dorfes Les Gavines. Das Haus war luxuriös und ruhig, noch nicht überlaufen von den Touristen, die es später im Sommer ansteuern würden. Wir waren bereits eingecheckt worden, nahmen den Aufzug in den fünften Stock und fanden dort menschenleere Gänge vor. Kevin und ich erhielten ein Zimmer mit Blick auf den Parkplatz. Lance bekam nebenan ein eigenes Zimmer.

Ich hatte eine komplizierte medizinische Apparatur erwartet, aber das hier wirkte eher wie eine naturwissenschaftliche Versuchsanordnung an der Junior Highschool: eine blaue Plastikkühltasche, ein paar durchsichtige Infusionsbeutel, Wattebäusche, durchsichtige Schläuche und eine Digitalwaage. Jetzt war Del Moral am Zug.

Leg dich aufs Bett, kremple den Ärmel hoch, gib mir deinen Arm. Entspann dich.

Er befestigte unterhalb meines Bizeps ein blaues, elastisches Band, legte einen leeren Infusionsbeutel auf einem weißen Handtuch ab, das neben dem Bett auf dem Boden lag, und säuberte die Armbeuge mit einem Alkoholtupfer. Dann kam die Nadel. Ich hatte schon eine Menge Nadeln gesehen, aber diese hier war riesig, sie hatte in etwa die Größe und die Form eines Milchschäumers. Sie saß auf einer Spritze, von der ein durchsichtiger Schlauch zum bereitgelegten Infusionsbeutel führte. Ein kleines weißes Rädchen kontrollierte den Durchfluss. Ich schaute weg, spürte aber, wie die Nadel eindrang. Als ich wieder hinsah, floss mein Blut stetig in den Beutel, der auf dem Boden lag.

Man hört oft, dass der Begriff »Bluttransfusion« in einem Atemzug mit »EPO« oder »Testosteron« genannt wird, als ob das alles eins wäre. Dem ist aber nicht so. Bei dem anderen Zeug schluckt man eine Pille, legt ein Pflaster auf oder bekommt eine winzige Spritze. Aber hier sieht man zu, wie sich ein großer, durchsichtiger Plastikbeutel langsam mit dem eigenen, warmen, dunkelroten Blut füllt. So etwas vergisst man nicht.

Ich sah zu Kevin hinüber, der auf die gleiche Art behandelt wurde. Im Spiegel der Kleiderschranktür konnten wir uns selbst beobachten. Wir versuchten, die Spannung abzubauen, indem wir die Geschwindigkeit verglichen, mit der sich der jeweilige Beutel füllte: *Warum geht das bei dir so langsam? Ich häng dich ab, Mann.* Johan ging zwischen den Zimmern hin und her, schaute nach, wie es uns erging, plauderte.

Pepe und del Moral knieten sich ab und zu hin, nahmen den Beutel in die Hände, neigten ihn behutsam vor und zurück und vermischten den Inhalt mit einem Gerinnungshemmer. Sie gingen so behutsam vor, weil, so erklärten sie es, die Blutzellen lebten. Wenn man das Blut unsachgemäß behandelte – es schüttelte oder erwärmte oder länger als etwa vier Wochen in den Kühlschrank legte –, starben die Zellen ab.

Es dauerte etwa 15 bis 20 Minuten, bis die Beutel gefüllt waren. Sie rundeten sich, bis die Waage anzeigte, dass wir es geschafft hatten: 500 Milliliter. Dann folgte das Abhängen, die Nadel wurde entfernt. Einen Wattebausch nehmen, auf den Einstich drücken. Die Beutel wurden fest verschlossen und beschriftet und wanderten in die blaue Kühltasche. Del Moral und Pepe verließen den Raum. Sie sagten nicht, wohin sie gingen, aber wir nahmen an, dass ihr Ziel die Klinik in Valencia war, wo sie die Blutbeutel in den Kühlschrank legen würden, bis wir sie dann drei Wochen später bei der Tour brauchten.

Ich setzte mich auf, mir war schwummrig. Johan sagte ein paar beruhigende Worte, er versicherte: »Dieses Gefühl ist normal. Nehmt ein bisschen Vitamin B und ein eisenhaltiges Ergänzungsmittel. Esst ein Steak. Ruht euch aus. Und nehmt vor allem jetzt kein EPO, weil das die natürliche Reaktion eures Körpers blockiert, der gerade zusätzliche rote Blutkörperchen bildet. Ihr werdet bald wieder so stark sein wie vorher.«

Dann fuhren wir mit den Rädern an der Küste entlang in Richtung Süden. Trotz der Nachmittagshitze trugen wir langärmlige Trikots, um die Heftpflaster auf unseren Armen zu verbergen. Wir fuhren nicht schnell, atmeten aber sofort schwer und waren wie benommen. Wir kamen an einen Hügel – an einen Winzling von einem Anstieg auf der Nordseite einer

Kleinstadt namens Cullera. Als wir dort hinauffuhren, fühlte ich mich immer schlechter. Jetzt fingen wir alle an zu keuchen und reduzierten das Tempo, bis wir nur noch krochen.

Nur wenige Tage zuvor war ich in der Form meines Lebens gewesen und hatte am Mont Ventoux einige der weltbesten Fahrer besiegt. Jetzt schaffte ich kaum noch diesen jämmerlichen Buckel. Wir rissen Witze darüber, weil das alles war, was wir in diesem Zustand tun konnten. Aber es war entmutigend, ich war zutiefst erschüttert: Meine Kraft kam nicht aus den Muskeln. Sie steckte in meinem Blut, in diesen Plastikbeuteln.

Das beunruhigende Gefühl verstärkte sich ein paar Tage später, als Kevin und ich an der Route du Sud teilnahmen, einem harten, viertägigen Rennen in Südfrankreich. Meine Teamkameraden freuten sich, als ich eintraf, und zeigten sich beeindruckt von meinem Sieg bei der Dauphiné. Zeitungsreporter, Radio- und Fernsehleute hegten große Erwartungen. Fahrerkollegen betrachteten mich mit neuem Respekt. Schließlich hatte ich am Mont Ventoux gewonnen. Ich war die nächste große Nummer, nicht wahr?

Doch in meinem blutleeren Zustand war ich die personifizierte Peinlichkeit, ohne jeden Einfluss auf das aktuelle Geschehen. Kevin erging es kein Haar besser. Anstatt um den Sieg mitzukämpfen, hatte ich Mühe, Anschluss ans Feld zu halten. Nach der dritten Etappe ging es nicht mehr. Ich musste tun, was ich am meisten hasste: aussteigen. Ich nahm die Startnummer ab, packte meine Sachen und verließ beschämt das Mannschaftshotel.

Bei meiner Rückkehr nach Nizza erwartete ich von Lance und Johan eine Entschuldigung. Schließlich hatten sie die Mannschaft für die Route du Sud zusammengestellt. Lance hätte ursprünglich bei diesem Rennen auch mitfahren sollen, sagte aber in letzter Minute ab und gab als Grund an, er müsse sich vor der Tour noch ausruhen.

Lance oder Johan hätten mit einem einzigen Anruf auch Kevin und mich aus der Mannschaft für die Route de Sud nehmen, uns die Demütigung ersparen und unsere Form für die Tour sichern können. Aber das taten sie nicht. Die beiden sprachen dieses Thema mit keinem Wort an. Sie taten so, als hätte es den Trip nach Valencia nie gegeben. Es war beschissen. Für mich war das eine große Lernerfahrung, ein lehrreicher Augenblick, wie man so sagt. Ich wusste aber, dass ein Protest nichts bringen würde, hielt einfach den Mund und tat das, was ich immer getan hatte: weitermachen. *Keine Arbeit zu niedrig und keine zu schwer.*

Im Vorfeld der Tour 2000 beschäftigte sich Lance mit zwei Hauptproblemen. Zum einen war sein körperlicher Vorteil gegenüber dem Rest des Feldes nicht allzu groß. Lance rechnete vor, dass er Zülle in der Gesamtwertung der letzten Tour nur um 1:34 Minuten distanziert hatte – wenn man den frühen Massensturz auf der Passage du Gois einmal ausklammerte. Und wäre die Fahrt nach Sestriere nur drei Kilometer länger gewesen, hätten Zülle und die anderen ihn noch eingeholt. Der zweite Faktor war, dass die beiden großen Favoriten, die bei der Tour 1999 gefehlt hatten, jetzt wieder dabei waren: Jan Ullrich und Marco Pantani.

Ullrich hatte etwas von Superman – oder, um es genauer zu sagen, von Superboy. Sein Grundlagentraining hatte er in der DDR erhalten, wo die Trainer nach der Maxime vorgingen: *Wirf ein Dutzend Eier gegen die Wand und behalte die, die nicht zerbrechen.* Ullrich war das unzerbrechliche Ei, ein Kind des Kalten Krieges, das, ebenso wie Lance, vaterlos aufgewachsen war und mithilfe des ostdeutschen Staates seine Energie in den eindrucksvollsten Körperbau der Radsportgeschichte investiert hatte. Ullrichs Körper unterschied sich von dem aller anderen Fahrer, die ich erlebt hatte. Ich versuchte manchmal, neben ihm zu fahren, nur um ihn beobachten zu können: Man konnte die Bewegungen der Muskelfasern erkennen. Er war der einzige Fahrer, bei dem ich unter dem Lycrastoff die Venen sah. Auch seine Psyche war nicht schlecht: Ullrich hatte eine bemerkenswerte Fähigkeit, sich selbst anzutreiben, alles aus sich herauszuholen. Bei der Tour von 1997 hatte ich beobachtet, wie der erst 23 Jahre alte Ullrich die schwerste Etappe gewann, die ich jemals gefahren bin, ein Acht-Stunden-Rennen über 242 Kilometer durch die Pyrenäen, bei dem er sogar den bärenstarken Riis abhängte. Trotz seines eindrucksvollen Körpers war Ullrich ein sanftmütiger Mensch, ein netter Kerl, der für jeden ein freundliches Wort hatte. Seine Schwäche war die Disziplin – er kämpfte mit seinem Gewicht –, aber er besaß die Fähigkeit, die Gunst der Stunde zu nutzen und gerade dann einen unwiderstehlichen Ritt hinzulegen, wenn alle anderen es am wenigsten erwarteten.

War Ullrich der Superboy, dann war Pantani eher ein Rätsel: ein kleiner, schüchterner Italiener mit dunklen Augen, der, wenn die Form stimmte, der beste Kletterer der Welt war. Pantani war eine Mischung aus Künstler und Killer: eitel genug, um seine auffälligen »Elefantino«-Ohren von Schönheitschirurgen richten zu lassen, und zäh genug, um Rennen auch bei miserablen Wetterbedingungen für sich zu entscheiden. Er gewann die Tour 1998 vor Ullrich, nachdem er ihn bei eiskaltem, stürmischem Wetter auf dem Weg nach Les Deux Alpes hinter sich gelassen hatte. Im darauffolgenden Jahr wurde Pantani wegen eines zu hohen Hämatokritwertes gesperrt und geriet aus der Spur. Er fuhr zwei Sportwagen zu Schrott und schrieb offene Briefe an seine Fans, in denen er von »einer schwierigen Zeit mit zu vielen inneren Problemen« sprach. Dennoch wollte Pantani seinen Sieg wiederholen, und mit seinen Fähigkeiten als Kletterer war er gefährlich. Sollte Lance in den Bergen einbrechen, konnte Pantani das ausnutzen.

Lance sprach dauernd über die beiden. Ullrich und Pantani; Pantani und Ullrich. Er verfolgte ihr Training, suchte im Internet sogar nach Artikeln in Zeitungen, die in Frankfurt und Mailand erschienen. Eine Zeitlang besaß Lance so viele Informationen, dass ich schon dachte, es würde jemand für ihn arbeiten. Ich sah einen jungen Praktikanten vor mir, der irgendwo in einem Kabuff Berichte zusammenstellte. Aber nach einiger

Zeit begriff ich, dass all dies von Lance selbst kam. Er musste diese Informationen selbst sammeln, um sie gleich in Motivation umzumünzen. War Ullrich gut in Form, motivierte das Lance zu härterem Training. Hatte Ullrich Übergewicht (was in jenem Frühjahr der Fall war), trainierte Lance ebenfalls härter, weil er dem »Kaiser«, wie die *Gazzetta dello Sport* Ullrich getauft hatte, zeigen wollte, wer der Chef war.

Die Tour 2000 glich einer Serie von Boxkämpfen. Der Kampf Lance gegen Ullrich war ziemlich schnell vorbei. Gleich beim Prolog distanzierte Lance Ullrich deutlich. Dann verbrachte er ein paar Flachetappen damit, Ullrich richtig zuzusetzen. Bei einem Radrennen gibt es tausend verschiedene Möglichkeiten, einen Konkurrenten einzuschüchtern, und Lance kannte sie alle. Zwanglos plaudern, wenn's gerade richtig schwer läuft. Einen Happen essen oder einen tiefen Schluck aus der Trinkflasche nehmen, wenn das Tempo hoch ist – nur um zu zeigen, dass man das kann. Plötzlich trocken antreten. Außen am Peloton vorbeifahren, gegen den Wind und mühelos. Lance zeigte Ullrich immer wieder, wer der Stärkere war. Und Ullrich hatte keine Antworten parat. Beim ersten schweren Anstieg zum spanischen Skiort Hautacam hinauf hatte Lance Ullrich bereits in der Tasche.

Lance gegen Pantani war dann eine ganz andere Sache. Pantani war impulsiv und romantisch, einer, der in einem etwas anders verlaufenen Leben wohl Stierkämpfer oder Opernstar geworden wäre. Er gab erst Ruhe, wenn er dem Rennen sein Gepräge gegeben hatte. Lance wollte, dass die Dinge logisch abliefen, aber Pantani agierte nicht logisch, und Lance hasste das. Pantani lag zwar einige Minuten zurück, aber wir alle wussten, dass er Lance auf der zwölften Etappe, die auf dem Gipfel des Mont Ventoux endete, angreifen würde, eben dort, wo Lance bei der Dauphiné so in Schwierigkeiten geraten war. Das passte zu Pantanis Vorliebe für Dramen, und es passte auch uns, weil Lance und Johan für diesen Ort unseren Schachzug geplant hatten.

Nach der elften Etappe fuhren wir in ein Bilderbuchstädtchen namens Saint-Paul-Trois-Châteaux am Mont Ventoux, wo wir den Ruhetag vor der zwölften Etappe verbringen wollten. Wir stiegen im Hôtel l'Esplan ab. Es gefiel uns ausnehmend gut, und das nicht nur, weil der Inhaber sein ganzes Haus für unser Team reserviert hatte oder weil es dort einen schönen Speisesaal gab, sondern auch, weil einige der Zimmer als Suiten eingerichtet waren. Man gab Kevin, Lance und mir eine solche Folge von Räumen, die einen gemeinsamen Eingang mit Türbogen hatten. Kevin und ich teilten uns wie üblich ein Zimmer, und Lance wohnte auf der anderen Seite des kleinen Foyers.

An jenem Abend, noch vor dem Abendessen, nahmen wir dort die Transfusion vor. Die Blutbeutel wurden mit dicken weißen Klebebandstreifen über unseren Betten an der Wand befestigt. Sie glänzten und waren prall wie reife Beeren. Johan hielt an der Tür Wache, um etwaige Überraschungsbesucher abzufangen. Kevin und ich lagen da wie Spiegelbilder; durch die offene Tür sah ich Lance' Füße, die in Socken steckten, seinen Arm, die Schlauchverbindung.

Del Moral und Pepe arbeiteten rasch und effizient: das blaue Gummiband, das die Venen hervortreten ließ, die Nadel, die in Richtung des Herzens zeigte, das Rädchen für den konstanten Blutfluss. Sie öffneten das Ventil, und ich sah mein Blut durch den Schlauch rinnen, durch die Nadel, in meinen Arm. Ich spürte Kälte. Gänsehaut. Del Moral bemerkte das und erklärte, das Blut sei bis vor Kurzem gekühlt worden. Sie lagerten es auf Eis, um das Infektionsrisiko zu senken.

Die Transfusion dauerte etwa 15 Minuten. Wir vertrieben uns die Zeit mit Scherzen und redeten dummes Zeug, unsere Stimmen hallten durch die offene Tür – *wir werden die Jungs am Ventoux glatt stehenlassen.* Vielleicht redeten wir so daher, um uns gegenseitig zu versichern, dass dieser merkwürdige Vorgang in Ordnung war (alle anderen taten ja schließlich dasselbe, oder etwa nicht?), vielleicht wollten wir auch anhaltende Schuldgefühle überspielen.

Vom Türbogen aus beobachtete Johan die Prozedur mit Wohlgefallen. Ich sah, wie sich mein Blutbeutel langsam leerte, die letzten Tropfen flossen durch den Schlauch; del Monte hängte ihn ab, als die letzten roten Blutkörperchen abgeflossen waren. Ich fragte nie nach, was mit den leeren Beuteln geschah. Eine meiner Vermutungen war, dass del Moral und Pepe sie zu irgendeiner meilenweit entfernten anonymen Müllkippe brachten. Wahrscheinlicher war allerdings, dass sie sie in kleine Stückchen zerschnitten und in die Hoteltoilette spülten. Wir gingen zum Abendessen hinunter. Alle anderen trugen Shorts und kurze Ärmel. Uns dreien war immer noch kühl, und wir behielten die Trainingsanzüge an.

Beim Abendessen hatte ich ein seltsames Gefühl: Ich fühlte mich gut. In dieser Phase der Tour fühlt man sich normalerweise ein bisschen wie ein Zombie – man ist kaputt, schlurft und starrt vor sich hin. Aber jetzt fühlte ich mich elastisch und gesund, war fast euphorisch, als hätte ich ein paar Tassen wirklich guten Kaffee getrunken. Ich betrachtete mich in einem Spiegel: Meine Wangen hatten ein bisschen Farbe. Auch Lance und Kevin schienen einen Energieschub zu erleben. Am Ruhetag entspannten wir uns, unternahmen eine Ausfahrt, machten uns bereit.

Autoren werden gern poetisch, wenn es um den Ventoux geht. Sie schreiben, er sei eine Mondlandschaft aus weißen Felsen, eine windumtoste Einöde, ein »Alabaster-Totenkopf« und ähnliches Zeug. Im Rennen liest man jedoch ganz andere Geschichten: die Gesichter und die Körpersprache der Fahrer um einen herum. Man sucht nach einem verkrampften Griff am Lenker. Nach kurzem Innehalten oder einer gewissen Eckigkeit im Tritt. Nach ruckartigen Schulterbewegungen, einem Blick an den Beinen hinunter, verschwollenen Augen, einem offenen Mund – nach dem kleinsten Anzeichen von Schwäche. Als wir uns zum Ventoux aufmachten, rechnete ich damit, dass um mich herum eine Menge Fahrer zurückfallen würden.

Der Plan sah so aus, dass Kevin und ich ab dem Beginn des Anstiegs so viel Tempo wie nur möglich machen sollten, um die meisten der direkten Konkurrenten abzuschütteln, während Lance sich so lange wie möglich schonen sollte. Als wir den Kiefernwald am Fuß des Ventoux erreichten, zogen wir das Tempo an – zuerst ich, dann Kevin. Das Feld riss auseinander, und die Spitzengruppe war schon bald auf etwa ein Dutzend Fahrer zusammengeschrumpft. Johan brüllte über Funk, das sei gut, gut, gut. Aber ich fühlte mich seltsamerweise gar nicht so großartig. Meine Beine waren dick und voller Wasser. Ich trat hart in die Pedale, traf dann aber früher als erwartet auf die altvertraute Mauer. Auch mit mehr Kraftaufwand schien ich sie nicht überwinden zu können. Dann wurde ich langsamer. Ich fühlte mich merkwürdig, nicht ganz auf dem Damm. Vielleicht hatte die Transfusion nicht so gewirkt wie erwartet, vielleicht hatte mein Körper nicht so reagiert wie gedacht.

Die Erklärung sollte noch ein paar Jahre auf sich warten lassen, aber ich hatte noch nicht gelernt, wie mein Körper auf eine Transfusion reagierte. Wenn man mehr rote Blutkörperchen in sich hat, funktioniert der Körper nicht nach denselben Regeln: Man kann mehr leisten, als man selbst denkt. Der Körper mag sich auf die altvertraute Weise beklagen, aber das kann man überwinden, indem man all diese Signale ignoriert und einfach weiterfährt. Ich sollte jedoch erst später lernen, wie das funktioniert.

Sobald ich langsamer wurde, war Pantani wieder da. Man kann über seine manchmal sehr exaltierten Auftritte sagen, was man will, aber im Grunde war er ein ganz harter Hund. Pantani kämpfte sich irgendwie zurück nach vorn, um dann, kaum zu fassen, zu attackieren und sich von der Spitzengruppe zu lösen. Lance ließ Pantani vielleicht hundert Meter vorausfahren und startete dann seine Gegenoffensive. Selbst jetzt noch kann ich, wenn ich mir das Video ansehe, kaum glauben, mit welchem Tempo Lance dabei unterwegs war; die Art, wie er den Abstand verringerte und den Ventoux hinaufjagte, als wollte er im Training nur eben mal zum Ortsschild sprinten. Er holte Pantani ein; sie fuhren jetzt gemeinsam durch die weiße Felslandschaft, und Lance zeigte Pantani unentwegt, wie viel stärker er war. Pantani konnte ihm nur mit allergrößter Mühe folgen. Es war spektakulär. »Sie fuhren, als wäre der Teufel hinter ihnen her«, so drückte es der Spanier José Jiménez aus. Als sie den Gipfel erreichten, hatte Lance seine Überlegenheit so zweifelsfrei bewiesen, dass er sich zurücknehmen konnte und Pantani den Etappensieg überließ.

Das hätte das Duell eigentlich entscheiden sollen: Sieger Lance durch technischen K. o. Aber es kam anders. Pantani war sauer, weil Armstrong ihm auf dem Ventoux den Sieg geschenkt hatte (der Italiener wollte keine Geschenke), und beschloss, uns das Leben zur Hölle zu machen. In den folgenden Tagen attackierte er pausenlos. Er ritt verrückte, hoffnungslose, romantische Attacken, getrieben vom eigenen Stolz – und wer weiß, von was noch. Dies sorgte für eine Reihe von Problemen, weil Kevin und ich mit Pantani nicht mithalten konnten, aber eine kleine Gruppe von spanischen Fahrern dazu durchaus in der Lage war – allen voran ein Duo kleiner, unermüdlicher Kletterer namens Roberto Heras und Joseba Beloki. Lance war deshalb zu oft isoliert und auf sich allein gestellt; einen großen Teil der Etappen fuhr er ohne Helfer aus dem Team, die ihn hätten unterstützen können.

Die schlimmste Phase kam auf der 16. Etappe von Courchevel nach Morzine, als Pantani zu einem frühen Zeitpunkt ein Solo startete, ein Selbstmordmanöver, das, unserer Einschätzung nach, schon bald ein Ende finden würde. Aber es ging nicht zu Ende. Pantani drückte weiter aufs Tempo, er wurde nicht langsamer, sondern legte sogar noch zu. Wir jagten ihm nach, so gut wir konnten, holten aber nicht auf. Schließlich blieb nur noch eines: Lance wies Johan an, Ferrari anzurufen.

Das Gespräch war kurz – ich konnte mir Ferrari mit seinen Schaubildern vorstellen, auf denen er die Zahlen durchging –, und die Antwort kam: Das Tempo war zu hoch. Pantani würde nachlassen, er konnte diese Geschwindigkeit nicht halten. Und Ferrari hatte wie immer recht. Am letzten Anstieg, auf einer unangenehmen, zwölf Kilometer langen Kletterstrecke namens Joux Plane, brach Pantani schließlich ein.

Das Problem war, dass auch Lance einbrach. Zu Beginn des Anstiegs, allein auf weiter Flur, wurde er langsamer. Er versuchte das eine Zeitlang zu verbergen, aber bald war es offensichtlich: Sein Gesicht wurde weiß, seine Schultern schwankten hin und her – und schon kam Ullrich angefahren. Sein Tritt war rund, als er Lance hinter sich ließ. Dies war Ullrichs große Chance und Lance' Albtraum. In den folgenden 20 Minuten fuhren beide an ihrer Leistungsgrenze – Ullrich sprintete, Lance folgte mit steiferen, hektischen Bewegungen, in seinem Gesicht spiegelten sich Erschöpfung und Angst. Lance bewies an jenem Tag eine enorme Zähigkeit. Er verlor nur eineinhalb Minuten, obwohl es ohne Weiteres auch zehn hätten sein können.

Nach dieser 16. Etappe sah Lance schrecklich aus: Er war bleich und kniff die verschwollenen Augen zusammen, unter denen sich dunkle Ringe zeigten. In Interviews nannte er Pantani »einen kleinen Unruhestifter« (»a little shit-starter«), was durchaus zutreffend war. Das Problem war, dass Postal niemanden hatte, der die Unruhe beenden konnte – keiner von uns war stark genug, um Pantani in die Schranken weisen zu können.

Zum Glück für Lance und uns hatte Pantani sein Pulver aber jetzt verschossen. Am folgenden Tag gab er auf und begründete das mit gesundheitlichen Schwierigkeiten. Lance erholte sich, und wir schafften es ohne weitere Probleme bis nach Paris, wo er seinen zweiten Tour-Sieg einfuhr. Wieder feierten wir im Musée d'Orsay, aber über den Triumph hinaus gab es auch einen Grund zur Beunruhigung: Um ein Haar hätte Pantani im Stile eines Einzelkämpfers Lance' Sieg vereitelt. Wir hatten das Glück, dass Ullrich nicht seine beste Leistung brachte, Pantani am Ende aufgeben musste und

Lance am Joux Plane nur ein paar Minuten einbüßte. Aber Lance und Johan gehörten nicht zu den Leuten, die sich aufs Glück verließen.

So setzten die Gerüchte ein, Postal werde weitere Kletterspezialisten unter Vertrag nehmen. Der naheliegende Kandidat war der Spanier Roberto Heras, ein ähnlich starker Bergfahrer wie Pantani. Er war bei der Tour 2000 Fünfter geworden und sollte im Herbst des Jahres die Spanien-Rundfahrt gewinnen. Sein Wechsel schien aber höchst unwahrscheinlich: Heras' Vertrag mit Kelme enthielt eine Klausel, nach der er nur für die Transfersumme von einer Million Dollar herauszukaufen war (das war mehr, als Kevin und ich zusammen verdienten), und unser gesamtes Team-Budget betrug nur zehn Millionen. Für die Verpflichtung eines so teuren Fahrers schien also kein Spielraum zu bestehen, daher gab ich nichts auf die Gerüchte. Ich glaubte, die Postal-Mannschaft sei fest gefügt und würde noch jahrelang zusammenbleiben. Im Nachhinein betrachtet, hätte ich wohl sehen müssen, was uns bevorstand.

Wenige Wochen nach der Tour trainierten Lance und ich gemeinsam in der Nähe von Nizza, und er fing an, über Kevin zu reden. Lance war nicht glücklich. Er sagte, Kevin sei an Johan herangetreten und habe mehr Geld verlangt – einen Zweijahresvertrag mit einer deutlichen Gehaltssteigerung. Lance schüttelte den Kopf.

»Ich weiß nicht, was zum Teufel Kevin sich einbildet«, meinte er.

Ich war etwas verwirrt und dachte für mich, dass es hier um den verdammten Kevin Livingston ging, der Lance gerade geholfen hatte, seine zweite Tour in Folge zu gewinnen, der seine eigenen Chancen aufs Gesamtklassement der Unterstützung für Lance untergeordnet hatte, der Lance während der Krebstherapie im Krankenhaus besucht hatte und sein engster Freund gewesen war. Aber für Lance war das nicht die Frage. Kevin war gut, aber Kevins Leistung war ersetzbar. Deshalb war auch Kevin ersetzbar.

»Kevin denkt, er bekommt Geld«, sagte Lance. »Einen Scheiß bekommt er.«

Ein paar Wochen später war ich wieder mit Lance unterwegs, und diesmal redete er über Frankie Andreu. Offenbar hatte auch Frankie wegen einer Gehaltserhöhung angefragt, und auch darüber war Lance nicht glücklich.

»Frankie denkt, er bekommt mehr Geld. Einen Scheiß bekommt er.«[1]

Das war nichts Persönliches, es war nur mathematisch gedacht. Wenn Lance mit einem leichteren Helm ein paar Sekunden gutmachen konnte, dann tat er das. Wenn er mit einem Privatjet Zeit sparen konnte, tat er es. Und wenn Lance bei den Gehältern sparen konnte, indem er ein paar alte Freunde aus dem Team warf, dann tat er auch das.

Weder Livingston noch Andreu erhielten für 2001 einen Vertrag. Kevin wechselte zum Telekom-Team und fuhr für Jan Ullrich (in Pressegesprächen zeigte Lance sich knallhart und erklärte, das sei genauso, als würde sich der amerikanische General Norman Schwarzkopf einen Job im kommunistischen China suchen), und Frankie beendete einfach seine Karriere. Ich glaube, dass er todunglücklich war. In seiner ganzen Zeit als Radprofi war er immer mit Lance im gleichen Team gefahren und wollte nicht woanders neu anfangen. Die Gehälter von Frankie und Kevin wurden in die Verpflichtung der beiden spanischen Kelme-Fahrer Roberto Heras und Chechu Rubiera sowie des Kolumbianers Victor Hugo Peña von Vitalicio Seguros investiert, eines Trios, das sich schon bald einen Namen als »spanische Armada« machte. Und das alte Team von 1999 war Geschichte.

---

1 Betsy Andreu sagt, Armstrong habe Frankie erzählt, dies sei Thom Weisels Entscheidung gewesen. »Lance sagte: ›Ich war das nicht, ich will dich im Team. Thom kürzt das Budget.‹ Das ergab aber überhaupt keinen Sinn. Warum sollten sie denn das Budget kürzen, wenn sie eben erst zum zweiten Mal die Tour gewonnen haben? Frankie glaubte Lance, und das war ein Fehler.«

Auch die Trolle tauchten in jenem Herbst wieder auf. Ein französischer Fernsehsender war del Moral und dem Postal-Chiropraktiker Jeff Spencer bei der Tour 2000 gefolgt und hatte die beiden bei der Entsorgung von Spritzen, blutigen Kompressen und einem Medikament namens Actovegin gefilmt. Die Franzosen machten eine große Geschichte daraus, die Polizei leitete Ermittlungen ein.

Wir hatten Actovegin nicht nur 2000, sondern bereits im Vorjahr benutzt. Es wurde mit einer Spritze verabreicht, die del Moral einigen Teammitgliedern unmittelbar vor der Handvoll besonders wichtiger Touretappen gab, um den Sauerstofftransport im Blut zu verbessern. Das Mittel war durch Dopingtests nicht nachweisbar. Lance und Postal handhabten diesen Skandal mit wachsendem Geschick. Zunächst gaben sie irgendeinen plausiblen medizinischen Grund an, aus dem das Team diese Substanz mitführen musste (sie erzählten, der Chefmechaniker Julien DeVriese sei Diabetiker, außerdem würde das Mittel zur Behandlung von Hautabschürfungen nach Stürzen eingesetzt). Und dann stellten sie die Story so dar, als seien sie Opfer einer unfairen Inszenierung der Boulevardpresse. Lance sammelte Zusatzpunkte, indem er vor der Presse von »Activo-Dingsbums« sprach, als hätte er nicht die leiseste Ahnung, wie das Corpus Delicti wirklich hieß. Die Ermittlungen blieben ohne Ergebnis und wurden schließlich eingestellt.

Aber sie hatten eine wichtige Konsequenz: Lance verließ Frankreich endgültig. Im Oktober rief er mich an und sagte, er habe genug von den Scheißfranzosen. Er verkaufe sein Haus in Nizza und verlasse das Land, sofort. Das solle ich auch tun. Wohin sollten wir gehen?

Ich war nicht glücklich über den Weggang aus Frankreich. Haven und ich wohnten gern in Villefranche, wir mochten den Ort, das Training, hatten Freundschaften geschlossen. Aber Lance war der Boss, und Kevin und Frankie gehörten nicht mehr zum Team. Das Leben ging weiter.

Ich erzählte Lance von Girona, jenem uralten Ort mit den Stadtmauern, in dem ich gewohnt hatte, bevor ich nach Frankreich gekommen war. Ich berichtete ihm von coolen Restaurants, den guten Trainingsmöglichkeiten in der unmittelbaren Umgebung, von dem halben Dutzend amerikanischer Radprofis, die dort lebten und zu denen auch mehrere unserer Teamkameraden zählten. Ein weiteres Plus war, wie wir alle wussten, dass die Spanier längst nicht so streng mit dem Thema Doping umgingen. Dort gab es keine Polizei-Razzien in Hotelzimmern, keine Reporter, die im Müll wühlten. Die Entscheidung fiel innerhalb von fünf Minuten. Wir gingen nach Girona.

8

KLEINE HILFEN UNTER NACHBARN

So lange ich zurückdenken kann, haben Journalisten das Verhältnis zwischen Drogentestern und Sportlern gern als »Wettrüsten« beschrieben. Aber der Ausdruck passte nicht ganz, denn er setzte voraus, dass die Tester eine Chance hatten zu gewinnen. Für uns hatte es nichts von einem Wettrennen. Für uns war es ein großes Versteckspiel in einem Wald voller guter Verstecke und mit vielen Regeln zum Vorteil derer, die sich versteckten.

Und so haben wir gegen die Tester stets gewonnen:

Tipp 1: Trage eine Armbanduhr.
Tipp 2: Halte dein Handy griffbereit.
Tipp 3: Achte auf den Zeitraum, in dem du noch positiv getestet werden kannst.

Offensichtlich ist nichts davon wirklich schwierig. Deswegen waren die Tests ja auch so einfach zu bestehen. Eigentlich waren es gar keine Drogentests, sondern vielmehr Disziplintests, IQ-Tests. Wenn man vorsichtig war und aufpasste, konnte man dopen und zu 99 Prozent sicher sein, dass man nicht erwischt wurde.

Am Anfang meiner Karriere (zwischen 1997 und 2000) waren die Tester schon deshalb kein Problem, weil es fast keine gab. Getestet wurde nur bei Wettkämpfen, und auch dann nur, wenn man eine Etappe gewann oder zu den unglücklichen ein oder zwei Teilnehmern gehörte, die für zufällige Stichprobentests ausgewählt wurden. Man musste also nur den Anweisungen des Teamarztes folgen und darauf achten, die Mittel rechtzeitig vor dem Wettkampf abzusetzen. Bis zum Jahr 2000 gab es ja überhaupt noch keine Tests für EPO. Man musste nur aufpassen, dass man unter dem Hämatokritwert von 50 Prozent blieb, und das war mit Pedros Zentrifuge und ein bisschen Erfahrung nicht schwer. Die roten Pillen waren drei Tage lang nachweisbar, und das war praktisch alles, worauf ich achten musste.

Um das Jahr 2000 wurden die ersten Trainingskontrollen durchgeführt. Ich meldete mich freiwillig für die erste Testreihe der US-Anti-Doping-Behörde (USADA), weil ich bei den Olympischen Spielen fahren wollte und befürchtete, es könne verdächtig wirken, wenn ich ablehnte. Die Tests wurden vierteljährlich durchgeführt, um Bezugswerte zu ermitteln; dazwischen gab es nur vereinzelte Trainingskontrollen. Doch wir mussten uns darauf einstellen. Vor der Rennsaison von 2000 bat ich Lance einmal, mir per Express ein bisschen EPO von Austin nach Marblehead zu schicken, damit meine Blutwerte beim vierteljährlichen Test nicht zu sehr aus dem Rahmen fielen. (Ich vermutete, es könne womöglich auffallen, wenn mein Hämatokritwert von 39 auf 49 hochschnellte.)

Die USADA sprach von »unangekündigten« Drogentests, aber normalerweise kamen sie nicht besonders überraschend. In Girona waren wir automatisch im Vorteil, weil die Organisation *eine* Person schickte, die sämtliche Girona-Profis testete. Wer als Erster getestet wurde, warnte per Telefon sofort alle seine Freunde (siehe Tipp 2); die Nachricht verbreitete sich schnell. Wenn man also noch im roten Bereich war, konnte man Gegenmaßnahmen ergreifen.

Die Trainingskontrollen waren recht leicht zu umgehen. Die Kontrollbehörden arbeiten mit einem sogenannten »Whereabouts«-Programm: Man sollte die Behörde jederzeit über seinen Aufenthaltsort informieren. Wenn man es nicht tat, bekam man Strafpunkte, sogenannte »Strikes«. Drei Strikes innerhalb von 18 Monaten führten zu Sanktionen – zumindest in der Theorie –, aber niemand wusste, ob diese Regel vor Gericht Bestand haben würde. Ein Trick bestand darin, dass man sich in den Whereabouts-Formularen möglichst vage ausdrückte (ich schrieb meist »Straßentraining, östliches Massachusetts, südliches New Hampshire, im Umkreis von 100 Meilen um Marblehead, Massachusetts«). Oder man änderte seine Pläne im letzten Moment, sodass die Behörde nie sicher war, wo genau man sich aufhielt. Wenn alles nichts half, ging man einfach nicht an die Tür, wenn der Tester auftauchte und die Möglichkeit bestand, dass man positiv getestet wurde.

Der absolute Albtraum war es, wenn der Tester sich zum falschen Zeitpunkt an einen heranschlich. Geschichten davon machten die Runde: Bei einem Fahrer hatte sich ein Tester in der Garage versteckt, ihn überrascht und prompt hochgehen lassen. Ich hatte gehört, dass ein Tour-Teilnehmer mehrere Spiegel rund um seine Haustür installiert hatte, um so heimlich überwachen zu können, wer kam und ging. Es klingt nach Paranoia, aber für uns war es einfach nur praktisch gedacht. Ich überlegte, in meiner Wohnung in Girona eine Hintertür einbauen zu lassen, um unauffällig kommen und gehen zu können, und verbrachte so wenig Zeit wie möglich vor meiner Haustür, wo ein Tester mir auflauern konnte. Ich kam vom Training immer den Hügel hinab zurück und sauste die Straße hinunter, die Sonnenbrille auf der Nase. Ich hatte den Hausschlüssel immer schon in der rechten Hand, um ihn schneller benutzen zu können. Für mich war unsere Wohnung in Girona wie Batmans Höhle: Sobald ich drin war und die Tür hinter mir geschlossen hatte, war ich in Sicherheit.

Fahrer, die mit ihrer Freundin oder Frau zusammenlebten, waren klar im Vorteil: Sie hatten einen persönlichen Späher, der Tester abwimmeln oder an ihrer Stelle mit ihnen reden konnte. Haven und ich hatten eine Art Zeichensprache entwickelt. Wenn es unerwartet an der Tür klingelte, nahm sie Blick-

kontakt mit mir auf und fragte: »Bist du im grünen Bereich?«
Meine Antwort lautete fast immer: »Ja, alles klar.«

Gegen Ende des Jahres 2000, kurz nachdem Haven und ich ein Haus in Marblehead gekauft hatten, klingelte es an unserer Tür. Haven sah mich an, und dieses Mal schüttelte ich den Kopf. Es war kein guter Zeitpunkt. Ich hatte erst kürzlich Testosteron genommen (mein behandelnder Arzt meinte, mein Testosteronspiegel sei niedrig, ich hatte es verschrieben bekommen, aber vielleicht wäre es trotzdem zu einem positiven Testergebnis gekommen).

»Mister Hamilton? Ich komme von der USADA, um einen Dopingtest durchzuführen.«

Haven und ich sahen uns einen Moment lang an. Dann warfen wir uns gleichzeitig auf den Boden und lagen bäuchlings auf den Fliesen unseres neuen Küchenbodens.

»Hallo? Ist jemand zu Hause?«

Wir krochen über den Boden und ins sichere Wohnzimmer, während der Tester weiter an die Tür klopfte. Für heute waren wir ihn losgeworden. Ich frisierte mein Whereabouts-Formular, trank tonnenweise Wasser und pinkelte viel. Dann, als ich sicher sauber war, ging ich zum Test.

Eine andere Möglichkeit, sich zu tarnen, waren die Medizinischen Ausnahmegenehmigungen (TUE, therapeutic use exemptions), die vor allem für Kortison benutzt wurden. Der Weltradsportverband (UCI) erlaubt Fahrern den Einsatz bestimmter Substanzen, wenn sie von einem Arzt verschrieben wurden. Also erfanden die Teamärzte irgendeine medizinische Begründung – Schmerzen im Knie, wund geriebene Stellen – und stellten ein Attest aus, das einem die Einnahme von Kortison oder eines ähnlichen Wirkstoffs erlaubte. Man musste sich dabei nur merken, welches Leiden der Doktor einem verpasst hatte: War die Verletzung nun am rechten oder am linken Knie? Manchmal sah ich mir vor einem Rennen die Unterlagen noch einmal an, damit ich auch über das richtige Knie klagte, falls ein Tester zufällig danach fragte.

Am besten war es jedoch, wenn man einfach die Risikozeiten auf ein Minimum reduzierte. Denn die beste Vorschrift bei den Dopingtests, die einem die meisten Freiheiten erlaubte, besagte, dass die Tester nur zwischen 7 Uhr morgens und 10 Uhr abends auftauchen durften.[1] Das hieß, dass man nehmen konnte, was man wollte, solange es nach höchstens neun Stunden wieder aus dem Körper heraus war. Daher haben Radprofis um 10.01 Uhr abends meist auch besonders viel zu tun. In Spanien hatte man sogar doppelt Glück, weil durch den anderen Tagesrhythmus der Spanier (Abendessen gibt es oft erst nach 10.30 Uhr abends) die Tester fast nie um 7 Uhr morgens auftauchten, sondern erst gegen Mittag oder noch später. (Ein Tester, ein rücksichtsvoller älterer Gentleman, der eine Stunde von Barcelona entfernt lebte, rief am Abend vorher an, um sicherzugehen, dass wir auch in der Stadt waren und er nicht umsonst hinfuhr.) Aber am besten war es, wenn ein gewiefter Arzt sich neue Möglichkeiten ausdachte, wie die Mittel verabreicht werden konnten, sodass sie den Körper schneller wieder verließen und trotzdem den gewünschten Effekt hatten. Wir hatten den gewieftesten von allen: Ferrari.

---

1 Nach den Vorschriften der Welt-Anti-Doping-Agentur mussten Sportler 24 Stunden täglich für Tests zur Verfügung stehen. In der Praxis hielten die Tester aber meistens das Zeitfenster zwischen 7 Uhr morgens und 10 Uhr abends ein. In Frankreich regelt sogar ein Gesetz, dass Testagenturen, egal ob national oder international, Testtermine nur zwischen 6 Uhr morgens und 9 Uhr abends ansetzen dürfen. In Spanien wurde im Jahr 2009 ein ähnliches Gesetz erlassen. Man wollte damit die Privatsphäre der Fahrer schützen und ging fälschlicherweise davon aus, dass jedes Mittel, das sich zur Schlafenszeit im Körper eines Sportlers befand, auch am nächsten Morgen noch nachweisbar war.
Bernhard Kohl, ein österreichischer Radfahrer, der bei der Tour de France 2008 Dritter wurde, bevor man einen Blutbildner bei ihm fand und ihm die Platzierung aberkannte, erzählte der *New York Times:* »Ich wurde im Laufe meiner Karriere 200-mal getestet, und in 100 Fällen hatte ich Medikamente im Körper. Ich wurde zwar erwischt, aber in den anderen 99 Fällen merkte niemand etwas. Die Fahrer glauben deshalb, dass sie mit Doping durchkommen, weil sie es meistens auch schaffen.«

Ein gutes Beispiel dafür, welch großen Vorteil uns Ferrari verschaffte, war der EPO-Test. Die Entwicklung eines Testes, mit dem sich EPO in Urin und Blut nachweisen ließ, dauerte mehrere Jahre und kostete die Testagenturen mehrere Millionen Dollar. Nach nur fünf Minuten aber hatte Ferrari eine Möglichkeit gefunden, wie sich der Test austricksen ließ. Seine Lösung war überraschend simpel: Statt EPO subkutan zu spritzen (wodurch es über einen längeren Zeitraum ins Blut abgegeben wurde), injizierten wir kleinere Dosen direkt in die Venen, direkt in die Blutbahn, wo es immer noch die Produktion von roten Blutkörperchen steigerte, aber den Körper schnell genug wieder verließ, sodass es nicht nachgewiesen werden konnte. Wir bekamen einen neuen Behandlungsplan: Statt 2000 Einheiten Edgar jede dritte oder vierte Nacht spritzten wir nun jede Nacht 400 oder 500 Einheiten. Die Nachweiszeit war minimiert, das Problem gelöst. Wir nannten es »Mikrodosierung«.[2]

Das Problem dabei, wenn man sich Edgar intravenös spritzt, ist natürlich, dass man es eben *in* die Vene spritzen muss. Trifft man daneben und spritzt in das umgebende Gewebe, bleibt Edgar sehr viel länger im Körper, und man kann positiv getestet werden. Für die Mikrodosierung braucht man also eine ruhige Hand, ein gutes Gespür und viel Übung. Man muss spüren, wie die Nadelspitze die Venenwand durchbricht, und dann ein bisschen Blut in die Spritze zurückziehen, damit man weiß, ob man richtig getroffen hat. Lance hatte in dieser Hinsicht Glück, wie so oft: Seine Venen waren dick wie Wasserrohre. Meine waren klein, was mir mehrfach Kopfschmerzen bereitete. Wenn man die Vene verfehlt, bildet das EPO eine sichtbare kleine Blase unter der Haut. Ich habe öfter gesehen,

---

2 Dies erwies sich als gutes Beispiel für das Informationsgefälle zwischen Testern und Sportlern. Dr. Michael Ashenden, der Hämatologe, der an der Entwicklung der EPO- und Transfusionstests mitarbeitete, wusste nichts von der Mikrodosierung direkt in die Vene, bis Floyd Landis ihm 2010 davon erzählte.

wie sie anfing sich zu bilden, konnte es aber glücklicherweise noch rechtzeitig stoppen und wurde am folgenden Tag nicht getestet. Ein paar Millimeter daneben können da das Ende einer Karriere bedeuten. Manchmal, wenn Fahrer überraschend positiv getestet werden, frage ich mich, ob es vielleicht daran lag.

Natürlich konnte man nicht nur EPO mikrodosieren. Mit Testosteron funktionierte das auch. Um das Jahr 2001 kamen wir von den roten Pillen ab und benutzten stattdessen Testosteron-Pflaster, die viel praktischer waren. Sie waren wie große Wundpflaster mit einem durchsichtigen Gel in der Mitte. Man konnte sie zwei Stunden lang tragen, sich einen Testosteronschub holen und war morgens so sauber wie ein Neugeborenes.

Dennoch mussten wir vorsichtig sein. Als ich in Girona lebte, wurde es einmal ziemlich eng. Wir hatten Besuch von einem alten Schulfreund und seiner Frau, und wahrscheinlich war ich abgelenkt, jedenfalls ließ ich mein Testosteron-Pflaster viel zu lange dran – sechs Stunden statt zwei. Als ich es dann merkte – ich fühlte, wie sich das Pflaster auf meinem Bauch wellte –, wurde ich nervös. Ich war im roten Bereich und würde es den ganzen nächsten Tag lang bleiben.

Früh am nächsten Morgen ging ich zum Training, und zum Glück tauchten die Tester auf, während ich weg war. Haven rief mich an, und statt nach Hause zu fahren, fuhr ich zu einem Hotel und übernachtete dort. Unseren Besuchern war das nur schwer zu erklären, aber am Ende war es die richtige Entscheidung. Einen Strike zu bekommen, war keine große Sache. Aber wenn man mich erwischt und positiv getestet hätte, wäre es eine Katastrophe gewesen: Ich hätte meinen Job verloren, meine Sponsoren, mein Team und meinen guten Ruf. Ich hätte Postal in Gefahr gebracht und die Jobs meiner Freunde. Wegen der französischen Ermittlungen enthielten unsere Verträge mit Postal von 2001 eine Klausel, die es Postal erlaubte, den Vertrag mit jedem Fahrer zu kündigen, der gegen die Anti-Doping-Vorschriften verstieß. Wie Lance und alle anderen lebte ich nur eine kleine Spanne, ein verbotenes Molekül entfernt von Ruin und Schande.[3]

Im Vergleich mit der Ahnungslosigkeit der Tester hatte Lance stets alle Antennen ausgefahren – insbesonders in Dopingfragen. Er beobachtete jeden. Er suchte nach verdächtigen Leistungssprüngen. Er achtete darauf, wer mit welchem Arzt zusammenarbeitete. Er wollte herausfinden, wer mehr dopte, plötzlich aggressiv und ehrgeizig war oder neue Ideen hatte – kurz: wen er im Auge behalten musste.

Vor der Tour 2001 hatte Lance seine Augen und Ohren überall. Er wusste, dass Ullrich in Südafrika trainierte. War es ein Zufall, dass dort gerade erst ein Blutersatzmittel namens Hemopure zugelassen worden war? Er wusste, dass viele junge, vielversprechende spanische Fahrer in Madrid mit einem Arzt namens Eufemiano Fuentes zusammenarbeiteten. Er wusste, dass Pantani gerade durchdrehte und Kokain und andere Partydrogen nahm. Vor allem aber wusste er, dass der neue EPO-Test im Frühjahr eingeführt werden sollte und dass zugleich neue, nicht nachweisbare EPO-Varianten entwickelt wurden. Das Spiel veränderte sich ständig.

Lance nutzte die Rennen als Nachrichtenbörse, er achtete darauf, was dort geredet wurde, und sammelte Insider-Informationen. Manchmal fuhr er neben einem Fahrer her – oft einem Italiener oder Spanier, die bekanntermaßen mitteilsam waren – und fragte sie einfach, auf seine direkte, unwidersteh-

---

3 Es gab offensichtlich auch noch einfachere Möglichkeiten, um den Testern zu entgehen. Der Kelme-Fahrer Jesús Manzano erzählte, der Postal-Arzt Luis del Moral sei vorgewarnt worden, wenn Tester zu ihm unterwegs waren – und zwar durch Walter Viru, den ehemaligen Kelme-Arzt, der das von der UCI anerkannte spanische Hämatologie-Labor leitete, das die Tests durchführte. »Die Welt des Radsports in Spanien ist durch und durch korrupt«, erzählte Manzano der französischen Sporttageszeitung *L'Equipe* 2007. Viru wurde im November 2009 von der spanischen Polizei mit der Begründung verhaftet, er habe ein Dopingnetzwerk geleitet.

liche Art: Was war denn so los? Was gab es Neues? Wer war ungewöhnlich gut in Form? Wie sah Ullrich aus? Wie lief Pantanis Bergtraining? Mit welchem Arzt arbeiteten sie zusammen? Die Fahrer legten Wert darauf, sich mit Lance gut zu stellen, denn sie wussten, dass er die Möglichkeit hatte, ihnen entweder zu helfen oder zu schaden.

Auch über mich wusste Lance einiges. Eines Tages fuhren wir in den Hügeln über Nizza, als er erwähnte, dass das Postal-Budget durch die teuren Neuverpflichtungen von Heras und der Armada überzogen sei. Und dann erwähnte er etwas, von dem er eigentlich nichts hätte wissen dürfen: jene 100 000 Dollar Vertragsprämie, die ich als Teil des Teams verdient hatte, das die Tour gewonnen hatte.

Ich war verunsichert. Mein Vertrag mit Postal ging niemanden etwas an, am allerwenigsten Lance. Richtig entnervt war ich dann, als Lance vorschlug, ich solle auf meine 25 000 Dollar Tourprämie von ihm verzichten und sie dem Team überlassen, um das Budget zu entlasten. Er ließ es so rüberkommen, als sei es eine coole, originelle Idee – und zugleich, dass ich zustimmen müsse, wenn ich ein echter Kumpel sei.

Im Rückblick war sein Vorschlag gleich in mehrfacher Hinsicht nicht in Ordnung, denn er verletzte damit meine Privatsphäre, ganz zu schweigen davon, dass seine Idee dem gesunden Menschenverstand widersprach. Lance konnte es sich mit Leichtigkeit leisten, mir das Geld zu geben, das mir zustand. Immerhin verdiente er schon mit einem einstündigen Vortrag das Vierfache davon. Aber damals hatte ich das Gefühl, ich hätte keine andere Wahl als zu sagen: Klar, Boss, ich leg was drauf. Ich hatte erlebt, was mit Kevin und Frankie passiert war, und ich wusste, dass ich bei einem Streit mit Lance nur den Kürzeren ziehen konnte.

Anfang 2001 trafen sich einige vom A-Team zu einem frühen Trainingscamp auf Teneriffa, einer der Kanarischen Inseln vor der Küste Afrikas. Es war mal wieder eine von Lance' McGyver-Aktionen – ein Telefonanruf, ein Flug mit dem Privatjet und Geheimhaltung, sogar vor dem Rest des Teams. Nur Lance und ich waren dabei mit den drei neuen spanischen Jungs, außerdem Johan, Ferrari und zwei Betreuer.

Teneriffa als abgelegen zu bezeichnen, ist noch gelinde ausgedrückt. Die Insel besteht aus roten staubigen Felsen, die sich als Kulisse für Filme wie *Die Reise zum Mittelpunkt der Erde* eignen. Wir wohnten in einem großen leeren Hotel auf der Spitze eines Vulkans. Ich teilte mein Zimmer mit Roberto Heras, und fast zwei Wochen lang taten wir nichts anderes als radfahren, schlafen und essen. Ferrari hatte seine Tochter mitgenommen, einen mageren, dunkelhaarigen Teenager, der aussah wie eine Miniaturversion von Michele. Ich weiß noch, dass wir am Tisch saßen, während uns zwei Ferraris beobachteten und jeden Bissen verfolgten, den wir aßen.

Auch Lance beobachtete. Er behandelte uns oft, als wären wir Verlängerungen seines Körpers, besonders wenn es ums Essen ging. Im Team erzählte man sich noch immer von einem Vorfall zwei Jahre zuvor in Belgien, als Lance sich während eines Trainingscamps ein Stück Schokoladenkuchen gegönnt hatte. Es muss ein ziemlich guter Kuchen gewesen sein, denn Lance aß noch ein zweites Stück. Und dann, unfassbar, aß er ein drittes. Die anderen Postal-Fahrer sahen ihm zu und ahnten schon, was sie erwartete. Am nächsten Tag war leichtes Training angesetzt. Doch der Kuchen änderte das. Stattdessen trieb Lance das Team zu einer brutalen fünfstündigen Fahrt, um einen Kuchen abzutrainieren, den nur er gegessen hatte. Wenn er sündigte, musste das ganze Team dafür büßen.

Die Jungs aus der Armada erwiesen sich als nett: Chechu Rubiera war ein echter Gentleman und ein ehemaliger Jurastudent; Victor Hugo Peña war ein kräftiger Kolumbianer mit einem Hai-Tattoo auf der linken Schulter und einer eisernen Arbeitsmoral; Roberto Heras war ein ruhiger, jungenhafter Typ, der kaum drei Worte sprach. Eines Nachts auf Teneriffa sagte er schließlich einen ganzen Satz.

Er fragte: »Wie schüttet ein Radprofi Zucker in seinen Kaffee?«

Wir schüttelten die Köpfe. Roberto nahm ein Zuckerpäckchen in die Hand und schnippte mit dem Finger dagegen, als schnippe er gegen eine Spritze. Alle lachten sich tot.

Wir fuhren täglich fünf bis sieben Stunden durch diese rote Mondlandschaft. Jeden Abend kehrten wir in das menschenleere Hotel zurück (es war Nebensaison). Wir fühlten uns wie in *The Shining*. Wir aßen in einem leeren Speisesaal. Wir liefen durch die Gänge. Roberto versuchte zu sagen: »Mir ist scheißlangweilig.« Aber er sprach nicht sehr gut Englisch, und so sagte er: »Ich bin scheißlangweilig.« Das wurde das Motto für unseren Aufenthalt: *Ich bin scheißlangweilig.*

Aber wir langweilten uns nicht nur. Michele baute uns mit Mikrodosen EPO alle zwei Tage auf, üblicherweise abends. Daher mussten wir auf der Hut sein, falls ein Tester auftauchte. (Wir wussten, dass das sehr unwahrscheinlich war angesichts der Entfernung und der Anreisekosten, aber trotzdem.) An einem Nachmittag entdeckte Lance einen Unbekannten in der Hotellobby, der nicht wie ein Tourist aussah, Fragen stellte und sich umsah. Lance rannte zur Hintertür des Hotels. Wie sich herausstellte, war der Mann Reporter einer örtlichen Zeitung, der gehört hatte, dass wir dort waren, und auf ein Interview spekulierte.

Wir kehrten erschöpft von Teneriffa zurück, bereit für die Saison. Die Frühlingsrennen liefen gut für mich. Dann, im April, hatte ich Pech: Ich stürzte bei Lüttich-Bastogne-Lüttich und brach mir den Ellenbogen. Ich wünschte, es wäre bei etwas Dramatischem passiert, aber es war ein typischer blöder Unfall. Mein Vordermann stürzte, und ich fuhr in ihn hinein. Im einen Moment war ich auf dem besten Weg zu einer erfolgreichen Frühjahrssaison, und im nächsten war mein Arm in Gips. Ich beschloss, für ein paar Wochen zur Erholung nach Marblehead zurückzukehren. Ich sollte dann planmäßig Mitte Mai zu den Tour-Trainingscamps zurückkehren und mich auf meine große

Chance bei der Tour de Suisse vorbereiten. Ich war aufgeregt wegen der Schweiz, weil Johan mir erzählt hatte, ich solle bei dieser Rundfahrt die Rolle des Mannschaftskapitäns übernehmen. Das war eine riesige Chance und eine große Verantwortung. Ich steckte mir ein paar Ampullen Edgar ins Gepäck. In Marblehead trainierte ich, als führe Lance neben mir. Ich aß, als beobachtete mich Ferrari. Ich spritzte ausreichend Edgar (da ich keine Zentrifuge hatte, arbeitete ich nach Gefühl). Ich traf mich mit meiner Mutter, meinem Vater, meinem Bruder und meiner Schwester, wenn auch nicht so oft, wie ich es gerne getan hätte. Ich konzentrierte mich auf mein Training. Ich war auf die Tour de Suisse fokussiert wie ein Laserstrahl, und ich war entschlossen, mich von der Verletzung nicht zurückwerfen zu lassen.

Als ich im Mai nach Europa zurückkehrte, war ich gut in Form. Sogar in Topform. Ich fuhr direkt zu Ferraris Haus in Ferrara. Er nahm seine üblichen Messungen vor – Körperfett, Hämatokrit, Gewicht – und lächelte. Dann führten wir am Aufstieg zum Monzuno einen Fitnesstest durch, eine von Ferraris Lieblingsstrecken. Es war ein vier Kilometer langer Anstieg, der bei neun Prozent Steigung fast 400 Höhenmeter überwand und durch Äcker und Olivenhaine führte. Viele große Fahrer hatten sich dort schon erprobt, und Lance hielt den Rekord am Monzuno. Zumindest bis zu jenem Tag. Als ich oben ankam, lächelte Ferrari, wie ich ihn nie zuvor hatte lächeln sehen. Ich hatte Lance' Rekord gebrochen, um nicht zu sagen, pulverisiert.

Ein tolles Gefühl.

Dieses Gefühl verstärkte sich noch, als Ferrari mir die Zahlen nannte. Meine Leistung beim Test lag bei 6,8 Watt pro Kilogramm – höher als jemals zuvor. Damit lag ich über Ferraris magischer Schwelle von 6,7 für Tour-Gewinner. Das hieß nun nicht gleich, dass ich die Tour gewinnen konnte (es war nur ein kurzer Test), aber es war ein gutes Zeichen. Ich war in der Bestform meines Lebens.

Tests am Monzuno oder am Col de la Madone waren eine große Sache in unserer kleinen Welt, sie bedeuteten so viel wie Rennergebnisse, vielleicht sogar mehr. Manche Fahrer prahlten gern mit ihren Testbergfahrten, aber ich erzählte nur Haven davon und sonst niemandem. Leider war Ferrari nicht ganz so diskret. Als ich Lance wenige Tage später im Trainingscamp des Teams begrüßte, warf er mir einen eigenartigen Blick zu.

»Monzuno also? Damit bist du jetzt wohl der große Mann, oder, Tyler?«

Am nächsten Morgen wurde es noch schlimmer. Man nahm uns Blut ab und steckte es in die Zentrifuge, um den Hämatokritwert zu bestimmen. Meiner lag bei 49,7. Normalerweise kennen diesen Wert nur der Fahrer und der Arzt. Aber nicht in diesem Fall.

»Da kommt ja unser Mister beschissene Neunundvierzig-Komma-Sieben«, sagte Lance. »Das heißt dann wohl, dass du heute den ganzen Tag im Wind fährst.«

Das bedeutete, ich würde nur an der Spitze der Gruppe fahren, der härtesten Position, um mich auszupowern und meinen Hämatokritwert zu senken.

An dem Abend belehrte mich Johan, ich solle vorsichtig sein, und nicht so dicht an die 50 rangehen. Es wurde zum Motto des Camps. Sogar Lance' Frau Kristin machte eine beiläufige Bemerkung darüber: »Ich habe gehört, du hast da eine große Nummer, Tyler.«

Ich war sprachlos. Ich hatte mich an die Regeln gehalten. Ja, mein Hämatokritwert war ein bisschen hoch, aber auch nicht höher, als Lance' Werte oft waren. Und jetzt musste ich mich von Johan anmachen lassen und von Kristin? Mein Monzuno-Test war kein zufälliger Glückstreffer gewesen – er war das Ergebnis harter, professioneller Arbeit. Ich hatte den Erfolg verdient. Und ich verhielt mich auch nicht leichtfertig. Wäre ein Tester aufgetaucht, wäre der Test negativ ausgefallen, ich war keine tickende Zeitbombe. Aber tief in meinem Inneren wusste ich, dass es gar nicht wirklich um den Hämatokritwert oder den Rekord ging. Lance fühlte sich ganz einfach bedroht.

Dass ich Lance' Rekord am Monzuno gebrochen hatte war – *nicht normal.*

Lance sagte das mit völliger Überzeugung, aber dabei ignorierte er den zentralen Punkt überhaupt: Lance' eigene Leistungen bei der Tour waren *nie* normal. Es ist nicht normal, dass man den Leuten einfach so davonfährt und es nicht einmal merkt, wie er es vor Sestriere während der Tour 1999 getan hatte. Es war nicht normal, wie er Pantani bei der Tour 2000 am Ventoux deklassiert hatte. In unserer Welt war gar nichts normal. Aber in Lance' Vorstellung bedeutete »normal«, dass er gewann.

Tony Rominger, ein Topprofi und ebenfalls Kunde von Ferrari, sprach einmal über die schwierigen Wettbewerbsbedingungen in der EPO-Ära. Er sagte, das eigentliche Problem sei: »Auf einmal denken alle, sie seien Champions.«

Damit hat er absolut recht, und Lance ist der beste Beweis dafür. Aufgrund seines Charakters und vor allem wegen seines Comebacks nach der Krebserkrankung war Lance zutiefst davon überzeugt, dass er, wenn er hart trainierte, das Recht hatte, jedes einzelne Rennen zu gewinnen. Lance ist ein verdammt guter Radsportler, Edgar hin oder her. Aber hier lag er falsch, weil Sport so einfach nicht funktioniert. Ich habe aus demselben Grund mit dem Sport angefangen, aus dem ihn so viele lieben: Er ist unberechenbar, voller Überraschungen und menschlich. Für mich lag darin Lance' größtes Problem: Er konnte sich nicht von der Vorstellung lösen, dass er zum Sieger geboren war, und er konnte sich nicht von der Macht trennen, seine eigenen Leistungen bis ins Detail hinein zu kontrollieren. Es ist ein uraltes Paradox: Lance ertrug fast alles, außer der Möglichkeit, er könne verlieren. Und das ist meiner Meinung nach nicht normal.[4]

---

4 Für Armstrong gab es inzwischen noch einen weiteren Anreiz. Im Frühjahr 2001 nahm Tailwind Sports (die Managementfirma, die Postal leitete und deren Miteigentümer Armstrong war) Kontakt mit SCA Promotions auf, einer Firma, die Werbeaktionen im Sport und bei anderen Veranstaltungen versicherte, wie etwa einen mit einer Million Dollar dotierten Korbwurf über

Aber wenn Lance das beste Beispiel war, dann war ich das zweitbeste. Ich sah meine Werte, und ich sah den Ausdruck in Ferraris Augen. Ich erinnerte mich, was Pedro mir Jahre zuvor gesagt hatte. Im Grunde stand ich nicht besser da als die anderen, aber ganz langsam begann ich zu glauben, dass vielleicht auch ich zu einem Champion ausersehen war.

Die Tour de Suisse ließen wir wegen ihres Termins meistens aus. Sie fand normalerweise zwei Wochen vor dem Start der Tour de France statt, was insofern ein Problem darstellte, als es unseren Edgar-Einsatz vor der Tour einschränkte. Bei der Ausgabe von 2001 gab es allerdings eine interessante Besonderheit: ein Bergzeitfahren, das einer Schlüsseletappe der anstehenden Tour stark ähnelte. Daher beschlossen Lance und Johan, dass wir bei der Rundfahrt starten würden. Und schon zu Anfang der Saison hatte Johan mir angekündigt, dass ich dabei die Rolle des Kapitäns übernehmen sollte.

Ich bereitete mich auf die übliche Weise vor, trainierte hart und nahm Edgar, um meine Werte zu optimieren. Ein paar Tage vor dem Rennen setzte ich Edgar dann komplett ab. Ferrari hatte uns zwar beruhigt, aber ich wollte kein Risiko eingehen. Ich wollte nicht riskieren, mit EPO ins Rennen zu gehen, schon gar nicht, seit die Behörden den neuen EPO-Test einsetzten.

---

das halbe Spielfeld im Basketball. Tailwind wollte bei SCA Prämienzahlungen versichern, die Armstrong erhalten würde, wenn er die Tour von 2001 bis 2004 in Folge gewann. Die Chancen, dass Armstrong die Tour sechsmal hintereinander gewann, galten als äußerst gering, bei der Vereinbarung handelte es sich praktisch um eine Wette. Tailwind bezahlte 420 000 Dollar an SCA, und im Gegenzug erklärten sich SCA und Partner bereit, die steigenden Bonuszahlungen an Armstrong für die Touren von 2001 bis 2004 abzudecken. Der Vertrag sah vor, dass Armstrong 3 Millionen Dollar erhalten sollte, wenn er die Tour zwei weitere Male in Folge gewann, 6 Millionen Dollar, wenn er drei gewann und 10 Millionen Dollar, wenn er alle vier gewann. Insgesamt ging es um eine mögliche Auszahlungssumme von 19 Millionen Dollar.

Allerdings wusste ich zu diesem Zeitpunkt nicht, dass Lance die Tour de Suisse in absoluter Topform bestreiten wollte. Wie sich herausstellte, hatten er und Ferrari einen eigenen Plan ausgearbeitet: Ferrari hatte Lance geraten, in einem Höhenzelt und mit einer Mikrodosis Edgar (800 Einheiten pro Nacht) in den Venen zu schlafen. Dadurch würde sein Hämatokritwert hoch bleiben und zugleich der EPO-Test ausgehebelt, bei dem das Verhältnis von natürlichem und künstlichem EPO verglichen wurde. Durch das Höhenzelt würde mehr natürliches EPO produziert, was alle eventuellen Überschüsse an künstlichem EPO ausgliche. Es war eine klassische Ferrari-Strategie – einfach, elegant –, und sie wurde im ganzen Team nur Lance angeboten.

Während des Prologs lagen Lance und ich ziemlich dicht beieinander – er schlug mich um fünf Sekunden. Doch im weiteren Verlauf des Rennens blieb Lance stark, und ich ließ nach. Vor dem Bergzeitfahren auf der achten Etappe lag Lance auf einem aussichtsreichen dritten Platz. Ich war Zweiundzwanzigster, lag sechs Minuten zurück und war nicht in der Lage, die Mannschaft länger zu führen. Lance gewann das Zeitfahren haushoch, ich wurde Dritter mit 1:25 Minuten Rückstand. Ich war enttäuscht. Für Lance war es allerdings ein großartiges Ergebnis. Sein Plan mit Ferrari hatte perfekt funktioniert.

Zumindest, bis Lance positiv getestet wurde.

Ja, Lance Armstrong wurde bei der Tour de Suisse positiv auf EPO getestet. Ich weiß es, weil er es mir erzählte. Wir standen am nächsten Morgen, dem Morgen der neunten Etappe, am Bus. Lance hatte ein eigenartiges Lächeln auf den Lippen. Er kicherte fast, als hätte ihm jemand einen guten Witz erzählt.

»Den Scheiß glaubst du mir nie«, sagte er. »Sie haben mich mit EPO erwischt.«

Ich brauchte einen Moment, bis ich verstand. Das Herz rutschte mir in die Hose. Wenn das stimmte, dann war es für Lance vorbei. Mit dem Team war es vorbei. Für mich war es vorbei. Er lachte noch einmal trocken.

»Keine Sorge, Mann. Wir werden uns mit denen zusammensetzen. Es ist schon alles geregelt.«

Es war eigenartig. Lance war die Sache nicht peinlich, er war nicht erschrocken, und er machte sich keinerlei Sorgen. Es war, als wolle er mir zeigen, wie wenig ihm das ausmachte, wie gut er alles unter Kontrolle hatte. Fragen überschlugen sich in meinem Kopf: Was zur Hölle war geschehen? Gab es einen neuen EPO-Test? Mit wem würde er sich zusammensetzen? Aber sein Gesichtsausdruck sagte mir, ich solle besser nicht nachfragen. Nach dieser kurzen Unterhaltung erwähnte Lance das Thema mir gegenüber nie wieder.[5]

Ich erinnere mich, dass Lance irgendwann nach diesem Vorfall vom Mannschaftsbus aus mit Hein Verbruggen telefonierte. Ich weiß nicht mehr, worüber sie sprachen, aber mir fiel der vertrauliche Ton der Unterhaltung auf. Lance sprach mit dem Präsidenten der UCI, dem höchsten Funktionär unseres Sports. Aber er hätte genauso gut mit einem Geschäftspartner reden können, einem Freund.

Nach dem Ende der Tour de Suisse 2001 wurde klar, dass ich nicht mehr zu Lance' innerem Kreis gehörte. Wahrscheinlich

---

5 Nach einer 60-*Minutes*-Dokumentation, die im Mai 2011 gesendet wurde, bezeichnete das Labor in Lausanne Armstrongs Originalprobe als »verdächtig« und gab an, sie »deutet auf den Einsatz von EPO hin«. An diesem Punkt schaltete sich, nach Quellen im FBI, ein UCI-Funktionär ein und forderte, dass die Angelegenheit »nicht weiter verfolgt« werde. Er arrangierte für Armstrong und Bruyneel ein privates Treffen mit Dr. Martial Saugy, dem Direktor des Labors. Armstrong spendete später in zwei Chargen insgesamt 125 000 Dollar an den Anti-Doping-Fonds des UCI im Einvernehmen, dass das Geld an Saugys Labor in Lausanne ausgezahlt werde und zur Anschaffung eines neuen Bluttestgerätes dienen solle.
Nach der Ausstrahlung des 60-*Minutes*-Berichtes gab die UCI eine Erklärung heraus, dass der Verband diese Berichterstattung »kategorisch zurückweist« und dass man niemals einen positiven Test beeinflusst oder versteckt habe. »Es wurde niemals etwas vertuscht«, erklärte der ehemalige UCI-Präsident Hein Verbruggen. »Bei der Tour de Suisse nicht, und auch nicht bei der Tour de France.«

war es schon seit Lance' ungehaltener Reaktion auf meinen Monzuno-Test so, aber jetzt wurde es deutlich. Lance verhielt sich noch distanzierter als sonst. Wir trainierten immer seltener zusammen. Ich wurde nicht mehr, wie noch im Jahr zuvor, zu einer Transfusion vor der Tour de France aufgefordert. Jetzt würden Chechu und Roberto Lance die Berge hinaufziehen. Und falls ich noch irgendwelche Zweifel gehabt hätte, räumten Lance und Johan sie gründlich aus, als sie mich kurz vor dem Start der Tour wegen etwas in die Mangel nahmen, das ich in *VeloNews* gesagt hatte.

Es geschah an dem Morgen, an dem wir in Lance' Privatjet zur Tour fliegen sollten. Ich war zu Hause und packte meine Koffer, als Johan anrief. Seine Stimme klang tief und besorgt. Er sagte, er und Lance hätten gerade ein Interview gelesen, das ich *VeloNews* für ihre Ausgabe mit der Tour-Vorschau gegeben hatte. Und jetzt hätten wir ein Problem. Ein großes Problem.

»Sie zitieren dich, Tyler«, sagte Johan. »Du musst doch aufpassen, was du sagst.«

Wie bitte?

»Du musst dich bei Lance entschuldigen. Er hat es gelesen und sich ganz furchtbar aufgeregt.«

Ich war verwirrt. Ich hatte in dem Artikel doch überhaupt nichts großartig Kontroverses gesagt. Zum Beweis ist hier das Zitat:

»Statt einfach im Schongang nach Alpe d'Huez hinaufzufahren – was natürlich viel länger dauert, für mich aber bequemer wäre –, tue ich erst meinen Job (und mache Tempo für Armstrong) und lasse mich dann so wenig wie möglich zurückfallen. Es könnte ja darauf ankommen, im Gesamtklassement nicht zu viel Zeit zu verlieren. Wenn ich dann später in den Pyrenäen bei einem Ausreißversuch mitfahre, nimmt das den Druck von unserem Team. Telekom muss dann vielleicht eine Aufholjagd starten und vier oder fünf Fahrer nach vorn schicken, um die Ausreißer wieder einzufangen, nur weil ich da mitfahre.«

Das ist eine übliche Strategie beim Radrennen: Wie im Artikel erwähnt, wird es durch eine zweite Spitze im Team einfacher für Lance. Dieselbe Strategie kam doch schon bei der Tour 1986 zur Anwendung. Ich erzählte davon, weil ich mir sicher war, Lance würde verstehen, dass ich ein loyales Mitglied der Mannschaft war, sein Unterstützer und Freund. Und dass ich mich keineswegs als sein Rivale um die Führungsposition bei Postal betrachtete.

Leider bewies mir der Klang von Johans Stimme, dass ich damit falsch gelegen hatte.

»Du musst Lance sofort anrufen«, sagte er. »Entschuldige dich bei ihm. Mach es wieder gut.«

Ich rief Lance an und entschuldigte mich vielmals. Ich sagte, man habe mich falsch zitiert, dass ich auf keinen Fall eigene Ambitionen hätte, dass ich ihn ohne Frage mit 100 Prozent meiner Kraft unterstützte. Lance hörte mir zu und schien meine Entschuldigung zu akzeptieren, wenn auch leicht widerwillig.

In den Medien wurde die Tour 2001 vor allem durch *den Blick* bekannt, jenen herausfordernden Schulterblick, den Lance Jan Ullrich am Fuß von Alpe d'Huez zuwarf, bevor er davonfuhr, um die Etappe zu gewinnen und sich seinen dritten Gesamtsieg bei der Tour zu sichern. Auf mir ruhte *der Blick* das ganze Rennen lang. Lance beobachtete mich. Er wartete auf Anzeichen dafür, dass ich ihn verriet.

Das war ein schlechter Witz, denn bei dieser Tour war ich absolut keine Gefahr für Lance. Ich fuhr auf paniagua. Ich hatte nirgends eine Blutkonserve versteckt. Kein Motoman belieferte mich mit Edgar. Ich hatte keinen Plan B, um meine Hämatokritwerte oben zu halten, keine Chance. Aber Lance hielt es für möglich. Darum hatte ihn das Zitat in den *VeloNews* so auf die Palme gebracht. Es war dieselbe alte Regel: *Was immer du machst, die beschissenen anderen machen mehr.* Und ich gehörte jetzt offiziell zu den »beschissenen anderen«.

Bei Lance folgen alle Freundschaften demselben Muster: Er freundet sich mit jemandem an, und dann – klick – passiert irgendwas, es kommt zu einem Konflikt, und die Freundschaft ist beendet. Das passierte mit Kevin und Frankie, Vaughters, Vande Velde und all den anderen. Dass es mir auch passierte, war keine Überraschung. Es war letztendlich unvermeidlich.

Ich erinnere mich, wie Lance einem neuen Postal-Fahrer einen Rat gab, wie er die Tour fahren sollte. Er sagte: »Denk immer daran, diese Typen sind eiskalte Killer.«

Eiskalte Killer. So sah Lance die Welt. Er war davon überzeugt, dass alle um ihn herum absolut skrupellos waren. Und seine Denkweise funktionierte ja. Sie brachte Erfolge. Lance dachte nicht lange darüber nach oder zögerte auch nur, bevor er Kevin und Frankie aus dem Postal-Team warf. Er tat es einfach. Auch bei mir dachte er nicht lange nach, bevor er mich hinausdrängte, nicht eine Sekunde. Er würde alles tun, um zu gewinnen.

Ich war nicht sein einziges Problem. Am ersten Tag der Tour schrieb David Walsh von der *Sunday Times* in London einen Artikel, in dem er eine Verbindung zwischen Armstrong und Ferrari herstellte. Walsh hatte seine Hausaufgaben gemacht: Er hatte Hotelrechnungen, Besuchstermine und Aussagen von anonymen Ex-Motorola-Teammitgliedern, die über Lance' Rolle bei der Entscheidung des Teams sprachen, im Jahr 1995 zu dopen. Und in Kürze würde Ferrari in Italien wegen Dopingvorwürfen vor Gericht stehen.

Lance ging ziemlich gut damit um: Zuerst entschärfte er die Ferrari-Bombe von Walsh, indem er einer italienischen Zeitschrift ein Interview gab. Darin erzählte er, er habe mit Ferrari zusammengearbeitet, als er versucht habe, auf der überdachten Bahn eines Velodroms den Stundenweltrekord zu verbessern. (Als ich das mit dem Rest des Postal-Teams las, mussten wir alle laut lachen. Lance hatte den Stundenweltrekord uns gegenüber nie erwähnt und ist, soviel ich weiß, auch noch nie in einem Velodrom gefahren.) Chris Carmichael versicherte der ganzen Welt, er sei Lance' einziger echter Trainer, und die anderen Fahrer unterstützten ihn öffentlich. Die ganze Sache war perfekt gedeichselt.[6]

Der Rest der Tour verlief ohne Zwischenfälle. Die Kontroverse trat langsam in den Hintergrund, und Lance dominierte Ullrich, seinen einzigen echten Konkurrenten. Lance gewann in Alpe d'Huez und kachelte die 21 Kehren in sensationellen 38:01 Minuten hinauf – ganze zehn Minuten schneller als Greg LeMond und Bernard Hinault bei der Tour 1986. Das Bergzeitfahren bei Chamrousse gewann Lance ähnlich überlegen. Heras und Rubiera machten einen großartigen Job, und der Rest des Teams brachte gute Leistung. Mit einer Ausnahme: mir. Ich fuhr auf paniagua, und das machte mich vom Sieg-Aspiranten zum Niemand. Nach dem Prolog lag ich auf Platz 45. Auf der ersten Bergetappe kam ich 40 Minuten nach Lance ins Ziel. Am Ende landete ich auf Platz 94, zweieinhalb Stunden hinter Lance, mein mit Abstand schlechtestes Tourergebnis. Ich hatte als die nächste große Hoffnung gegolten, und jetzt schaffte ich es gerade so, in Paris anzukommen. In der Presse hieß es, ich sei »gesundheitlich angeschlagen«, ich habe eine Mageninfektion. Ich spielte mit. Was hätte ich auch anderes tun können?

---

6 Eine Ausnahme war der dreimalige Tour-de-France-Gewinner Greg LeMond, der sagte: »Als Lance 1999 den Prolog der Tour gewann, war ich zu Tränen gerührt, aber als ich hörte, dass er mit Michele Ferrari zusammenarbeitete, war ich am Boden zerstört. Angesichts von Lance' Beziehung zu Ferrari möchte ich die diesjährige Tour nicht kommentieren. Ich gönne es ihm. Aber ich bin enttäuscht von Lance, das ist alles.«
Kurze Zeit später erhielt LeMond einen Anruf von Lance. LeMond sagt, Armstrong habe ihm gedroht und sei aggressiv gewesen und habe darauf hingewiesen, dass LeMonds Geschäfte mit Trek darunter leiden könnten, einem Sponsor von Postal, mit dem LeMond seine Fahrradmarke vermarktete. Wenige Wochen später veröffentlichte LeMond eine umständlich formulierte Gegendarstellung. »Sie haben mir die Pistole auf die Brust gesetzt«, erzählte LeMond später dem britischen Journalisten Jeremy Whittle. »Das Armstrong-Lager übte unglaublichen Druck auf mich aus, und meine ganze Firma stand auf dem Spiel.«

Ich war ganz offensichtlich nicht in der Lage, Leistung zu bringen, aber das war Lance und Johan ziemlich egal. Bei einer der ersten Touretappen sollte ich die Ausreißer übernehmen, das heißt, ich sollte ganz vorne im Rennen und bei den frühen Ausreißversuchen mitfahren, damit Lance ein Teammitglied an der Spitze hatte. Bei der Tour nach vorne zu fahren ist kein Spaziergang, weil alle wie die Teufel fahren und man sich an den anderen 188 Fahrern vorbeikämpfen muss, die auch vorne sein wollen.

Es war noch am Anfang der Etappe, wir fuhren wie die Irren, und Johan schrie mich über Funk an, ich solle nach vorn fahren, nach vorn – und ich gab alles. Aber erschöpft wie ich war, schaffte ich es nicht weiter nach vorn. Dann fühlte ich, wie jemand den Kragen meines Trikots packte und mich heftig nach hinten zog. Lance schrie, so laut er konnte, in mein Ohr.

»Was zum TEUFEL machst du da, Tyler?«

Die anderen Fahrer sahen zu, wie er mich nach vorn schubste.

»Kümmere dich um die beschissenen Ausreißer!«

Nach der Etappe forderte Johan mich auf, mich beim gesamten Team für meine schlechte Leistung zu entschuldigen. Ich tat es.

Ich schluckte meinen letzten Rest Stolz hinunter und sagte, es tue mir leid, dass ich das Team enttäuscht hätte, während Lance beifällig zusah.

In jener Nacht sagte ich Haven, dass ich meinen Vertrag mit Postal nicht verlängern würde, egal was geschah. Und wenn sie mir zehn Millionen Dollar boten, würde ich dankend ablehnen. Ich bat meinen Agenten, sich nach anderen Angeboten umzusehen. Die Frage war nur: Wohin sollte ich gehen? Es gab einige Teamchefs, die mein Potenzial als Mannschaftskapitän, vielleicht sogar als Gewinner der Tour erkannten und Interesse zeigten.

Doch nachdem ich eine Weile darüber nachgedacht hatte, gab es für mich nur eine Antwort. Nur ein Mann war selbst schon an der Spitze gewesen. Nur einer konnte ein Team aufbauen, das stärker war als Postal. Einer, der wusste, wie er mir dabei helfen konnte, zu einem Teamleader zu werden, der es mit Lance aufnehmen und ihn schlagen konnte. Der Adler. Der Prototyp der Muskelmänner.

Bjarne Riis.

NEUSTART

Ich kam mir vor wie an einem Film-Set – als wäre ein Postkartenmotiv zum Leben erwacht. Ich saß auf einem Gartenstuhl und blickte über die hügelige Landschaft der Toskana. Olivenbäume, goldenes Sonnenlicht, wie von Michelangelo gemalt. Es war der 31. August 2001, ein Monat nach dem Ende der Tour. Ein paar Meter von mir entfernt saß mein neuer Sportdirektor, der hochgewachsene, kahlköpfige, immer noch muskulöse Bjarne Riis vom Team CSC-Tiscali. Wir hatten den letzten Tag zusammen verbracht und uns über das Team, über meinen Renn-Terminplan für 2002, über die Ausrüstung und über das Training unterhalten. Jetzt beugte er sich nach vorn.

»Welche Methoden habt ihr bei Postal angewendet?«

Die Frage kam überraschend, deshalb zögerte ich. Ich hatte zwar erwartet, dass Bjarne irgendwann danach fragen würde, aber ich hätte ihn nicht für derart direkt gehalten. Ich hatte angenommen, Bjarne wäre der coole, roboterhafte Däne, der so ein Thema eher diskret behandelte. Aber nun musste ich feststellen, dass ich mich geirrt hatte.

Bjarnes Geheimnis war, dass hinter seiner dänischen Coolness ein temperamentvoller kreativer italienischer Kopf steckte. Da war nicht nur die Tatsache, dass er diese herrliche Villa bei Florenz besaß oder gerne Opern hörte. Es ging vielmehr darum, wie Bjarne an die Aufstellung eines Siegerteams für die Tour heranging. Er war offen für neue Ideen und wollte hören, wie ich über Ernährung, Training, Trikots und so weiter dachte. Ich mochte ihn und hätte sogar eine Honorarkürzung in Kauf genommen, um für ihn fahren zu dürfen, weil Bjarne im Gegensatz zu Johan und Lance nicht so tat, als hätte er auf alles eine Antwort. Bei Postal war ich mir vorgekommen wie beim Militär – halt den Mund und mach deinen Job –, aber für Bjarne zu fahren war ein bisschen so wie für Apple zu arbeiten: *Think different* – hier war die eigene Meinung gefragt.

Unser Trainingslager war ein gutes Beispiel dafür. Statt der üblichen Routine (ab an einen warmen Ort und dann Trainingstouren jeden Tag) präsentierte Bjarne das genaue Gegenteil. Er schickte uns in einen eisigen schwedischen Wald, wo wir unter Führung eines Exsoldaten aus einer Spezialeinheit ein Überlebenstraining absolvierten. Das hört sich vielleicht kitschig an, aber diese gemeinsame Erfahrung schweißte uns als Team tatsächlich zusammen. Wo kann man sich schon besser kennenlernen als an einem Lagerfeuer im Schnee.

Riis' Renaissance-Mentalität schloss sämtliche Elemente des Rennens ein. Nicht anders als der Rest des Pelotons war Bjarne von Lance' und Postals Stärke tief beeindruckt, und nun rückte er mir immer dichter auf die Pelle, denn er war begierig auf die Details. Namen, Zahlen, Techniken – welche Methoden wendeten sie an? In diesen Gesprächen hatte ich den Eindruck, dass Bjarne wirklich alles wissen wollte. Er hätte sogar zugehört, wenn ich ihm erzählt hätte, dass man bei Postal Bleichmittel mit Straußeneiern trank. Und er hätte es in Erwägung gezogen.

Seltsam an der Sache war, dass ich nicht die Wahrheit sagte, als Bjarne mich nach den Methoden bei Postal fragte. Ich stellte mich dumm und behauptete, soweit ich wüsste, hätten sie bei Postal keine speziellen Methoden; sie würden nur EPO, Testosteron, Kortison und Actovegin verwenden. Manche stünden auf HGH (menschliches Wachstumshormon), aber ansonsten sei da nichts Spezielles.

Bjarne lehnte sich auf seinem Stuhl zurück und nahm einen Schluck Wein.

»Hast du es mal mit einer Transfusion versucht, Tyler?«
Ich schüttelte den Kopf, und Bjarnes blaue Augen leuchteten auf.

»Oh, das musst du mal probieren. Du wirst es mögen.«

»Okay«, sagte ich. »Hört sich interessant an.«

Ich weiß nicht genau, warum ich Bjarne anlog. Vielleicht, weil wir uns gerade erst kennengelernt hatten. Obwohl ich Postal nicht unbedingt im Guten verlassen hatte, wollte ich niemanden verraten. Wenn ich heute darüber nachdenke, dass ich damals irgendwie moralische Bedenken hatte, muss ich lachen. Ehre unter Dieben, vermutlich.

Paradoxerweise war es ein Glück, dass ich nicht die Wahrheit gesagt hatte, denn die Eindringlichkeit von Bjarnes Vorschlag veranlasste mich, meine Meinung zu Transfusionen noch einmal zu überdenken. Meine bislang einzige Erfahrung mit Transfusionen hatte ich bei der Tour 2000 gemacht, und damals war ich nicht so gut gefahren, wie ich erwartet hatte. Nach Bjarnes Euphorie zu urteilen, hatte ich das Beste aber wohl verpasst.

Zum Beweis erzählte mir Bjarne, dass er vor seinem Tour-de-France-Sieg 1996 drei Transfusionen bekommen habe: eine vor Beginn der Tour und je eine an den beiden Ruhetagen. Er nannte mir auch die Gründe, weshalb sie so gut wirkten; im Gegensatz zum langsamen Anstieg des Hämatokritwertes bei der Verabreichung von EPO kam es bei Transfusionen zu einem sofortigen Anstieg um etwa drei Punkte, was einer Leistungssteigerung von drei Prozent entsprach. Transfusionen wirkten wie ein Jungbrunnen. Und das Beste daran war, in diesem neuen Zeitalter der EPO-Tests waren sie nicht nachweisbar, sondern hundertprozentig sicher – wenn man es richtig machte.

Nachdem er mir all das erzählt hatte, schwieg er. Er wartete auf ein Zeichen von mir. Ja oder nein?

Ich blickte über die Hügel der Toskana. Wieder einmal befand ich mich an einem Wendepunkt. Dies wäre der ideale Zeitpunkt gewesen, zu sagen: Danke, ich verzichte. Ich hätte

Bjarne einen Korb geben und ihm erklären können, dass ich kein Interesse an Transfusionen hätte. Ich hätte den Posten als Kapitän und das Programm ablehnen und einfach weggehen können. Also, warum tat ich es nicht?

Die Antwort ist wohl naheliegend: Ich befand mich bereits mittendrin; ich wusste, was gespielt wurde, wie alle in meiner unmittelbaren Umgebung. Und nach den Umständen, unter denen ich Postal verlassen hatte, hatte ich das Gefühl, etwas beweisen zu müssen.

Deshalb sagte ich Ja.

Bjarne und ich arbeiteten umgehend meinen Renn-Terminplan aus: Anstatt die Tour de France anzupeilen, sollte ich mich auf den Giro d'Italia, eine dreiwöchige Rundfahrt im Mai, konzentrieren. Unsere Logik war ein Mix aus Strategie und Zweckmäßigkeit: Trotz seines Renommees bot der Giro d'Italia ein überschaubareres Feld als die Tour de France. Außerdem war unser Co-Sponsor Tiscali ein italienisches Telekommunikationsunternehmen.

Dann gab Bjarne mir die Telefonnummer des Mannes, der mein Leben in den nächsten paar Jahren bestimmen sollte: Dr. Eufemiano Fuentes. Bjarne erklärte mir, Fuentes sei ein hoch angesehener und erfahrener spanischer Arzt, der schon jahrelang mit Spitzenfahrern gearbeitet habe. Er habe eine etwas gewöhnungsbedürftige Art, doch deswegen solle ich mir keine Gedanken machen. Und, keine Sorge, Fuentes sei äußerst zuverlässig. (Wie ich später feststellte, war das ein weiteres wiederkehrendes Muster: Immer wenn jemand betonte, wie zuverlässig etwas sei, stellte es sich im Nachhinein oft als das Gegenteil heraus.)

Im folgenden Frühjahr suchte ich Fuentes in seinem Büro in Madrid auf. Er wirkte eher wie ein Schauspieler als wie ein Arzt – ein hochgewachsener Mann von Mitte vierzig, mit dunklen Augen, nach hinten gekämmtem Haar, Pilotenbrille, Leinenanzug und italienischen Slippern. Fuentes redete und bewegte sich schnell. Er hatte eine warmherzige, freundliche, ja geradezu überschwängliche Art. Er liebte es, im Mittelpunkt zu stehen, besaß ein halbes Dutzend Handys und schien in ganz Europa Assistenten und Verbindungsleute zu haben. Ich erfuhr, dass Fuentes manchmal gut getarnt an medizinischen Kongressen teilnahm und sich dabei mit Arzneimittelproben eindeckte, die er dann an Sportlern ausprobieren wollte. Laut Polizeiberichten nannte Fuentes sich »El Importante«: der Wichtige. Ich nannte ihn Ufe.

Ufe stammte aus einer wohlhabenden Familie von Tabakbauern und besaß ein Büro in einem vornehmen Stadtteil von Madrid, außerdem ein paar Wohnungen. Er war selbst Sportler, Hürdenläufer, und hatte sein Medizinstudium im Fachbereich Gynäkologie abgeschlossen. In den 1980er-Jahren, als Spanien sich nach der Franco-Ära bemühte, Anschluss an den Rest der Welt zu finden, wandte er sich der Sportmedizin zu. Er studierte eine Zeitlang in Ostdeutschland und Polen und kehrte anschließend nach Hause zurück, um Spanien bei den Olympischen Spielen 1992 in Barcelona zum Erfolg zu verhelfen. Als ich ihn kennenlernte, befand er sich auf dem Höhepunkt seiner Karriere und hatte bereits mit allen großen spanischen Teams wie ONCE, Amaya Seguros und Kelme zusammengearbeitet. Anders als Ferrari, der sich ständig wegen der italienischen Polizei Sorgen machen musste, hatte Ufe den Vorteil, in einem System zu leben, das Doping tolerierte; Rennfahrer behaupteten, in Spanien würde man nicht verhaftet, selbst wenn man sich EPO-Spritzen an die Stirn klebte.

Bei der Spanien-Rundfahrt 1991 hat sich angeblich folgende Geschichte zugetragen: Ufe war mit dem Flugzeug unterwegs zu den Kanaren, dem Austragungsort der letzten Etappen. Einige Journalisten, die ihn begleiteten, entdeckten auf seinem Schoß eine kleine Kühlbox und wollten wissen, was da drin sei. »Der Schlüssel zum Sieg«, erwiderte Ufe. In diesem Jahr gewann einer seiner Fahrer, Melchor Mauri, das Rennen. Bei den fünf vorangegangenen großen Rundfahrten hatte Mauri bestenfalls den 78. Platz belegt.

Jörg Jaksche, ein großartiger Fahrer (Gewinner des Etappenrennens Paris-Nizza, Sechzehnter bei der Tour), lernte Ufe etwa um die Zeit kennen, als ich mit ihm zu arbeiten begann. Jörgs Geschichte über seine Begegnung mit Fuentes ist wahrscheinlich ziemlich typisch. Man lernte Fuentes nicht kennen, sondern man erlebte ihn.

JÖRG JAKSCHE: Fuentes bat mich, auf die Kanaren zu fliegen. Er holte mich am Flughafen mit einem zerbeulten Land Cruiser ab, wie ihn nur sehr reiche Leute fahren. Er gefiel sich darin, so eine gewisse Ausstrahlung zu haben und etwas abseits im Halbschatten zu stehen. Aber seine Worte waren sehr klar und sehr überzeugend. Bereits in den ersten Minuten stellte er seinen Sachverstand unter Beweis; er erzählte mir, dass er in Ostdeutschland studiert habe, dass er mit den besten Fußballmannschaften gearbeitet habe, usw. Er verhielt sich wie ein erfolgreicher Geschäftsmann. Während der Fahrt ging er das Menü der Möglichkeiten durch – Testosteron, EPO, Transfusionen, Insulin, HGH, etc. Ich sagte, ich wolle mich auf ein Minimum beschränken und kein Risiko eingehen. Dann langte Fuentes plötzlich in eine Schachtel auf dem Sitz zwischen uns und holte irgendwelche Tabletten heraus. Sie waren in Metallfolie eingeschweißt. Er drückte mit dem Daumen eine heraus und hielt sie mir hin. Sie sah aus wie ein Bonbon. »Das sind russische Anabolika«, erklärte er. »Nicht nachweisbar. Möchtest du eine?« Ich lehnte dankend ab. »Schön!«, erwidert er, wirft die Tablette hoch, fängt sie mit dem Mund auf und schluckt sie selbst runter, einfach so. Ich war erstaunt!

Fuentes ist zwar ein bisschen verrückt, dabei aber eindeutig ein Genie. Er wusste, was zu tun war, und wie man vermied, erwischt zu werden. Während unserer Zusammenarbeit betonte er mehrfach, dass alles, was wir täten, völlig legal sei – und wie sich herausstellte, hatte er recht, zumindest was Spanien betraf. Wenn du erst einmal mit ihm zusammenarbeitest, musst du ihm vertrauen. Du bist Teil seines Systems, und es gibt niemanden, bei dem du sonst nachfragen kannst, um sicherzugehen. Fuentes ist der Vater, er hat in dieser Welt das Sagen, und du befindest dich in einer Position, in der du einfach glauben musst. Du hast im Grunde gar keine Wahl.

Schon bei meinem ersten Besuch bei Ufe stellte ich klar, dass ich nicht an irgendwelchem Schnickschnack interessiert war. Er sollte mich lediglich mit Testosteron und Edgar versorgen und die Transfusionen durchführen. Ufe war einverstanden – er war immer sehr umgänglich. Das sei ungefährlich, ganz einfach, überhaupt kein Problem. Für jede Transfusion verlangte Ufe eine Gebühr, eine Gebühr für *medicación* (EPO und Testosteron), und es gab eine Liste für *primas* – Prämien, die ich ihm zahlen musste, wenn ich eine Etappe bei einer großen Rundfahrt oder ein großes Rennen gewann. Diese *primas* waren nicht von Pappe: 50 000 Euro für einen Sieg bei der Tour de France, 30 000, wenn ich es aufs Treppchen schaffte; 30 000 für einen Sieg beim Giro d'Italia, 20 000 für einen Platz unter den ersten drei; und 30 000 für den Sieg bei einem Weltcuprennen.

Ufe stellte mich seinem Assistenten José Luis Merino Batres vor, einem höflichen Gentleman um die siebzig mit schneeweißem Haar, der Chefarzt für Hämatologie im La-Princesa-Krankenhaus in Madrid war. Nachdem ich meinen ersten Blutbeutel abgegeben hatte, fragte mich Batres, welchen Codenamen ich gerne hätte. Er schlug den Namen meines Hundes vor, aber das wollte ich nicht – Tugboat war in der Welt des Radsports mittlerweile schon bekannt. Deshalb wählte ich 4142, die letzten vier Ziffern der Telefonnummer von Jeff Buell, meinem besten Freund, mit dem ich in Marblehead aufgewachsen war. Wahrscheinlich würde ich auch einen Codenamen für Ufe brauchen, und ich beschloss, ihn Sam zu nennen. Batres sollte Nick heißen. Sam und Nick: meine neuen Assistenten.

Sofort wurde mit der Planung begonnen. Für den Giro d'Italia sollten zwei Blutbeutel bereitgestellt werden, und vielleicht auch für die Tour de France. (Da die Bezeichnung »Blutbeutel« wenig elegant klingt, werden wir sie von jetzt an BBs nennen.)

Die BB-Logistik ist kompliziert, weil Blutzellen etwas Lebendiges sind; außerhalb des menschlichen Körpers können sie ungefähr achtundzwanzig Tage überleben. Meine erste Transfusion im Jahr 2000 war ganz einfach gewesen: Blutentnahme, BB für vier Wochen in den Kühlschrank – und anschließend während eines Rennens die Transfusion. Gleich mehrere Beutel parat zu haben, war schon wesentlich komplizierter. Man konnte nicht vier Wochen vor dem Rennen zwei- oder dreimal Blut entnehmen – der hohe Blutverlust hätte alle Trainingseffekte zunichte gemacht. Daher wurde eine Methode entwickelt, die dieses Problem mittels eines simplen Rotationsverfahrens löste: Man entnahm frisches Blut, während das eingelagerte Blut per Transfusion wieder in den Körper gepumpt wurde. So befand sich stets ein frischer Vorrat an BBs im Kühlschrank, und der Körper blieb in Schuss, um weiterhin hart zu trainieren. Wir tauschten die BBs ungefähr alle 25 Tage aus.

Wollte man zum Beispiel für die Tour de France drei BBs haben, musste man zehn Wochen vor dem Rennen mit dem Austausch beginnen, und der Plan sah dann folgendermaßen aus:

10 Wochen vorher	6 Wochen vorher	2 Wochen vorher	Rennen
1 Blutentnahme	2 Blutentnahmen	3 Blutentnahmen	3 Transfusionen
	1 Transfusion	2 Transfusionen	(1 pro Woche)

Ufe erklärte mir, dass jede Transfusion in einer bestimmten Reihenfolge vorgenommen werden müsse: (1) frisches Blut abnehmen; (2) das eingelagerte Blut mittels Transfusion verabreichen. Dadurch sollte vermieden werden, dass alte rote Blutkörperchen, die im Kühlschrank gelagert gewesen waren, in die neuen BBs gelangten. Frische war das A und O. Deshalb nannten wir den Vorgang auch »Auffrischung der BBs«. Ufe klärte mich außerdem über die Gefahr von Echo-Positiven auf, das heißt, wenn man positiv getestet wird, weil das bei der Transfusion verwendete Blut eine verbotene Substanz enthielt. Daher musste man aufpassen, dass man nicht mehr im roten Bereich war, wenn man BBs bunkerte, weil eine Blutentnahme im Grunde ja nichts anderes ist als das, was bei einem Drogentest geschieht. Ufe bot mir sogenanntes *polvo* an – ein graues Pulver, das man sich unter den Fingernagel strich, falls man zum Test gebeten wurde, während man sich noch im roten Bereich befand. Man musste den Fingernagel nur in den Urinstrahl halten, dann verlief der Test garantiert negativ. Ich nahm das Pulver nicht, weil ich mir einredete, dass ich ohnehin nie in eine Situation kommen würde, in der ich es bräuchte.

Ufe und ich entwickelten schnell eine gewisse Routine. Ich flog von Barcelona nach Madrid, fuhr mit dem Taxi zu seinem Büro, ließ Blutentnahmen und Transfusionen vornehmen und flog am selben Tag wieder zurück. Ich trug Sonnenbrille und Baseballmütze, um nicht erkannt zu werden. Ich zahlte bar. Ufe versorgte mich bei Bedarf mit Edgar und Testosteron-Pflastern. Die meisten anderen Drogen, die er mir anbot (und es waren eine Menge), lehnte ich ab, akzeptierte aber ein Nasenspray namens Minirin, das normalerweise Kindern als Mittel gegen Bettnässen verabreicht wird (das Wasser wird im Körper gespeichert, dadurch sinkt der Hämatokritwert). Einmal versuchte ich es mit Insulin, das zur Muskelregeneration beitragen sollte, setzte es aber schnell wieder ab, weil ich mich danach fiebrig und eigenartig fühlte.

Manchmal sorgte die verschlüsselte Kommunikation mit Ufe für Verwirrung. Wenn wir per SMS Transfusions-Termine planten, benutzten wir Redewendungen wie »lass uns zusammen zu Abend essen«, »habe ein Geschenk für dich«, oder »lade dich zum Kaffee ein«. Ich zog es vor, den Text ziemlich allgemein zu halten. Einmal machte ich allerdings den Fehler, ihm mitzuteilen, dass ich nach Madrid kommen wolle, um ihm

»dieses Fahrrad zu schenken«. Natürlich hatte ich gar kein Fahrrad zu verschenken – ich nahm an, es wäre für Ufe klar ersichtlich, dass ich einen BB meinte. Doch als ich in seinem Büro eintraf, erklärte Ufe mir ganz aufgeregt, wie sehr er sich schon auf sein neues Fahrrad freue. Ich hatte nicht den Mut, ihm zu sagen, dass es eine verschlüsselte Nachricht gewesen war. Bei meinem nächsten Besuch brachte ich ihm dann eines meiner Trainingsräder mit, ein Cervélo Soloist. (Ich bin froh, dass ich ihm nie geschrieben habe, ich wolle ihm »ein Auto schenken«.)

Mit der Zeit bemerkte ich, dass Ufe sich häufig verspätete, sodass ich eine Stunde oder länger im Café warten musste, bis ich eine SMS von ihm erhielt. Wenn wir zusammen waren, schenkte er mir seine volle Aufmerksamkeit, aber er schien immer nervös und in Eile zu sein. Schließlich reichte er mich immer öfter an Nick weiter. Obwohl ich gern mit Nick zusammenarbeitete, machte mich seine Vergesslichkeit gelegentlich stutzig. Er musste mich ständig nach meinem BB-Codenamen fragen. Ich war doch 4142, oder?

Quatro-uno, quatro-dos. Sí.

Die ständigen Reisen von Girona nach Madrid waren stressig. Obwohl Ufe mir ein Rezept für Edgar ausstellte (Haven, Menstruationsbeschwerden) und obwohl ich eine kleine Kühltasche besaß, die genau unten in meine Reisetasche passte, tat ich das alles nur ungern. Seit 9/11 waren die Sicherheitskontrollen auf den Flughäfen verschärft worden; ich wurde jetzt schneller erkannt, und jedes Mal, wenn ich in der Schlange vor dem Kontrollschalter stand, schwitzte ich am ganzen Körper. Das ständige Hin- und Herpendeln wegen der BBs, das Schlangestehen am Flughafen, die Verkehrsstaus, das Vergeuden kostbarer Trainingszeiten – manchmal vermisste ich die gut geölte Postal-Maschinerie.

Und dann war da noch das eher praktische Problem, wie ich meinen Freunden die vielen Reisen erklären sollte. Girona war keine Großstadt, und Radrennfahrer kennen die Zeitpläne ihrer Kollegen ganz genau; es ist nicht normal, alle drei Wochen für einen Tag nach Madrid zu reisen; über derlei Dinge wird spekuliert, und sie erscheinen auf Lance' Radar. Wenn ich bedrängt wurde, behauptete ich, ich würde in Madrid einen Allergologen aufsuchen (ich habe tatsächlich Probleme mit Allergien). Aber meistens schwieg ich und verschwand einfach. Mehr Lügen. Mehr Stress.

Dass Lance und ich jetzt Nachbarn waren, machte die Sache noch komplizierter. Im Frühjahr vor meinem Bruch mit Postal, als wir noch freundschaftlich miteinander umgingen, hatten Lance und ich in demselben Gebäude in Girona, einem ehemaligen Palast im alten Stadtviertel, der in Luxusapartments umgewandelt worden war, Wohnungen gekauft. Lance hatte die gesamte zweite Etage erworben, während Haven und ich eine kleinere Wohnung im dritten Stock gekauft hatten.

Lance' und Kristins Wohnung war phantastisch. Opulent, weiträumig, hübsch eingerichtet, viereinhalb Meter hohe Decken, die Ausstattung wie aus *Architectural Digest*. Zu dieser Wohnung gehörten eine renovierte Kapelle für Kristin (eine gläubige Katholikin) und ein großer Lagerraum im Innenhof, wo Lance Dutzende von Fahrrädern, Sätteln, Rädern und Ausrüstung aufbewahrte und wo sich seine Clique treffen konnte – nicht nur Fahrer, sondern auch die immer größer werdende Schar von Mitarbeitern von Trek und Nike, Anwälte und hohe Tiere, Mechaniker und Soigneurs. Obwohl Lance schon vorher berühmt war, hatte ihn sein dritter Tour-Sieg auf einen neuen Sockel gehoben: Er war jetzt eine Symbolfigur. Er war eher ein Superheld als eine Berühmtheit. Ständig war er mit seinem Privatjet unterwegs; Reisen nach Teneriffa, in die Schweiz, nach Ferrara und wer weiß, wohin sonst noch. Postal hatte ein paar neue Fahrer verpflichtet, unter ihnen einen superstarken ehemaligen Mennoniten namens Floyd Landis. Lance und sein ganzer Apparat wurden erneuert, er war stärker als je zuvor.

Daher schlug ich jetzt die entgegengesetzte Richtung ein. Haven und ich hatten keinen Assistenten, nicht scharenweise

Soigneurs und Massagetherapeuten, die uns unterstützten. Jeden Tag trug ich nach dem Training mein Fahrrad die Treppe hinauf und lehnte es an die Wand. Wenn es kaputt war, reparierte ich es selbst oder brachte es ins örtliche Fahrradgeschäft. Mir gefiel mein Leben so, wie es war: einfach, mit klaren Zielen und ohne störendes Umfeld. Unsere Tage waren voller Arbeit und weit entfernt von aller Routine, aber wir waren zufrieden. Das alte Gefühl von damals kam wieder in mir hoch, als ich als Junge auf dem Wildcat Mountain mit dem Sessellift um die Wette gelaufen war. Haven und ich waren wie John Henry, der es allein mit dem Löffelbagger aufnahm: Unsere Muskeln gegen Lance' moderne Hochglanzmaschinerie. Er hatte zweifellos eine Menge Verbündete. Aber er war nicht der Einzige mit geheimen Ressourcen.

Meine Geheimwaffe war kein Privatjet oder gar Ufe, sondern ein kleiner, drahtiger Italiener namens Luigi Cecchini. Ich nannte ihn Cecco. Cecco war Trainer und lebte in Lucca, in der Nähe von Bjarne. Kurz nachdem ich den Vertrag unterschrieben hatte, hatte Bjarne ihn mir vorgestellt und erklärt, Cecchini könne mir helfen, die nächste Stufe zu erreichen. Auf Ceccos Kundenliste standen Spitzenfahrer wie Ullrich, Pantani, Bugno, Bartoli, Petacchi, Cipollini, Cancellara und Casagrande. Zudem hatte Cecco Anfang der 1990er-Jahre mitgeholfen, Bjarne Riis' Karriere wiederzubeleben; er war der Grund, weshalb Riis in der Nähe von Lucca ein Haus gekauft hatte.

Cecco hatte kurzes graues Haar und große, aufmerksame Augen; er erinnerte ein wenig an Pablo Picasso. Seine Einstellung zum Doping war revolutionär und erfrischend, das heißt, er riet mir, so wenig wie möglich zu dopen. Cecco gab mir nie Edgar und nie mehr als ein Aspirin, weil er der Ansicht war, dass die meisten Fahrer viel zu viel dopten. Insulin, Testosteron-Pflaster, Anabolika – bah! Es gab nur drei Voraussetzungen, um die Tour zu gewinnen.

1. Man muss sehr, sehr fit sein.
2. Man muss sehr, sehr dünn sein.
3. Man muss den Hämatokritwert so hoch wie möglich halten.

Regel Nummer drei hielt Cecco für bedauerlich, aber letztlich unverzichtbar, eine simple Tatsache des Lebens. Cecco gab eindeutig zu verstehen, dass er nie in dunkle Machenschaften verstrickt war. Ständig erklärte er mir, ich solle mich nicht an dem riskanten, medizinisch fragwürdigen, stressigen Rüstungswettlauf um Substanz X oder Substanz Y oder irgendwelche russischen anabolen Geleebohnen beteiligen. Er warnte mich auch ständig vor Fuentes und meinte, ich bräuchte das ganze Zeug nicht, das dieser verabreiche. Ich könnte mir mein Leben viel leichter machen, indem ich mich auf das konzentrierte, was wirklich zählte: mein Training.

Im Gegensatz zur stressigen Arbeit mit Ufe war die Arbeit mit Cecco pures Vergnügen. Immer wenn ich ihn besuchte, bestand er darauf, dass ich während meines Aufenthalts in seiner Villa wohnte, wo ständig reges Treiben herrschte: Mahlzeiten mit der Familie an einem großen Küchentisch, mit seiner Frau Anna und den beiden erwachsenen Söhnen Stefano und Anzano, die in der Nähe wohnten. Cecco führte das Leben eines europäischen Aristokraten. Seine Frau führte ein Modegeschäft in Lucca; Cecco flog ein kleines Privatflugzeug; Stefano fuhr Sportwagen. Sein Geld verschaffte ihm eine intellektuelle Freiheit, die den anderen fehlte; obwohl wir jahrelang eng zusammenarbeiteten, verlangte Cecco nie einen Cent von mir.[1]

---

1 Als Student hatte Cecchini mit Ferrari unter dem Begründer der Trainingslehre Francesco Conconi trainiert. Cecchini und Ferrari arbeiteten damals gemeinsam an einer italienischen Mannschaft, bevor jeder seinen eigenen Weg ging. Wie im Falle von Ferrari hatte die italienische Polizei auch mehrmals gegen Cecchini ermittelt: Seine Telefone wurden abgehört, sein Haus durchsucht, und einmal wurde er sogar unter Anklage gestellt (die Anklage

Jeder Besuch begann mit einem leichten Frühstück, anschließend unternahmen wir eine gemeinsame Tour und unterhielten uns (für sein Alter war er ein ausgesprochen starker Fahrer). Danach begaben wir uns in das Steinhaus, wo sein Büro untergebracht war. Cecco wog mich, maß mein Körperfett, und wir begannen mit der eigentlichen Arbeit, einer ausgefuchsten Mischung aus Intervalltraining und Tests, je nach Wetterlage entweder auf der Straße oder auf einem Heimtrainer.

Rasch erkannte Cecco mein größtes Defizit: Mir mangelte es an Endschnelligkeit, an Sprintvermögen. Bei Postal hatte ich jahrelang trainiert, als wäre ich ein Dieselmotor, der ausdauernd in ein und demselben Tempo marschieren konnte. Doch nicht Dieselmotoren gewannen große Rennen, sondern Turbos – Fahrer, die in der Lage waren, auf den steilsten Passagen fünf Minuten Ultrapower in den Parcours zu gravieren; die so eine Lücke rissen und dann bis zum Ziel konstant ihr Tempo hielten. Das fehlte mir.

Cecco analysierte meine Wattzahlen und Trittfrequenzen und verordnete mir dann ein intensives Intervallprogramm: den Motor kurzzeitig wieder und wieder bis in den roten Bereich hochzujagen. Unzählige Male wiederholte ich sein sogenanntes 40/20-Programm, das heißt, 40 Sekunden Vollgas geben und anschließend 20 Sekunden die Beine hochnehmen. Es waren vermutlich die härtesten und produktivsten Trainingseinheiten, die ich je durchgezogen habe. Cecco empfahl mir, einen Höhensimulator einzusetzen. Bald konnte ich die Resultate sehen: Meine Endschnelligkeit verbesserte sich rasant.

Wir waren ein gutes Team. Ich mochte Ceccos Erfahrung, seine Klugheit und seinen trockenen Humor. Und er schätzte meine Aufrichtigkeit und dass ich mein Training unter allen Umständen exakt wie vorgeschrieben absolvierte. Ich kannte andere Fahrer, die nur 90 oder 95 Prozent ihrer Aufgaben erle-

---

wurde später fallengelassen). All das führte vermutlich zu Cecchinis Wunsch, ein idealer Ratgeber zu bleiben.

digten. Ich hingegen tat immer genau das, was von mir verlangt wurde, wenn nicht mehr. Täglich lud ich für Cecco meine Trainingsdaten herunter, mit genauen Angaben zur Wattzahl und zur Trittfrequenz; aufgezeichnet wurde tatsächlich jeder einzelne Tritt in die Pedale. Er las sie täglich, wertete sie aus und legte danach das Training für den nächsten Tag fest. Wir schickten die Daten hin und her, und ich konnte sehen, wie meine Werte stiegen. Und immer weiter stiegen.

Als der Giro d'Italia im Mai näher rückte, begannen Bjarne und ich den Plan zu verfeinern. Ufe und ich beschlossen, zwei BBs einzusetzen, einen davor und einen während des Rennens. Die erste Transfusion mit Eigenblut wäre kein Problem – ich sollte sie unbehelligt in Ufes Büro in Madrid bekommen, kurz vor dem Abflug zum Start der ersten Etappe.

Die zweite Transfusion stellte allerdings ein Problem dar. Die italienischen Anti-Doping-Gesetze waren streng; die Polizei hatte die beunruhigende Angewohnheit, Hotelzimmer und Mannschaftsbusse zu durchsuchen. Ufe stellte klar, dass er nicht das geringste Interesse daran hatte, eine Reise nach Italien zu riskieren. Bjarne kam schließlich auf die Lösung: Die fünfte Etappe des Rennens endete in der Stadt Limone Piemonte, nur eineinhalb Autostunden vom kleinen unabhängigen und günstig gelegenen Zwergstaat Monaco entfernt.

Der Plan nahm Gestalt an: Haven und ich sollten im April in Monaco ein Apartment mieten. Mitte April, vier Wochen vor dem Start des Giro d'Italia, wollte Ufe sich mit uns in diesem Apartment treffen, mir Blut entnehmen und es dort im Kühlschrank einlagern. Am 17. Mai, nach der fünften Etappe des Giro d'Italia, sollte Haven mich am Etappenziel abholen und mich nach Monaco fahren. Ufe wollte uns dann wieder in unserem Apartment aufsuchen und die Transfusion vornehmen. Der Plan war nicht perfekt – strategisch gesehen, wäre es besser gewesen, die Transfusion später, in der zweiten oder dritten Woche, vorzunehmen, wenn sie sich am stärksten auf die Leistung auswirken würde. Aber es musste auch so funktionieren.

Während Lance in seinem Privatjet über uns hinwegdüste, fuhren Haven, Tugboat und ich Mitte April 2002 mit unserem blauen Hyundai-Kombi von Girona nach Monaco. Wir mieteten ein Einzimmerapartment in einem großen, anonymen Gebäudekomplex mit blauer Markise namens La Grande Bretagne; er lag fünf Gehminuten vom Casino Monte Carlo entfernt. Ein paar Tage später fuhr Ufe mit der Transfusions-Ausrüstung in Spanien los. Die Blutentnahme verlief problemlos; ich lag auf der Couch und sah zu, wie der Beutel sich füllte. Den BB verstauten wir in einer Sojamilchtüte, indem wir diese auf der Unterseite öffneten, den Beutel hineinschoben, die Tüte wieder zuklebten und ganz hinten im Kühlschrank platzierten. Es passte perfekt. Wenn man die Tüte an den Seiten eindrückte, fühlte es sich so an, als wäre Milch drin.

Für die nächsten vier Wochen richteten wir uns in dem Apartment ein. Ich musste oft zum Training und zu Rennen, während Haven und Tugboat in Monaco blieben. Dies zeigt hervorragend, was für ein Teamplayer Haven war, denn obwohl wir sämtliche Vorkehrungen getroffen hatten, gab es etwas, das wir nicht unter Kontrolle hatten: den elektrischen Strom. Wir hatten Angst vor Stromausfällen, weil sich in diesem Fall das Blut erwärmen und verderben würde. Daher beschlossen wir, kein Risiko einzugehen. Haven und Tugs spielten Babysitter für unseren BB.[2]

---

2 Hamilton war natürlich nicht der einzige Fahrer, der sich deswegen Sorgen machte. Nach Aussage von Floyd Landis bewahrte Armstrong Blutbeutel in einem kleinen Kühlschrank auf, der in einem Wandschrank seiner Wohnung in Girona untergebracht war. Im Jahr 2003 hatte Armstrong Landis gebeten, während seiner Abwesenheit in der Wohnung zu bleiben, um sicherzugehen, dass der Strom nicht ausfiel und dass im Kühlschrank eine konstante Temperatur herrschte.

Am Tag des Giro-Prologs war ich ungeheuer aufgeregt. Seit meiner Collegezeit war ich zum ersten Mal unumstrittener Mannschaftskapitän. Meine große Chance, mich zu beweisen. Vielleicht ging ich den Prolog deshalb zu aggressiv an. Schon nach 500 Metern fuhr ich zu schnell in eine Rechtskurve und knallte gegen die Absperrung. Mein Helm war zerborsten, ich hatte Hautabschürfungen an Ellbogen und Knien. Ich rappelte mich auf und fuhr weiter.

Es war ein wildes Rennen. Wenn die Tour de France das Indianapolis 500 des Radsports ist, dann ist der Giro d'Italia mit dem NASCAR-Rennen zu vergleichen: leidenschaftliche Fans, Stürze, Riesendramatik. Das lag zum einen daran, dass die Straßen in Italien schmaler und steiler waren als in Frankreich; zum andern gingen italienische Fahrer gern Risiken ein, sowohl auf als auch abseits der Strecke. Hier bildete der aktuelle Giro keine Ausnahme. Zwei Mannschaftskapitäne, Stefano Garzelli und Gilberto Simoni, wurden nach Hause geschickt, nachdem sie positiv getestet worden waren.

Nun, da ich Kapitän war und mehr Verantwortung trug, empfand ich es als noch nervenaufreibender, wenn andere Topfahrer hochgenommen wurden. An einem Tag sind sie im Rennen, fahren nur ein paar Meter von dir entfernt, man wechselt ein paar Worte. Und tags darauf sind sie verschwunden, wie von einer riesigen Hand aus dem Rennen gerissen. Zuerst ist man ängstlich, fühlt sich hilflos – haben die Tester auf einmal was begriffen? Bin ich der Nächste? Dann wird über den Peloton-Flurfunk der übliche Tratsch verbreitet, und schon ziemlich bald ist der wahre Grund gefunden. Im Falle von Garzelli und Simoni waren offenbar Echo-Positive schuld. Ihre BBs waren mit etwas verunreinigt, das sie Wochen zuvor eingenommen hatten. Es war beruhigend, das zu hören – großes Drama für die beiden, aber unterm Strich hätten sie es besser wissen müssen.

Deshalb dankte ich meinen Glückssternen, und das nicht zum ersten Mal. Es wird Sie kaum überraschen, dass Radprofis größtenteils ziemlich abergläubisch sind, ich eingeschlossen. Da es so vieles gibt, was wir nicht unter Kontrolle haben, bemühen wir uns nach Kräften, uns unser eigenes Glück zu basteln. Manche Fahrer bekreuzigen sich ständig, manche murmeln auf Anstiegen Gebete vor sich hin, andere wiederum kleben heilige Amulette an ihre Lenker. Ich neige dazu, auf Holz zu klopfen; und wenn kein Holz in der Nähe ist, muss mein Kopf herhalten. Dann ist da noch der Aberglaube mit dem verschütteten Salz. Mitten im Giro ging mein CSC-Teamkollege Michael Sandstød eines Abends das Risiko ein, gegen die ungeschriebene Regel zu verstoßen. Er warf den Salzstreuer absichtlich um, schüttete das Salz in seine Hand, verteilte es lachend überall und rief: »Es ist doch nur Salz!« Wir lachten auch, aber eher vor Nervosität. Am nächsten Tag stürzte Michael auf einer steilen Abfahrt, brach sich acht Rippen, erlitt eine Schulterfraktur und einen Lungenriss; er wäre fast gestorben. Danach trug ich immer ein Glücksfläschchen mit Salz bei mir in der Trikottasche, für alle Fälle.

Trotzdem hatte ich kurz darauf selbst Pech: Auf der fünften Etappe stürzte ich nach einem Defekt und knackste mir die Schulter an. Damals wussten wir noch nicht, dass sie gebrochen war, sie tat nur höllisch weh. Ich ließ das Rad liegen und humpelte zu Haven und unserem Hyundai. Wir hätten vielleicht ins Krankenhaus fahren sollen, aber wir hatten Wichtigeres zu tun – wir mussten nach Monaco, um Ufe zu treffen und die Transfusion vornehmen zu lassen.

Ufe wartete bereits in einem nahen Café; wir schickten ihm eine SMS, und er eilte zu unserem Apartment. Wir waren nervös, aber er sprühte vor lauter Begeisterung. Er überschlug sich fast beim Sprechen und betonte immer wieder, wie großartig es sei, dass ich schon bald die Führung übernähme, und dass ich die Rundfahrt jetzt gewinnen könne. Alles sei *fabuloso*.

Ufe nahm die Sojamilchtüte aus dem Kühlschrank, öffnete sie und befestigte den Blutbeutel an der Wand. Er schloss mich an die Geräte an, und mich überkam das mittlerweile vertraute Frösteln, als das Blut in meine Armvene floss. Haven blieb im Zimmer und versuchte Konversation zu betreiben, vermied es aber, den BB anzusehen. Ufe erklärte mir, was ich nach der Transfusion beim Fahren beachten sollte.

»Wenn's dir schlecht geht, musst du immer daran denken: Du kannst noch Gas geben. Du hast mehr im Tank, als du denkst. Zieh's einfach durch.«

Ich hörte genau zu, und in den folgenden Tagen stellte ich fest, dass Ufe zu 100 Prozent recht hatte. Diese Erkenntnis veränderte meine Karriere. Im Jahr 2000 auf dem Ventoux hatte ich das noch nicht erkannt. Fährt man mit einer Transfusion, dann liegt der Schlüssel zum Erfolg darin, sämtliche Warnsignale, all die üblichen Grenzen außer Acht zu lassen. Man muss über sich hinauswachsen, über den Punkt hinaus, an dem man schon tausendmal gescheitert ist – und auf einmal funktioniert es. Nein, da überlebt man nicht nur einfach, man stellt sich den Gegnern, geht in die Initiative, diktiert das Rennen.

Nun, da ich meine medizinischen Vorgaben weitgehend realisiert hatte, konnte ich den Unterschied spüren. Nach meiner Transfusion hatte ich drei bis vier Prozent mehr Energie, das heißt, 12 oder 16 Watt mehr; die maximale Herzfrequenz war von 175 auf 180 Schläge pro Minute angestiegen. Und diese fünf Herzschläge mehr pro Minute machten den Unterschied.

Die Begeisterung darüber, auf diese ganz neue Weise im Rennen zu sein, wog den Schmerz in der Schulter auf, die wie verrückt wehtat. Es war ein tiefer, intensiver Schmerz, als hätte mir jemand einen Schraubenzieher in die Schulter gerammt und versuchte jetzt, ihn wieder herauszuziehen. Der Adrenalinschub durch das Geschehen im Giro half für eine Weile, aber danach blieb mir nur der Schmerz. Deshalb fing ich an, die Zähne zusammenzubeißen. Zuerst war es lediglich ein Reflex, keine Absicht. Aber mit der Zeit stellte ich fest, dass es half, wenn ich sie richtig fest zusammenbiss und spürte, wie ein Zahn auf dem anderen rieb. Ich weiß, es klingt seltsam, aber wenn ich die Zähne zusammenbiss, war ich abgelenkt, eine Art Kontrolle. Wie meine Zahnarztrechnung dann später bewies, hatte ich es wahrscheinlich übertrieben (ich brauchte elf Kronen). Aber es hatte funktioniert.

Um ein Haar hätte ich den Giro d'Italia gewonnen. Doch auf der letzten Bergetappe, drei Kilometer vor dem Ziel, war die Kraft plötzlich wie abgeschnitten, und ich machte schlapp – Hungerast. Am Ende landete ich hinter dem Italiener Paolo Savoldelli, Spitzname »der Falke«, auf dem zweiten Platz. Ich hatte einen klassischen Fehler gemacht: mich so gut und so stark gefühlt, dass ich vergessen hatte, ausreichend zu essen. Cecco meinte später, dass ich vermutlich nur ein 100-Kalorien-Energie-Gel vom Sieg entfernt gewesen war. Das war eine wertvolle Lektion, ein Sinnbild auch für die Komplexität unseres Sports. Da plant man monatelang, riskiert Gefängnis und Skandale, trainiert härter als jemals zuvor, und am Ende verliert man, weil man nicht genug gegessen hat.

Trotzdem war dieser zweite Platz bei einer großen Landes-Rundfahrt wie eine Rehabilitierung, Beweis genug, dass Bjarne mich zu Recht als Mannschaftskapitän unter Vertrag genommen hatte. Umgehend wurde ich in die Reihe der aussichtsreichen Sieg-Anwärter bei der Tour de France katapultiert.

Bei meiner Ankunft in Girona entdeckte ich mein Foto auf der Titelseite des *ProCycling*-Magazins – »Tyler meldet Anspruch an«, lautete die Schlagzeile, und darunter stand ein Zitat von mir: »Gegen Lance zu fahren – kein Problem.«

Stimmt.

10

Unter anderem lernte ich 2002 auch, dass es nicht ganz einfach war, im selben Haus wie Lance zu leben. Die Wände waren zwar dick wie Gefängnismauern, aber dennoch hellhörig – Geschirrklappern, Türenschlagen, Stimmen, man bekam einfach alles mit. Der Innenhof, in dem Lance seine Fahrradwerkstatt hatte, wirkte wie ein Verstärker. Lance redete immer ziemlich laut; und wenn er sich dort aufhielt, verstanden wir jedes Wort. Begegneten wir uns zufällig, so tauschten wir ein paar Nettigkeiten aus – *na, wie läuft's denn so, Kumpel?* Manchmal machte er eine kleine Bemerkung, um mir zu zeigen, dass er wusste, was ich hinter verschlossenen Türen tat – *na, wie war's denn in Madrid? –*, aber ich ignorierte es immer und ging einfach weiter.

Sowie ich bei CSC anfing, veränderte ich mein Leben in Girona. Ich trainierte nicht weiter mit meinen alten Freunden vom Postal-Team (was unter normalen Umständen, ohne Lance, durchaus vertretbar gewesen wäre); stattdessen fuhr ich alleine oder manchmal auch gemeinsam mit Levi Leipheimer, einem ruhigen, entschlossenen Mann aus Montana, der beim niederländischen Rabobank-Team unter Vertrag war. Ich mied das Café gegenüber unserem Haus und hing auch nicht im Innenhof herum. Statt mich mit dem Klatsch und Tratsch des Gruppentrainings zu beschäftigen, konzentrierte ich mich jetzt auf meine eigenen Werte und Ziele. In Lance' Gegenwart verhielt ich mich wie in der Nähe eines Pitbull-Terriers: Bewege dich langsam und überlegt. Keine plötzlichen Bewegungen. Trotzdem war die Erinnerung an Postal immer da.

Eines Tages im Frühling klopfte es an der Tür, und zu meiner Überraschung stand draußen Michele Ferrari. Diesmal forderte er mich auf andere Weise: Er hatte unten bei Lance vorbeigeschaut und nutzte nun die Gelegenheit, mich an 15 000 Dollar zu erinnern, die ich ihm aus dem Vorjahr noch schuldete. Ich war mir nicht so sicher, was die Summe betraf – schließlich hatte Ferrari mich seit Mitte 2001, als ich aus dem inneren Kreis verstoßen worden war, nicht mehr trainiert –, aber ich wollte keinen Aufstand machen. Ich handelte ihn auf 10 000 Euro herunter, schrieb einen Scheck aus und löschte ihn für immer aus meinem Leben.

Wenn es um die Bewahrung des Hausfriedens ging, hatte ich eine wichtige Verbündete auf meiner Seite: Haven. Lance hatte sie immer bewundert. Er respektierte ihre Geschäftstüchtigkeit und fragte sie um Rat. In seinen Augen hob sie sich von den anderen Ehefrauen und Freundinnen ab, daher behandelte er sie mit Respekt. So konnte Haven zur Friedensbewahrerin in unserem Haus werden – sie hielt die Gespräche in Gang und verhinderte, dass Kleinigkeiten sich zu großen Problemen auswuchsen. Haven konnte das gut, weil sie Lance durchschaut hatte. Sie charakterisierte ihn so treffend, wie ich es nur von wenigen anderen gehört habe: *Lance ist wie Donald Trump. Auch wenn ihm schon ganz Manhattan gehört, erträgt er es nicht, wenn es noch irgendwo einen kleinen Gemüseladen gibt, auf dem nicht sein Name steht.*

Dieser kleine Gemüseladen waren natürlich Haven und ich. Ich verdiente zwar immer noch weniger als früher bei Postal, aber mein jüngster Erfolg hatte einiges verändert: Plötzlich gab es Sponsoren, Publicity, Medienberichte und unsere eigene, gemeinnützige Stiftung. Vor einigen Jahren hatte ich mitbekommen, dass die Schwiegermutter eines Freundes an Multipler Sklerose erkrankt war. Der Kampf gegen diese Krankheit hatte mich interessiert, und ich beteiligte mich an mehreren MS-Spendenkampagnen. Jetzt wollten wir unsere Bemühungen erweitern und ihnen einen festen organisatorischen Rahmen geben. So entstand die Tyler Hamilton Foundation. Es war ein gutes Gefühl, etwas zurückzugeben.

Wären wir ein Start-Up-Unternehmen gewesen, hätte Haven als unser CEO fungiert. Sie beantwortete die E-Mails, unterzeichnete Verträge und schrieb als Ghostwriter sogar meine Kolumne für *VeloNews*. Sie traf die Reisearrangements für Fahrten nach Lucca zu Cecco und buchte die Pendelflüge nach Madrid; sie hob das Bargeld für mich ab, mit dem ich Ufe bezahlte. Es gab also reichlich zu tun, aber wir mussten es ja nur einige Jahre durchhalten, dann würde ich mich vom aktiven Radsport zurückziehen, und wir würden endlich für uns sein.

Fürs Erste stellten Haven und ich unseren Kinderwunsch noch zurück. Wir diskutierten lange darüber; ich wollte gerne Kinder, aber die Hauptlast würde ja nicht auf mir liegen, und Haven wollte bis zum Ende meiner sportlichen Karriere warten. Ihr war klar, welche Belastung es sein würde, ein Kind praktisch alleine großzuziehen. Wenn die alten spanischen Großmütter im Viertel uns also fragten, wann denn endlich ein Baby käme, lächelten wir immer nur höflich und erwiderten: »Irgendwann«. Tugboat wurde zu einem wichtigen Bestandteil für Normalität in unserer Welt. Tugs war immer froh, uns zu sehen, immer zum Spielen bereit, immer in der Laune, einem Tennisball über das Kopfsteinpflaster nachzujagen. Wir nahmen ihn mit auf Trainingsfahrten, kauften ihm Sandwiches und verwöhnten ihn wie ein Baby. In gewisser Weise war er das auch.

Im Frühling 2002 kam auch Floyd Landis nach Spanien. Er hatte gerade bei Postal unterschrieben. Eigentlich passte er nicht zum Rest des Teams; die anderen Fahrer glichen in ihrer Einstellung am ehesten Hincapie, ruhig, gehorsam und unauffällig. Landis war da ganz anders. Er kam aus Pennsylvania, ein ehemaliger Mennonit mit einem sehr respektlosen Humor, einer großartigen Arbeitseinstellung und der unausrottbaren Angewohnheit, alles infrage zu stellen. Er wollte nicht viel Geld für eine Wohnung ausgeben und begnügte sich daher mit einer Art Wohnheimzimmer im Neubauviertel von Girona. Von dort aus fuhr er dann gerne auf dem Skateboard in die Stadt. Er sah alles logisch, in Kategorien von Schwarz oder Weiß, Richtig oder Falsch. Seine Eltern hatten ihm erklärt, er werde in die Hölle kommen, wenn er Radrennen fahre, aber das hatte ihn nicht davon abgehalten. Ich glaube, wenn man bereit ist, solche Risiken einzugehen, kann einem nichts mehr Angst machen.

Floyd war ganz offensichtlich einer der kommenden Stars im Radsport. Ich glaube, Lance erkannte sich selbst ein wenig in ihm wieder – die Furchtlosigkeit, die Zähigkeit, das Aufbegehren gegen jede Konvention –, jedenfalls begannen Lance und Floyd viel zusammen zu trainieren. In gewisser Weise war Floyd mein Nachfolger. Ich hatte sie gemeinsam trainieren sehen und gehört, dass sie auch zusammen ins Trainingslager fuhren. Floyd war allerdings kein Jasager wie ich einst. Er ließ sich nichts gefallen und gab Widerworte.

So wies er zum Beispiel offen auf etwas hin, was auch mir lange gegen den Strich gegangen war: Lance bekam ausgezeichnete Fahrräder für sein Training, während der Rest des Teams mit gebrauchten auskommen musste. Eigentlich unglaublich, aber jedes Jahr kassierte der Chefmechaniker des Teams, Julien DeVriese aus Belgien, die Rennräder des Teams ein und rückte sie nur zur Tour und den großen Rennen heraus; nach der Saison nahm er sie dann wieder mit – und sie verschwanden ganz einfach. Wir bekamen nicht einmal neue Helme, obwohl wir wussten, dass Giro sie uns dutzendweise schickte. Wir vermuteten, dass jemand die Ausrüstung unter der Hand verkaufte, was im Radsport nicht ungewöhnlich ist. Es war auf jeden Fall sehr ärgerlich. Lance bekam unbegrenzt das beste Equipment, das für Geld zu haben war, während wir mit schrottreifen Rädern und verbeulten Helmen trainierten. Ich erzählte Floyd, wie Dylan Casey, einer meiner Teamkameraden bei Postal, sein Rad schließlich mit dem Auto überfahren hatte, um das Team zu zwingen, ihm ein neues zu geben. Floyd liebte diese Geschichte; er hätte genauso gehandelt.

Floyd und ich trafen uns manchmal. Wir hockten zusammen oder unternahmen eine gemeinsame Trainingsfahrt. Floyd lästerte gern über Neuigkeiten im Postal-Team. Über Doping sprachen wir nie, stattdessen darüber, wie Lance nach Teneriffa oder in die Schweiz jettete, oder wie sehr Lance sich ärgerte, wenn Floyd wissen wollte, wie viele Cappuccinos er hintereinander trinken konnte (14, wie sich herausstellte), oder wie das gesamte Team mit dem sogenannten Champion's Club zusammen trainieren musste, einer Gruppe, die Thom Weisel aus seinen Millionärsfreunden rekrutierte und die jedes Jahr zum Postal-Team ins Trainingslager kam. Wir nannten es die *Rich-Man Rides*. Diese Art Firmen-Werbeshow ging sehr gegen Floyds mennonitisch geprägte Geisteshaltung. Einerseits hielt er es dem Team gegenüber für unfair, dass es ohne Bezahlung Lance' Beziehungen zur Geschäftswelt verbessern helfen sollte, und andererseits fand er es einfach lächerlich, mit einem Haufen aufgeblasener amateurhafter Millionäre herumzuradeln. »Wäre ich Basketballfan, würde ich auch gern den Lakers beim Training zuschauen«, erklärte er, »aber ich würde nicht einmal auf die Idee kommen, *mitzumachen!*«

Ich mochte Floyd. Er brachte mich immer zum Lachen. Und es gefiel mir, wie mein neues Leben sich ohne Postal entwickelte. Ich war kein Rädchen im System Lance Armstrong mehr, sondern bestimmte jetzt selbst über mich. Auf eine merkwürdige Weise brachte mich das Lance allerdings sogar näher; ich konnte mich jetzt besser in ihn hineinversetzen. Vorher war er der General und ich ein Fußsoldat gewesen. Jetzt waren wir praktisch gleichberechtigt und mussten beide Pläne machen, ein Team motivieren, mit Sponsoren und Co-Sponsoren verhandeln. Ich konnte jetzt nachfühlen, was für eine Freude und zugleich welche Belastung es sein kann, der Hoffnungsträger anderer Menschen zu sein.

Auch die Ängste spürte ich. Besonders in jenem Sommer, als ich meinen ersten Zusammenstoß mit den Trollen hatte – den Journalisten, die einen in den Sumpf der Dopingskandale hinunterziehen. Bis dahin war mein Image immer das eines sauberen Radprofis gewesen, auf den nie auch nur der Schatten eines Verdachts gefallen war. Aber dann erzählte Prentice Steffen, der ehemalige Teamarzt aus den Anfängen des Postal-Teams, einem niederländischen Reporter seine Geschichte der Tour de Suisse 1996 und behauptete, Marty Jemison und ich hätten ihn damals nach Dopingmitteln gefragt.

Der Artikel erschien in einer niederländischen Zeitung und brachte unsere sorgfältig konstruierte Welt ins Wanken. Durch ein einziges Zitat von jemandem, den ich seit Jahren nicht gesehen hatte, stand ich auf einmal unter Verdacht. Es spielte keine Rolle, dass ich mich an den Vorfall ganz anders erinnerte, es spielte keine Rolle, dass auch Marty ihn anders sah – die Sponsoren machten sich Sorgen, das Team machte sich Sorgen. Alle unsere sorgfältigen Geheimhaltungsmaßnahmen – das Versteckspiel, die Codewörter, die abgekratzten Etiketten, die Folienpakete hinten im Kühlschrank – schienen auf einmal sinnlos. Ein einziger kleiner Artikel, und unser Leben fiel zusammen wie ein Kartenhaus. Es war wirklich erschreckend.

Ich tat also das Einzige, was mir meiner Ansicht nach blieb: Ich wetterte gegen den Überbringer der Botschaft. Ich gab selbst Interviews und stellte mich als Opfer bösartiger Verleumdung dar. Ich spekulierte über Steffens Motive. Ich deutete an, er habe ja wohl selbst Probleme mit Drogen gehabt (das stimmte sogar; er hatte seine Suchtprobleme allerdings überwunden). Ich sagte, da erkläre jemand einfach die Trauben für sauer, die ihm zu hoch hingen.

Ich hatte dazugelernt: Wenn dich jemand beschuldigt, schlag sofort zurück, und zwar doppelt so hart.

Im Juli 2002 nahm ich an der Tour de France teil und erlebte mit, wie Lance seinen vierten und leichtesten Sieg entgegenrollte. Dabei half ihm, dass Ullrich mit einer Knieverletzung und einer Sperre zu Hause bleiben musste (er war mit der Partydroge Ecstasy erwischt worden). Pantani und die Italiener waren in eine ganze Serie von Dopingskandalen verwickelt, und die Franzosen hatten immer noch Mühe, auf einen grünen Zweig zu kommen – was zum Teil durchaus an den strengen Tests in ihrem Land lag. Trotzdem war die Dominanz des Postal-Teams ziemlich beeindruckend. Ich wurde Zeuge, wie George Hincapie – groß, schwer und absolut kein Kletterer – das Peloton den steilen Anstieg zum Col d'Aubisque hinaufführte. Floyd, der Neue, war in geradezu übermenschlicher Form. Für mich sah es so aus, als ob das ganze Team unbegrenzte Mengen von BBs einsetzte.

Was meine eigenen BBs anging, so war das System einfach und kompliziert zugleich. Einfach war es, weil nur wenige Menschen beteiligt waren – eigentlich nur ich und Ufe. Kompliziert war es, weil wir im Geheimen agieren mussten. Schon vor der Tour plante Ufe die Zeiten und Orte für unsere Treffen. Normalerweise wickelten wir unser BB-Business an den beiden Ruhetagen der Tour ab, stets in einem Hotel. Ufe war gut darin, unauffällige Hotels auszusuchen – nicht zu elegant, nicht zu schäbig. Die Namen gab er mir vor der Tour bei einem Treffen in Madrid. Ich notierte sie auf einem Zettel, zusammen mit Ufes neuester geheimer Mobiltelefonnummer (er wechselte die Nummern ständig). Am Morgen vor einer Übergabe schickte Ufe mir dann eine SMS auf mein geheimes Mobiltelefon, das mit der Prepaidkarte, das ich nur für den Kontakt mit ihm benutzte. Die Nachrichten bestanden aus einem Satz, etwa »Die Fahrt ist 167 km lang« oder »Die Adresse des Restaurants lautet 167, Champs-Élysées«. Die Sätze waren völlig bedeutungslos, einzig die Nummer zählte; sie war die Zimmernummer im vereinbarten Hotel, wo Ufe mit meinem BB auf Eis in einer Picknick-Kühltasche wartete.

Ich fuhr nie in einem Wagen des Teams dorthin; Haven chauffierte mich in unserem Privatauto. Ich trug meine Tarnausrüstung: unauffällige Straßenkleidung, Sonnenbrille, eine Baseballmütze tief in die Stirn gezogen. Wir parkten hinter dem Hotel und betraten es durch den Lieferanteneingang, aber keinesfalls durch die Eingangshalle. (Ein Nachteil meiner Halbberühmtheit in Europa war, dass ich mit einer Katastrophe rechnen musste, wenn mich ein Journalist erkannte.) Normalerweise beeilte ich mich nicht gerne, wenn ich zu Fuß war, doch jetzt lief ich mit schnellen Schritten, den Kopf gesenkt, die Treppe hinauf, durch die Korridore und klopfte leise an eine Tür, während mein Herz hämmerte. Wenn Ufe dann öffnete, hätte ich ihn immer am liebsten umarmt.

Ich war bestimmt nicht der Einzige, der diese geheimen BB-Missionen durchführte, doch aus den Zeitungen konnte man das natürlich nicht erfahren. Es wurde fast zur Regel, dass die Tour von Dopingskandalen weitgehend verschont blieb: Kein einziger Fahrer wurde positiv getestet. Nur im Kofferraum von Edita Rumsiene, der Ehefrau Raimondas Rumsas', wurde ein Vorrat von EPO, Corticoiden, Testosteron, Anabolika und HGH gefunden. Sie blieb standfest bei ihrer kühnen Behauptung, das seien Medikamente für ihre Mutter (die wohl eine ausgezeichnete Radrennfahrerin sein musste), und Rumsas blieb auf dem Siegertreppchen. Das bewies erstens, dass die UCI ihre Strafandrohungen immer noch nicht besonders ernst meinte, und dass es zweitens möglich war, während der Tour ganze Schiffsladungen Dopingmittel einzunehmen, solange die Dosen so klein blieben, dass man noch durch die Tests kam.

Für mich lief die Tour de France ziemlich gut. Als ehemaliger Teamkapitän beim Giro d'Italia hatte ich jetzt die Aufgabe, die Leader Laurent Jalabert aus Frankreich und Carlos Sastre aus Spanien zu unterstützen. Ich genehmigte mir zwei BBs und fuhr die Rundfahrt in der Spitzengruppe mit; in der Gesamtwertung kam ich auf einen mehr als respektablen fünfzehnten Platz. In der Hauptsache aber sah ich zu und lernte.

Wenn ich Lance bei der Tour verfolgte, fragte ich mich unwillkürlich, welche Methoden er inzwischen wohl einsetzte.

Eine Menge wusste ich schon – ich vermutete eine Kombination aus Bluttransfusionen und EPO in Mikrodosen. Aber das erklärte nicht alles, zum Beispiel Lance' starke Leistungssteigerung jedes Jahr im Juli. Es war jedes Jahr so: Einen Monat vor der Tour fuhr er noch mit seiner (für ihn) ganz normalen Leistung. Dann stieß er innerhalb von zwei, drei Wochen plötzlich in eine völlig andere Liga vor und verbesserte sich um drei oder vier Prozent. Bei der Tour 2002 war das so auffällig, dass seine Überlegenheit fast schon peinlich wurde.

Er zeigte sie bei der 15. Etappe, bei der Bergankunft im Skiferienort Les Deux Alpes. Kurz vor dem Ziel machte der ausgewiesene spanische Kletterspezialist Joseba Beloki sich auf, den Etappensieg zu erkämpfen. Beloki bricht also erfolgreich aus, setzt sich an die Spitze und hat nicht einmal mehr einen Kilometer bis zur Ziellinie, aber man sieht, welch furchtbaren Preis er dafür bezahlt: Er kollabiert fast, verdreht die Augen, die Schultern sind verkrampft, der ganze Kerl in tiefer Agonie – so wie es bei jedem anderen auch wäre.

Dann aber kommt hinter Beloki plötzlich Lance angeschossen – wie ein Motorradpolizist! Sein Mund ist geschlossen, seine Augen hinter der Sonnenbrille blicken sich ruhig nach etwaigen Verfolgern um. Er sieht wirklich aus, als wolle er Beloki gleich an den Straßenrand winken und ihm einen Strafzettel verpassen. Es war wie in Sestriere 1999 – Lance, der Radfahrer vom anderen Planeten. Die ganze Tour über ging das so: Lance gewann vier Etappen, kam nie auch nur ansatzweise in Schwierigkeiten und errang den Gesamtsieg mit einem Vorsprung von 7:17 Minuten auf Beloki. Kein anderer kam dem auch nur nahe.

Für mich blieb die Frage, wie er es anstellte. Lance hatte seine Methoden immer geheim gehalten; selbst damals, als Kevin und ich noch zum inneren Kreis gehörten, hatten wir immer das Gefühl, es gebe da noch einen inneren Kreis, von dem wir keine Ahnung hatten.

Wie ich wusste, flog Lance immer kurz vor der Tour in die Schweiz, um dort einige Wochen mit Ferrari zu trainieren. Ich hatte außerdem eine Ahnung, dass der unverrückbare Mittelpunkt jeglicher Methode, die Ferrari und er entwickelt haben mochten, BBs waren. Das hatte mir der Giro d'Italia bewiesen. Ich wusste ja, wie Lance dachte: Man musste so viel wie möglich tun, denn die anderen Bastarde würden sich noch mehr Mühe geben. Wenn zwei BBs gut wirkten, warum nicht vier nehmen? Wenn man künstliches Hämoglobin bekommen konnte, warum darauf verzichten? Im Peloton hieß es immer, Lance sei allen anderen um zwei Jahre voraus.

Was immer Lance auch unternahm, ganz sicher holte das Peloton in den Jahren 2002 und 2003 allmählich auf. Wichtige Informationen kann man letztlich ja kaum zurückhalten; Innovationen breiten sich immer aus, besonders im Radsport. Es ist schon seltsam – man hört so viel über die Omertà bei den Radprofis, und es gibt sie wirklich. Aber gehört man einmal dazu, dann werden sie regelrecht geschwätzig. Die Fahrer klatschen und tratschen ununterbrochen, sie flüstern miteinander und tauschen sich aus. Die Belohnungen waren zu groß und die Strafen zu mild, um nicht auf die Jagd nach dem nächsten Wundermittel zu gehen. Das Peloton war wie eine Art Facebook auf Rädern – und in dieser Zeit brodelte es nur vor Informationen. An allen Ecken hörte man von synthetischem Hämoglobin, eine neue Sorte Edgar, das sogenannte CERA, kam aus Spanien, dazu noch ein Mittel namens Aranesp. BBs verbreiteten sich immer weiter. Ein wildes Gerücht machte die Runde, demzufolge ein drittklassiger spanischer Fahrer sich, weil er sich keine regulären Bluttransfusionen leisten konnte, Hundeblut injiziert und dann zwar sein Rennen gewonnen habe, aber später an den Folgen erkrankt und nie wieder ganz genesen sei. Später sprach ich mit einem italienischen Fahrer aus einer nahezu unbekannten Mannschaft, und es stellte sich heraus, dass selbst er Bluttransfusionen erhielt. So schnell verbreiteten die Methoden sich: In wenigen Jahren war aus einer Hochtechnologie für Spitzenfahrer ein Hausmittel für die unteren Ränge geworden.

Hauptsächlich drehte sich der Klatsch aber um Jan Ullrichs Comeback. Nachdem er wegen seines Ecstasy-Ausrutschers ein ganzes Jahr verloren hatte, versuchte er sich jetzt als Jan 2.0 voll neu gewonnener Selbstdisziplin zu rehabilitieren. Er verbrachte gerade einige Zeit in Lucca und trainierte dort mit meinem Coach Cecco. Das hieß wohl, so meinte nicht nur ich, dass auch Ullrich mit Ufe zusammenarbeitete – und der bestätigte es bald auch (für einen Geheimarzt war Ufe beunruhigend gesprächig). Vermutlich würde Ullrich dann wohl in besserer Form als je zuvor antreten. Obendrein drängte nun eine neue Generation spanischer und italienischer Radprofis an den Start, Heißsporne wie Iban Mayo, Ivan Basso und Alejandro Valverde. In der illustren Spitze der Tour würde es bald schon Gedränge geben.

Im Alter von etwa 13 Jahren hatte ich mich einem Verein angeschlossen, der sich Crazykids of America nannte und aus Gleichaltrigen bestand, die am Wildcat Mountain in New Hampshire Ski liefen. Es gab keine erwachsenen Aufsichtspersonen, keine offiziellen Treffen, keine Mitgliedsbeiträge. Es ging in diesem Verein eigentlich nur darum, sich gegenseitig zu immer gewagteren Mutproben herauszufordern: eine Klippe erklimmen, durch eine lange Abwasserröhre robben oder eine Eispiste auf einem Kantinentablett hinunterrasen, und zwar nachts. Die Crazykids wollten ihre Grenzen austesten und probieren, wie weit man gehen konnte.

Kein Crazykid ging weiter als ich. Ich war weder das größte noch das stärkste oder schnellste Kind im Club, aber ich ging immer bis an meine Grenzen. Es hat mich schon immer gereizt; ich brauche das Adrenalin. Vielleicht liegt es an der Depression, vielleicht ist es ein Bedürfnis nach starken Reizen, jedenfalls – wenn ich an die Grenze gehen kann, dann gehe ich.

In gewisser Hinsicht war 2003 das Crazykids-Jahr meiner Radsportlaufbahn. Ich ging an meine Grenzen. Es war das bei Weitem erfolgreichste Jahr meiner Karriere. Ich bekam alles, was ich mir je gewünscht hatte – Rennsiege, Ruhm, große Momente – und ging fast daran zugrunde.

Schon beim ersten großen Rennen der Saison, Paris–Nizza im März, wurde meine neue Haltung deutlich. Früher war ich bei Paris–Nizza, einer einwöchigen Tour, die man auch »Rennen zur Sonne« nennt, immer mit inneren Zweifeln angetreten: War ich schon gut genug oder noch nicht? Diesmal wusste ich, dass ich gut war – dank Cecco, Ufe und Riis. Ich punktete: Im Prolog wurde ich Zweiter. Und auf der sechsten Etappe legte ich einen formvollendeten Muskelmann-Stunt hin, eine Solo-Flucht über 101 Kilometer. Die Tour du Pays basque schloss ich mit dem zweiten Platz in der Gesamtwertung ab, das Critérium International als Sechster. Und wo immer ich startete, fuhr ich in der Spitzengruppe, bei den Einser-Kandidaten.

Das größte und vielleicht härteste Rennen des Frühlings war Lüttich–Bastogne–Lüttich: 257 Kilometer durch Belgien, bekannt als Königin der Klassiker. Es ist eines meiner Lieblingsrennen, seit 1997 war ich jedes Jahr dort gestartet. Dieses Mal würde mir jedoch erstmals ein BB zu Hilfe eilen. Bjarne und ich teilten die Strecke in Abschnitte ein und entschieden, welcher Teamkamerad sich auf welche Bergstrecken konzentrieren sollten. Anstatt das ganze Rennen voll zu fahren, würden sie so ihre Kraft nur an bestimmten Punkten einsetzen, um mich nach vorn zu bringen; dann könnten sie sich zurückfallen lassen.

Nicht nur ich spekulierte auf einen Sieg. Lance hatte seit 1996 keinen Klassiker mehr gewonnen und in den Medien herbe Kritik für seine ausschließliche Konzentration auf die Tour de France eingesteckt. Es war ein typischer belgischer Tag – regnerisch, nasskalt, düster. Lance war das ganze Rennen über in Topform, der Rest des Postal-Teams allerdings nicht.

Etwa 30 Kilometer vor dem Ziel lancierte er einen Vorstoß, wodurch er sich in eine aussichtsreiche Position für den Sieg manövrierte – wenn er es denn schaffen würde, den Vorsprung zu halten, oder wenn ein paar Postal-Fahrer ihm so lange das Feld vom Leibe hielten. Aber Lance mochte so stark sein, wie er wollte – wir waren stärker. Wir holten ihn zurück, wobei meine CSC-Jungs, insbesondere Nikki Sørensen, die Hauptarbeit erledigten. Drei Kilometer vor dem Ziel waren wir acht Anwärter auf den Sieg, darunter Lance und ich. Es war wieder wie damals auf den Straßen von Nizza: Lance und ich sahen einander an, unsere Räder einen Zentimeter auseinander, und testeten aus, wer der Stärkere war.

Einen langen Augenblick zögerten sie alle. Da griff ich an. Ich fuhr wie der Teufel, drückte all meine Kraft in die Pedale. Die anderen ließen mich ziehen. Sie dachten, es sei noch zu früh. Wir alle kannten doch diese grauenhaft rutschige, allmählich immer steiler werdende Straße, eine dieser Zielpassagen, die kein Ende nehmen wollen. Sie dachten, dort könnte ich meine Führung auf keinen Fall behaupten.

Konnte ich aber. Mein Adrenalinspiegel erreichte einmalige Höhen. Ich erlebte Todesängste, als wäre ein Rudel wilder Wölfe hinter mir her. Milchsäure kroch in die Fingerspitzen, die Lippen und bis unter die Augenlider. Der Regen machte mich blind; ich duckte mich und kachelte, kurbelte weiter und weiter. Endlich, als ich mich schon der weißen Linie näherte, wagte ich den Blick zurück und wurde mit der schönsten Aussicht belohnt, die ich je gesehen hatte: einer leeren Straße. Ich überquerte die Linie und war der erste Amerikaner, der je Lüttich–Bastogne–Lüttich gewonnen hatte. In den Medien hieß es ohnehin schon überall, ich hätte Chancen auf den Tour-Sieg. Der Giro d'Italia hatte mich in die Schlagzeilen gebracht; LBL schoss mich in die Stratosphäre. Eine Woche später gewann ich dann auch noch die sechstägige Tour de Romandie und wurde damit zum Punktbesten der UCI-Wertung in diesem Jahr, also Nummer eins auf der Radprofi-Weltrangliste. Und tief, sehr tief in mir drin dachte ich die ganze Zeit: *Wenn das nur gut-geht.*

Haben Sie in den Jahren meiner aktiven Zeit je einem Rad-profi unmittelbar nach einem großen Sieg ins Gesicht gesehen? Wenn Sie genauer hingesehen haben, dann haben Sie unter dem Siegerlächeln vielleicht noch etwas anderes bemerkt – Sorgen und ungute Vorahnungen. Der Fahrer musste sich Sorgen machen, weil er wusste, dass ein Sieg Probleme schafft, zum Beispiel eine hundertprozentige Wahrscheinlichkeit, auf Dopingmittel getestet zu werden. Wie sicher man sich auch gewesen war, genug Zeit fürs Nachglühen eingeplant zu haben – da blieb immer dieser nagende Zweifel, dass man falsch abge-messen oder die Ader verfehlt hatte oder von einem brand-neuen Testverfahren noch nichts wusste. Auf dem Siegertreppp-chen konnte man sich dann nichts mehr vormachen: Man sah nur zu genau, wie die ganze eigene Karriere von irgendeinem spanischen Arzt abhing, dessen Reputation gegen null ging und der vielleicht nicht einmal wusste, wovon er sprach. Wäh-rend man nach außen lächelte, wand man sich innerlich bei diesem Gedanken.

Ich hatte noch mehr Gründe, beunruhigt zu sein. Lance, das war klar, würde sauer sein. Ich versuchte die Sache in meinen Interviews ein bisschen zu beschönigen (»An diesem Sieg hat auch Lance seinen Anteil«, sagte ich), aber es nutzte nichts. Er stolzierte hinaus, ohne mich oder sonst jemanden eines Wortes zu würdigen. Später hörte ich, er habe seinen Radhelm quer durch den Bus gefeuert. Im Haus war es ziemlich ruhig, als ich zurückkam.

Nach meinem Sieg bei Lüttich–Bastogne–Lüttich ergoss sich ein Strom neuer Möglichkeiten in unser kleines *apartamento*: Sponsoren, Stiftungen, die Medien und so weiter. Haven und ich erhielten im Frühling die Anfrage einer Filmfirma, die bei der kommenden Tour de France eine IMAX-Dokumentation über mich drehen wollte. Die Produktion hatte sich zuerst –

natürlich – an Lance gewandt, aber er musste ablehnen, weil er bereits in einem Filmprojekt engagiert war, bei dem entweder Mark Wahlberg oder Jake Gyllenhaal mitspielen würde, je nachdem, wen man fragte. Ich war also wieder einmal die zweite Wahl. So ist das wohl auf dem freien Markt: Wenn Batman ausgebucht ist, nimmt man auch mit Robin vorlieb.

Der Film sollte *Brain Power* heißen. Der Grundgedanke war, meine Erfahrungen bei der Tour de France 2003 als Illustration dafür zu nehmen, was sich im menschlichen Geist abspielt, wenn der Körper bis an seine Grenzen getrieben wird. Die Produktion hatte ein Budget von 6,8 Millionen Dollar und wollte die neuesten Computeranimationen nutzen, um den Zuschauern Einblicke in mein Gehirn zu geben, während ich die Tour fuhr.

Vorläufig war mein Gehirn aber noch mit Entscheidungen ausgelastet, von denen ich den Filmleuten lieber nichts erzählte. Den ganzen Frühling hindurch pendelte ich ständig nach Madrid zu Ufe und nach Lucca zu Cecco, um mich auf die Tour 2003 vorzubereiten. Wir einigten uns darauf, drei BBs vorzubereiten – einen vor der Tour und zwei während des Rennens, gemäß Riis' Programm von 1996. Ich legte eine Rennpause ein und trainierte nur noch. Ich befolgte Ceccos Rat, der immer wieder predigte, dass alle Therapien der Welt mir nicht helfen könnten, wenn ich nicht erstens sehr, sehr fit und zweitens sehr, sehr dünn sei.

Gewichtsabnahme ist ein Teil der Vorbereitung auf die Tour, der leicht unterschätzt wird. Hört sich ganz einfach an: Nimm halt ab. Iss nicht so viel. In Wirklichkeit aber führt man Krieg gegen den eigenen Körper, weil man ja die ganze Zeit wie besessen trainiert und jede Zelle nach Nährstoffen schreit. Ich dachte mehr über das Abnehmen nach als über mein Doping, bei jeder Mahlzeit, bei jedem Bissen.

Bjarne empfahl seine Spezialmethode: Wenn man von einer Trainingsfahrt zurückkommt, sofort eine große Flasche Mineralwasser mit Kohlensäure hinunterkippen, dann zwei oder drei Schlaftabletten. Wenn man wieder aufwacht, ist es schon Zeit fürs Abendessen oder mit Glück sogar fürs Frühstück. Ich versuchte alles. Literweise Cola light, viel Rohkost – eine Ernährung aus Äpfeln und Sellerie. Jeder Krümel, den ich zu mir nahm, musste wieder abtrainiert werden. (Bjarne erinnerte mich sogar daran, dass ich das Zusatzgewicht durch die BBs während des Rennens berücksichtigen musste.)

Mein Verhalten wurde immer seltsamer. Bei gemeinsamen Essen mit Freunden stopfte ich mir manchmal den Mund voll und täuschte dann einen Nieser vor, sodass ich das Essen in eine Serviette spucken, auf die Toilette gehen und es dort entsorgen konnte. Wenn Tugboat dabei war, fütterte ich ihn heimlich, damit mein Teller leer aussah. Es wurde peinlich: Ich kam mir vor wie ein verschlagener Drittklässler oder ein magersüchtiger Teenager. Etwa zur Halbzeit meiner Laufbahn stand ich am Rand einer Essstörung (die bei Spitzenfahrern gar nicht so selten ist). Aber Abnehmen hilft einfach. Hätte ich die Wahl zwischen drei Pfund weniger oder drei Hämatokritpunkten mehr, würde ich auf jeden Fall lieber drei Pfund abnehmen.

Während meiner Hungerkuren war ich unausstehlich. Haven hatte wirklich die Nase voll. Wir waren ein junges Paar in einer wunderbaren Wohnung in einer der schönsten Gegenden der Welt, aber wir konnten kaum etwas gemeinsam unternehmen, weil alles auf mein Training ausgerichtet war. Ferienreise? Geht nicht. Ausgehen in ein Sterne-Restaurant? Schön wär's. Ein Wochenende in Paris? Nach der Saison vielleicht. Und egal, wie man es betrachtet – Mineralwasser und Sellerie sind einfach kein romantisches Dinner.

Sogar die einfachsten Vergnügungen wurden schwierig. In Girona kommt man am besten zu Fuß vorwärts, und Haven mochte die täglichen Einkaufsgänge zum Bäcker, auf den Markt, zum Kaffeeladen. Sie wollte gerne, dass ich mitkam, aber ich war einfach zu langsam. Das klingt natürlich verrückt – ich war zu dieser Zeit wahrscheinlich einer der fittesten Männer weltweit –, aber ich hatte den Gang eines Greises: langsame, kleine Schritte. Haven war es lästig, und manchmal stritten wir uns sogar deswegen. Sie fragte, ob ich nicht ein bisschen schneller gehen könne, und ich entgegnete: »Warum machst du nicht ein bisschen langsamer?«

Mit Bjarne kam ich auch nicht so gut aus. Er wollte das CSC-Team mit zwei Fahrern an der Spitze auf die Tour schicken – Carlos Sastre und mir. Ich fand es dagegen besser, alle unsere Ressourcen auf einen Fahrer zu konzentrieren – auf mich. Wir diskutierten immer wieder darüber; ich verwies auf das Postal-Team als Vorbild für den Sieg; Bjarne blieb dabei, dass ein Team besser dastehe, wenn es mehrere Trümpfe ausspielen könne. Dieser Streit ging die ganze Tour über weiter und ließ sich nicht lösen. Mein Vertrag würde im kommenden Jahr ohnehin auslaufen; im Hinterkopf hegte ich Zweifel über meine Zukunft mit Bjarne und CSC.

Wenn ich nicht auf dem Rad saß, hatte das Leben also seine Schwierigkeiten. Auf dem Rad dagegen lief alles wunderbar. Mit nahender Tour wurde meine Wattzahl immer höher und mein Gewicht immer niedriger. Mitte Juni sah ich die ersten Anzeichen. Zuerst magerten meine Oberarme so ab, dass meine Trikotärmel nicht mehr anlagen; ich spürte, wie sie im Fahrtwind gegen meinen Trizeps flatterten. Dann fing mein Hintern an zu schmerzen, wenn ich auf unseren hölzernen Esszimmerstühlen saß. Ich hatte dort kein Fett mehr und saß direkt auf dem Knochen. Dann wurde meine Haut so dünn und durchscheinend, dass Haven behauptete, sie könne die Umrisse meiner Organe sehen. Schließlich hörte ich von Freunden, ich sehe erbärmlich aus – ich sei ja nur noch Haut und Knochen. In meinen Ohren klang es wie ein Kompliment. Ich war fast am Ziel.

11

DIE ATTACKE

Die Tour de France 2003 begann eigentlich drei Wochen früher, bei der Dauphiné Libéré. Lance gewann dort zwar, aber Iban Mayo und andere Kletterspezialisten, die sich etwas Neues hatten einfallen lassen, stellten ihn auf die Probe: Sie bedienten sich seiner eigenen Mittel. Es war diesmal nicht Lance, der die Konkurrenz mit Temposteigerungen unter Druck setzte. Mayo drehte den Spieß um, trat immer und immer wieder kurz an. Es reichte nicht, um Lance zu besiegen, setzte ihm aber zu, und wir mussten aufpassen.

Statt vier Tage vor dem Start einen BB in Madrid zuzuführen, hatten Bjarne, Ufe und ich einen besseren, wenn auch riskanteren Plan entwickelt: Der erste BB sollte am Tag vor dem Start der Tour in Paris verabreicht werden. Dahinter steckte der Gedanke: Je kürzer vor Rennbeginn man mir den BB gab, desto länger würde die Wirkung anhalten. Zur Vorbereitung stabilisierte ich meinen Hämatokritwert bei 45. Ich absolvierte die medizinische Kontrolle zusammen mit dem Rest des Teams und fuhr dann mit dem Taxi zu dem Hotel, das Ufe gewählt hatte: ein kleines, heruntergekommenes Haus, 15 Minuten vom Tour-Hauptquartier entfernt. Alles ging glatt. Bald darauf stand mein Hämatokritwert bei 48, und ich war bereit. Am nächsten Tag lief es sogar noch besser, denn zum ersten Mal überhaupt schlug ich Lance beim Tour-Prolog. Alles passte: Auf dem Rad stimmten die erzielten Werte, das Gewicht war gut, Ufe stand mit zwei weiteren BBs bereit, und das Team war stark. Am nächsten Tag, als wir kurz vor dem Ziel der ersten Etappe das Tempo anzogen, hatte ich das Gefühl, hier könnte einiges möglich sein. Vielleicht war dies mein Jahr.

Und dann folgte ein Unfall.

Normalerweise hört man einen Unfall, bevor man ihn sieht. Es ist ein metallisches, kratzendes, knirschendes Geräusch, als schrappte eine zerdrückte Coladose über Beton – aber tausendfach verstärkt. Dann hört man das Quietschen der Bremsen und dieses weiche Plumpsen – Körper, die auf dem Asphalt landen. Fahrer schreien in vielen Sprachen durcheinander: »AUFPASSEN!«, »SCHEISSE!« – aber da ist es längst zu spät. Es ist eines der schrecklichsten Geräusche überhaupt.

Unfälle bei der Tour sind wie alle anderen Unfälle auch, nur fallen sie größer und folgenschwerer aus. Dieser eine war besonders spektakulär: Am Ende der Etappe noch eine enge Kurve, alle fahren wie der Teufel, kämpfen um eine gute Platzierung. Eine falsche Bewegung – in diesem Fall schnitt ein französischer Fahrer einem Spanier den Weg ab – löst eine Kettenreaktion aus. Aus der Distanz sieht es aus, als würde mitten im Peloton eine Bombe hochgehen. Und ich war mittendrin, hatte keine Chance, anzuhalten oder auszuweichen – oder irgendetwas anderes zu tun, als mich ganz steif zu machen und abzuwarten, wie's mich treffen würde. Ich knallte in den Haufen, kam zum Stillstand, wurde zu Boden geschleudert. Als ich auf dem Asphalt landete, sah ich Sterne. Ich hörte ein Knacken. Meine Schulter.

Scheiße.

Ich überquerte die Ziellinie mit einem wie leblos herabhängenden linken Arm. Die Röntgenbilder zeigten einen doppelten Schlüsselbeinbruch, eine hübsche V-förmige Fraktur. Eher reflexartig fragte ich, ob an eine Fortsetzung der Tour zu denken sei, und der Doktor antwortete, ohne zu zögern. *Ce n'est pas possible.* Unmöglich.

Schlagzeilen in aller Welt meldeten: *Hamilton ist draußen.* Ein Schlüsselbeinbruch ist im Radrennsport keine Seltenheit, und was dann folgt, ist klar: eine oder zwei Wochen ohne Radfahren, keine Frage. Es war niederschmetternd. Die ganze Arbeit, die Vorbereitung, all die Risiken, die ich auf mich genommen hatte. Der IMAX-Film, die Sponsoren, das Team, alles aus und vorbei. Bjarne und ich hatten beide Tränen in den Augen.

Ich fragte einen zweiten Arzt: Wie dachte er darüber?

Unmöglich.

Dann fragte ich noch einen dritten Arzt – und erhielt einen Hoffnungsschimmer. Er sagte, es sei zwar ein glatter Bruch, aber der Knochen sei stabil. Es bestehe eine Chance. Ich beschloss, es zu versuchen.

Am nächsten Morgen gelang es mir, mit einigen tiefen Atemzügen und unter schmerzhaften Verrenkungen mein Trikot anzuziehen. Der CSC-Trainer brachte einige Streifen Klebeband an meinem Schlüsselbein an, um es zu stabilisieren. Der Mechaniker verringerte den Reifendruck und wickelte drei Schichten Gel-Tape um meinen Lenker, um mir etwas Polsterung zu verschaffen. In der Annahme, ich würde sicher nur ein paar Minuten lang fahren und dann aussteigen, schickten die Betreuer meinen Koffer zur ersten Verpflegungsstelle, sodass ich von dort direkt zum Flughafen fahren konnte.

Ich stieg aufs Rad.

Der Schmerz kommt auf verschiedenerlei Art. Das hier war eine neue Variante – härter, grell und blendend. Hätte dieses Gefühl eine Farbe gehabt, es wäre ein Elektrogrün gewesen. Wenn ich über einen Kiesel rollte, durchzuckte mich ein unerträglicher Schmerz von den Fingerspitzen bis unter die Schädeldecke. Ich konnte mich nicht entscheiden, ob ich schreien oder mich übergeben sollte. Aber die Sache ist die: Schafft man die ersten zehn Minuten, erträgt man auch mehr. Die Zeit spielt keine Rolle mehr. Das Chaos und die Hektik des Rennens wirkten auf eine seltsame Art und Weise beruhigend. Ich trat stärker in die Pedale und nutzte den Schmerz in meinen Muskeln, um mich von der Tortur abzulenken, die vom Schlüsselbein ausging.

Nach Tour-Maßstäben war die Etappe Gott sei Dank flach und relativ leicht. Ich hielt mich den ganzen Tag lang am Schluss des Feldes und schaffte es auch, mit dem Hauptfeld ins Ziel zu kommen. Dabei war ich kreidebleich und konnte kaum sprechen. Die Mienen um mich herum sagten mir, dass hier keiner erwartete, mich am nächsten Tag wiederzusehen.

Am nächsten Morgen stand ich wieder am Start. Wieder spürte ich diese elektrogrünen Blitze. Und wieder fühlte es sich an, als müsste ich mich gleich übergeben, als würde ich ohnmächtig – oder sterben. Und wieder überstand ich den Tag.

Auf diese Art schleppte ich mich durch die erste Woche. Die Schmerzen wurden nicht geringer, aber nach meinem Gefühl stellten sich mein Körper und meine Psyche auf diese Anforderungen ein. Immer mehr Menschen wurden allmählich auf meine Lage aufmerksam – und ich wurde zu einer kleinen Sensation. Die IMAX-Produzenten waren rundum begeistert – *sag etwas über Willenskraft,* drängten sie mich immer wieder. Ich musste die Leute daran erinnern, dass sie mir nicht auf die Schulter klopfen sollten. Es tat zu sehr weh.

Der wahre Härtetest kam auf der achten Etappe. Drei schwere Berge, zunächst der Télégraphe, dann der Galibier und zum Schluss die berühmteste aller Tour-Bergstrecken, jene 21 legendären Kehren, die nach Alpe d'Huez hinaufführten. Wir alle wussten, Alpe d'Huez würde der Ort sein, an dem Lance und das Postal-Team ihren Angriff starteten: Sie würden das Team einsetzen, um mit einer schnellen Fahrt anderen die Kraft zu nehmen und Lance den Weg freizumachen für seine übliche Attacke bei der ersten schweren Bergetappe der Tour.

Drei Tage vor der achten Etappe machte ich einen Schachzug. Ursprünglich hatten Ufe und ich meinen zweiten BB für den ersten Ruhetag bei dieser Tour eingeplant, zwei Tage nach Alpe d'Huez. Aber mit dem gebrochenen Schlüsselbein fühlte ich mich schwach. Die erste Rennwoche hatte mich sehr viel Energie gekostet. Ich brauchte meinen BB jetzt. Mit dem Geheimtelefon schickte ich Ufe eine SMS.

Wir müssen am 11. in Lyon zu Abend essen.

Er schrieb sofort zurück: Wollten wir uns nicht später treffen? Er war sich nicht sicher, ob er das hinbekommen würde. Aber ich gab nicht klein bei. Für mich war es eine ungewohnte Rolle – der harte, fordernde Boss. Im Grunde wies ich Ufe gerade an, den Mund zu halten und das zu tun, was ich wollte.

Es ist wichtig. Es muss der 11. sein.

Am Abend des 11. Juli saß ich in Lyon in meinem Hotelzimmer. Es war schon nach 22 Uhr, als es an die Tür klopfte. Ufe kam mit einer Plastikkühltasche herein. Er sah zerzaust aus und war auch etwas aufgebracht – er hatte eine ziemliche Strecke fahren müssen, um diese Sache möglich zu machen. Aber zugleich war er auch aufgeregt und sprach ziemlich schnell, wie üblich.

»Scheiße noch mal, Tyler, du bist verrückt! Das alles mit gebrochenem Schlüsselbein! Und dabei fährst du noch eine gute Tour!«

Bei aller Aufregung arbeitete Ufe effizient. In wenigen Minuten hatte er den Tascheninhalt ausgepackt, und ich hing am Schlauch. Gummiband, Nadel, Ventil, alles lief wie am Schnürchen. Fünfzehn Minuten später verschwand er wieder in die Nacht, und ich war bereit für Alpe d'Huez.

Nicht alle hatten so viel Glück. Auf der siebten Etappe war ein Kelme-Fahrer namens Jesús Manzano am Straßenrand zusammengebrochen und fast gestorben. Die Hintergründe dieses Vorfalls wurden in den folgenden Tagen im Peloton besprochen. Man flüsterte, mit seinem BB sei etwas schiefgegangen – vielleicht war er nicht sachgemäß behandelt, nicht richtig gekühlt oder sogar infiziert worden. Ein verdorbener BB konnte dich umbringen, weil er wie eine Giftspritze wirkte. Ich war dankbar dafür, dass ich mit Profis zusammenarbeitete.[1]

Natürlich mussten wir uns nach wie vor mit den Testern auseinandersetzen. Wir nannten sie »Vampire«. Während der Tour standen sie gern schon frühmorgens vor der Tür und verlangten Blut- und Urinproben. Nach der frühen BB-Zufuhr machte ich mir etwas Sorgen – und tatsächlich wurde unser Team am nächsten Morgen für einen Test ausgewählt. Glücklicherweise war die hier praktizierte Vorgehensweise zu meinem Vorteil: Den Fahrern blieb nach der Benachrichtigung üblicherweise ein kleines Zeitfenster, um sich zum Test einzufinden. Es war zwar nicht viel Zeit, doch sie reichte zur intravenösen Zufuhr einer Salzlösung, die wir als »Speed Bag« bezeichneten und die den Hämatokritwert um etwa drei Punkte senkte. In einer solchen Situation sind die Betreuer und Teamärzte wahrlich ihr Geld wert: Sie sind stets auf Abruf bereit, falls sie gebraucht werden. Die CSC-Crew war genauso gut wie die Postal-Truppe, und nach einer Speed Bag war ich wieder im sicheren Bereich. Es ist ein Mannschaftssport.

Auf der Etappe nach Alpe d'Huez am 13. Juli 2003 schloss die Welle der neuen Entwicklungen zu Lance und Postal auf. An diesem Tag war es kochend heiß. Der Asphalt wurde bei dieser Hitze weich. Am Galibier, dem zweiten Berg des Tages, schickte Postal fünf Fahrer nach vorn, die Druck machen soll-

---

1 Nach Manzanos Darstellung hatten ihm die Teamärzte eine 50-Milliliter-Injektion Oxyglobin verabreicht, einen Blutersatzstoff. (Kelme-Vertreter bestritten diese Behauptung und erklärten, Manzano habe einen Hitzschlag erlitten.) Manzano erkrankte im weiteren Verlauf der Saison abermals schwer, nachdem er bei der Portugal-Rundfahrt eine Eigenblut-Infusion erhalten hatte, und legte im Gespräch mit der spanischen Sport-Tageszeitung *AS* ein Geständnis ab. Diese Äußerungen lösten in Spanien dann die unter der Bezeichnung Operación Puerto bekannt gewordenen Ermittlungen aus, die zur Verhaftung von Eufemiano Fuentes führten und letztlich auch den Skandal auslösten, der die Karrieren von Jan Ullrich und anderen Spitzenfahrern beendete.

ten. Noch vor ein, zwei Jahren wäre das Feld bei einer solchen Aktion auseinandergerissen worden, Lance hätte es dann nur noch mit ein paar versprengten Rivalen zu tun gehabt. Doch diesmal funktionierte die Sache nicht; etwa 30 von uns erreichten den Gipfel des Galibier gemeinsam mit den Postal-Leuten. Und wir sahen gut aus.

Ullrich gehörte dazu, schneidiger und schlanker, als ich ihn je zuvor erlebt hatte. Ceccos Einfluss war an seiner entspannten Körpersprache förmlich abzulesen, an der Leichtigkeit, mit der er auf Tempoverschärfungen reagierte.

Mayo und Beloki, die für zwei verschiedene Mannschaften fuhren (Mayo für Euskaltel-Euskadi, Beloki für ONCE), waren gegensätzliche Typen: Beloki hatte traurige Augen und wirkte bedrückt; Mayo war charismatisch und gut aussehend. Aber beide zeigten sich angriffslustig und furchtlos, und beide fuhren nicht um Platzierungen – sie wollten gewinnen.

Und dann war da noch Alexander Winokurow, der »verrückte Kasache«. Er hatte zwar den Körperbau eines Hydranten, war aber ein unglaublich zäher Wettkämpfer, der am Berg ebenso brillieren konnte wie beim Zeitfahren. Außerdem verfügte er über eines der besten Pokerfaces im Peloton. Es war nie vorherzusagen, wann er eine seiner selbstmörderischen Attacken starten würde. Außerdem rechnete ich damit, dass er gut vorbereitet an den Start gehen würde. Als ich in Madrid einmal vor Ufes Büro wartete, entdeckte ich Wino in einem Café ganz in der Nähe.

Am Fuß des Aufstiegs nach Alpe d'Huez setzten sich fünf Postal-Fahrer an die Spitze. Heras und Chechu sprinteten los – volles Tempo, so wild sie nur konnten. Solche Manöver hatten in den letzten vier Jahren die Voraussetzung zum Tour-Sieg geschaffen: superhohe Wattzahlen, über einige Minuten hinweg. Einen Moment lang wurde ich abgehängt. Dann schloss ich wieder auf.

Dies ist der richtige Zeitpunkt. Wenn jemand erklärt haben möchte, wie Doping ein Rennen beeinflusst, verweise ich auf diese zehn Sekunden am Fuß von Alpe d'Huez im Jahr 2003. Als Lance und sein Gefolge antraten, fiel ich sofort sechs, acht Meter zurück. Ohne BB wäre ich noch weiter zurückgefallen und nicht wiedergekommen; mein Tag wäre gelaufen gewesen. Aber mit BB hatte ich diese fünf Extraherzschläge, diese 20 Watt mehr. Mit BB konnte ich mich wieder heranarbeiten. Auf dem Video kann man sehen, wie ich wieder ins Bild komme und zur Spitzengruppe aufschließe. Als Lance sich umsieht, bin ich direkt hinter ihm.

Lance greift weiter an, er hat einen schnellen Tritt und gibt sein Bestes. Aber er kann uns nicht abhängen: Mit dabei sind noch Mayo und sein Teamgefährte Haimar Zubeldia, Beloki und Wino. Aber keine Postal-Fahrer, Lance ist jetzt allein. Er hat seine Helfer verschlissen.

Nach ein paar Minuten, schon in den Kehren, geht Lance aus dem Sattel. Wiegetritt – so wie immer, wenn er das Letzte aus sich herausholt. Ich kann nicht aufstehen – mein Schlüsselbein schmerzt zu sehr –, also beiße ich die Zähne zusammen und gebe im Sitzen, was ich kann. Wie in den alten Trainingstagen: nur er und ich in den Bergen oberhalb von Nizza. Er gibt alles, und ich antworte.

Wie fühlt sich das an?

Ich bin noch da.

Und das?

Bin immer noch da.

Ein kleines Zahlenbeispiel: Der Führende bei einer Bergfahrt verbraucht etwa 15 bis 20 Watt mehr als der Fahrer in seinem Windschatten. Deshalb bleibt man ja so lange wie möglich am Hinterrad und spart sich die eigene Energie für die entscheidenden Augenblicke auf: für die Attacken und Reaktionen darauf. Wir nennen das »Streichhölzer abbrennen«, was bedeutet, dass jeder Fahrer eine bestimmte Zahl von großen Anstrengungen auf sich nehmen kann. Jetzt, auf dem Weg nach Alpe d'Huez, brannte Lance ein Streichholz nach dem anderen ab.

Wir spüren das und greifen ihn an. Zuerst Beloki, dann Mayo, dann versuche ich es und lasse Lance hinter mir. Und es funktioniert. Sekundenlang habe ich ein paar Meter Vorsprung. Die Fernsehkommentatoren Phil Liggett und Paul Sherwen geraten bei ihrer Übertragung aus dem Häuschen.

»So einen Kampf am Berg haben wir noch nie gesehen«, ruft Liggett. »Sie glauben, dass [Lance] verwundbar ist! Sie glauben wirklich, dass Armstrong zu schlagen ist!«

Lance ist die Anstrengung ins Gesicht geschrieben: tiefe Falten auf der Stirn, die Unterlippe vorgeschoben, der Kopf nach vorn geneigt. Er quält sich wieder an mich heran. Nun reißt Mayo aus, er tritt an, und sein orangefarbenes Trikot mit dem offenen Reißverschluss flattert wie das Cape eines Superhelden. Winokurow folgt ihm, Lance lässt die beiden ziehen. Ich versuche aufs Neue wegzufahren, aber Lance hängt sich dran. Jetzt haben wir die Rollen getauscht. Er folgt mir und zeigt: *Ich bin immer noch da, Mann.*

Auf den letzten Kehren sind uns beiden die Streichhölzer ausgegangen. Wir bleiben auf den letzten paar Kilometern eng beieinander. Mayo schnappt sich den Etappensieg, Wino wird Zweiter. Lance und ich kommen mit fünf anderen ins Ziel, Ullrich ist nur 1:24 Minuten hinter uns. In den Medien ist Lance' Schwäche danach das beherrschende Thema. Doch wir Fahrer wissen, dass sie ahnungslos sind. Die Wahrheit ist: Zum ersten Mal in meiner gesamten Tour-de-France-Laufbahn sind die Voraussetzungen gleich.

In den folgenden Tagen klemmte ich mir – weil ich mich so stark auf das gebrochene Schlüsselbein konzentriert hatte – einen Nerv im unteren Rückenbereich ein. Das verursachte Schmerzen, die noch schlimmer waren als das gebrochene Schlüsselbein. Ich bekam Dauerkrämpfe im Rücken. Am Abend der zehnten Etappe wurden die Schmerzen unerträglich, Gehen wurde zum Problem, die Atemfunktion war eingeschränkt. Wir versuchten es mit allen gängigen Methoden: Massage, Eis, Wärme, Tylenol – nichts wirkte. Es fühlte sich an wie eine eiserne Faust, die meine Wirbelsäule umfasste und zudrückte.

Ole Kare Foli, der schlaksige, etwas alternativ angehauchte CSC-Physiotherapeut, beschloss, es mit einer extremen chiropraktischen Maßnahme zu versuchen – im Grunde genommen wollte er mich auf dieselbe Art strecken, wie man ein verbogenes Stück Kupferrohr wieder geradebiegt. Ich sagte ihm, er solle sich beeilen, und das tat er dann auch. Ich schrie, Ole und Haven weinten, und Tugboat bellte, aber als es vorbei war, fühlte ich mich besser. Auf den nächsten Etappen verlor ich zwar etwas Zeit, blieb aber auf Tuchfühlung zu den Plätzen auf dem Treppchen.

Zu Beginn der 15. Etappe waren die Abstände geringer als je zuvor: Fünf Fahrer lagen eng beieinander, mit einem Gesamtabstand von nur 4:37 Minuten. Postal setzte abermals alles auf eine Karte – offenbar die einzige, die sie noch ausspielen konnten. Sie probierten es mit brachialer Gewalt – und scheiterten wieder. Am letzten Anstieg des Tages, auf der Strecke nach Luz Ardiden, fuhren wir alle in derselben Gruppe. Mayo attackierte als Erster; Lance reagierte, und wir folgten. Lance holte Mayo ein und startete dann seinerseits einen Angriff.

Wenn Lance in Führung liegt, macht er den Verfolgern manchmal gern das Leben schwer, indem er am Streckenrand so nah wie möglich an den Zuschauern vorbeifährt. So kann der nächste Fahrer seinen Windschatten nicht so gut nutzen wie bei einer Fahrt in Straßenmitte. Jemanden »auf die Windkante nehmen«, nennt man das, und es ist einerseits nützlich, zugleich aber auch ziemlich riskant. Wenn man so dicht an den Zuschauern entlangfährt, kann leicht etwas passieren.

In diesem Fall war es ein etwa zehn Jahre alter Junge. Er spielte mit einem gelben Proviantbeutel aus Plastik – einem Souvenir –, und im Vorbeifahren verfing sich Armstrongs rechte Lenkstange im Griff dieses Beutels. Der Junge hielt ihn instinktiv fest und brachte Armstrong so zu Fall.

Auch Mayo ging zu Boden. Ullrich konnte gerade noch ausweichen.

Wir fuhren weiter. In solchen Fällen ist es üblich, alle Attacken auf Eis zu legen, bis das Gelbe Trikot wieder zur Spitzengruppe aufgeschlossen hat – das gehört zu den ungeschriebenen Gesetzen der Rennfahrer-Ritterlichkeit. Also fuhren wir in gleichmäßigem Tempo weiter und warteten auf Lance' Rückkehr in unsere Gruppe.

Auch Ullrich fuhr weiter. Ich erblickte ihn ein paar Hundert Meter vor uns, und für mich sah es nicht danach aus, als würde er warten. Er attackierte nicht gerade, fuhr aber ganz gewiss auch nicht langsamer. Ich beschloss, ein Streichholz abzubrennen, um ihn einzuholen und aufzufordern, einen Gang herunterzuschalten. Es dauerte etwa eine Minute, bis ich ihn erreicht hatte und ihn wie auch die anderen mit Gesten zum Warten animierte. Ullrich verlangsamte sein Tempo, und Lance schloss zu uns auf. Dann löste er sich, gewann die Etappe in eindrucksvoller Manier und machte dabei 40 Sekunden auf Ullrich und 1:10 Minuten auf mich gut – was ihm wenige Tage vor dem Finale der Tour einen kleinen Vorsprung verschaffte.

Haven bekam an jenem Abend eine SMS von Lance. Sie lautete: »Tyler hat heute große Klasse bewiesen. Dein Mann ist ein Teufelskerl. Vielen Dank.« Ich freute mich über diese Nachricht, aber diese Freude war nicht so intensiv wie das Gefühl, das Richtige getan zu haben. Das hatte nichts mit Lance zu tun, sondern mit Fairness. Selbst in unserer Welt – ganz besonders in unserer Welt – fühlt es sich manchmal gut an, wenn man sich an die Regeln hält.

An jenem Abend traf ich mich in einem nahe gelegenen Hotel mit Ufe und erhielt den dritten BB. Alles ging glatt, aber ich empfand dabei ein tiefes Bedauern. Ich wünschte mir, wir hätten die Transfusion früher vorgenommen, dann hätte ich auf der 13. und 14. Etappe keine Zeit verloren. Jetzt, wo sich mein Schlüsselbein stabiler anfühlte, wusste ich, dass ich diesen BB gut einsetzen musste. Der nächste Tag war meine letzte Chance, bei dieser Tour noch etwas zu erreichen: Die 16. Etappe von Pau nach Bayonne enthielt auch die letzten großen Berganstiege.

Der Tag begann nicht gut: Gleich in einer frühen Phase steckte ich im Hauptfeld fest, als vorn die Post abging, und wurde abgehängt. Ich fühlte mich kraftlos und schwerfällig, wie das nach einer BB-Zufuhr manchmal der Fall war. Ich musste einige Teamgefährten bitten, mich im Windschatten wieder zur Spitze zu führen. Kurz darauf war ich wieder vorn und fühlte mich besser.

Am ersten größeren Anstieg des Tages attackierte ich und schloss dabei zu einer kleinen Ausreißergruppe auf. Wir legten eine gewisse Distanz zwischen uns und das Peloton, und als wir uns dem Col Bagargui näherten, der großen Bergprüfung dieses Tages, beschloss ich, abermals anzugreifen. Ich nahm den Kopf herunter, stieß in die Todeszone vor, und als ich wieder aufschaute, fuhr ich allein durch den Nebel, 96 Kilometer vor dem Ziel.

Eine Solo-Ausreißerfahrt ist eine merkwürdige Erfahrung. Ich stelle mir das so ähnlich vor wie eine Ruderpartie über den Atlantik. Man fährt los mit einem gewissen, gänzlich unbekümmerten Gefühl der Freiheit. Man verpulvert seine Energien, schließlich hat man nichts zu verlieren. Doch dann, während die Zeit fortschreitet, spielt einem der eigene Kopf Streiche. Die Stimmung schwankt von einem Extrem ins andere. Mal fühlt man sich allein und ist ohne Hoffnung – und wenig später unbesiegbar.

Ich mobilisierte alle Kräfte. Normalerweise halte ich mir etwas auf mein Pokerface zugute, aber wie die Bilder jenes Tages zeigen, spielte der äußere Schein keine Rolle mehr: zusammengekniffene, verschwollene Augen, heraushängende Zunge, der Kopf zurückgelegt. Mir wurde hundsmiserabel. Aber ich hatte gute Beine. Sie kurbelten weiter.

Ich zog davon. Erst zwei Minuten Vorsprung, dann drei. Vier. Und schließlich unglaubliche fünf Minuten. Während sich der

Abstand vergrößerte, fühlte ich mich immer stärker. Mit neun Minuten Rückstand auf Lance war ich in diese Etappe gegangen, und jetzt fuhr ich bei der Tour de France aufs Treppchen. Hinter mir wurde das Feld unruhig und eröffnete die Jagd: Die Teams der drei bis dahin Erstplatzierten wurden aktiv. Ich konnte Lance' Knurren förmlich hören – *nicht normal!* Sie gingen in die Vollen und arbeiteten hart, um mich noch abzufangen. Die Teams, die am meisten zu verlieren hatten, wechselten sich bei der Führungsarbeit ab. Aber sie erwischten mich nicht. Heute nicht. Alles andere bei dieser Tour war schiefgegangen – der Sturz, mein Schlüsselbein, der eingeklemmte Nerv. Heute würde es anders laufen. Die lange Einfahrt nach Bayonne war eine Achterbahn mit steilen, kurzen Anstiegen und steilen, kurzen Abfahrten. Ich sah das und lächelte in mich hinein. Genauso hatte ich mit Cecco in den Hügeln der Toskana trainiert, im 40-20er-Rhythmus. Ich nutzte die neue Maximalleistung meines Motors. Im Headset hörte ich Bjarnes ruhige Stimme, die mich anfeuerte.

Du fährst die Tour de France kaputt.

Tyler, Tyler, Tyler, du bist so stark.

Sie werden dich nicht einholen.

Man kann über BB und Edgar sagen, was man will; man kann mich auch, so oft man will, einen Betrüger und Doper nennen. Was bleibt, ist die Tatsache, dass ich meine Trümpfe bei einem Rennen ausspielte, bei dem alle dieselben Chancen hatten – und dass ich sie gut ausspielte. Ich nutzte die Gelegenheit und trieb mich an, so gut ich konnte – und am Ende dieses Tages kam ich als Erster ins Ziel. Als die Ziellinie näherrückte, fuhr ich langsamer, sodass Bjarne neben mich fahren und wir uns im Augenblick des Sieges die Hand reichen konnten. Die Presse bezeichnete diese Flucht als die längste und mutigste der Tourgeschichte. Ein paar Fahrer murrten über meine »außerirdische Leistung«, aber das war mir egal. Ein paar Tage später gewann Lance die Tour mit knappem Vorsprung vor Ullrich und Winokurow. Dank meiner Solofahrt wurde ich Vierter im

Gesamtklassement und erzielte damit mein bestes Endergebnis überhaupt bei der Tour. Ich kam zwar nicht aufs Treppchen, konnte es aber von da, wo ich jetzt stand, gut sehen.

Leider gingen Bjarne und ich wenige Tage später getrennte Wege. So sehr wir uns persönlich mochten und trotz des Erfolgs, den wir miteinander gehabt hatten, waren wir in einem entscheidenden Punkt verschiedener Meinung. Nach meinem Gefühl brauchte ich bei der Tour de France die Unterstützung des gesamten Teams, während Bjarne das Konzept zweier gleichberechtigter Kapitäne bevorzugte. Schon auf der 13. Etappe war mir klar geworden, dass unsere Zusammenarbeit zu Ende gehen würde, als Bjarne mit dem Teamfahrzeug an mir vorbeirauschte, um Carlos Sastres Versuch, den Etappensieg einzufahren, zu unterstützen. Vom CSC-Team wegzugehen fiel mir nicht leicht. Als ich Bjarne meine Entscheidung mitteilte, weinten wir beide. Er sagte mir, er habe noch nie jemanden kennengelernt, der so hart arbeitete wie ich. Ich schätzte das, und ich schätzte auch ihn. Aber ich war kein Frischling mehr, sondern schon 33. Da bleibt fürs Abwarten keine Zeit.

Bei Phonak, einem aufstrebenden Team aus der Schweiz, unterschrieb ich einen Zweijahresvertrag für 2004 und 2005. Der Eigentümer dieser Mannschaft, ein freundlicher Schweizer Unternehmer namens Andy Rihs, ein Mann wie ein Bär, war die Art von Chef, die man sich erträumt: mit positiver Einstellung, großen Ambitionen und uneingeschränkt unterstützender Grundhaltung. Mein Vertrag sah 900 000 Dollar Jahresgehalt plus Bonuszahlungen vor. Solche Zahlen gaben mir, zusammen mit Andys Unterstützung, die Gewissheit, dass ich der Kapitän des Tour-Teams sein und 2004 für mich das Jahr werden würde, an dem ich alle Chips, den gesamten Einsatz, in die Mitte des Spieltisches schob.

Anfang August flog ich in die Staaten zurück und erlebte eine Überraschung: Ich war dort so etwas wie eine Berühmtheit – zumindest für ein paar Wochen. Wir wussten, dass meine Leistung bei der Tour Beachtung gefunden hatte, aber uns war nicht klar gewesen, wie weit das ging. Ehe ich mich versah, plauderte ich bei der *Today*-Show mit Matt Lauer, warf den ersten Ball bei einem Spiel der Boston Red Sox und läutete zum Handelsbeginn beim American Stock Exchange die Glocke. Die Händler auf dem Parkett freuten sich besonders über diese Begegnung mit mir. (Offensichtlich verfolgen viele von ihnen die Tour.) Sie nannten mich Tyler Fucking Hamilton – *Hey, sieh mal, das ist Tyler Fucking Hamilton* – bis wir beschlossen, dass das mein neuer zweiter Vorname sein sollte.

Meine Heimatstadt Marblehead veranstaltete eine Parade. Im Seaside Park versammelten sich 3000 Menschen. Auf Flaggen, T-Shirts und gelben Transparenten konnte man lesen: TYLER IST UNSER HELD. Am Ortsrand wurde ein Schild aufgestellt: *Heimatstadt des Weltklasse-Radfahrers Tyler Hamilton.* Eine ganze Fahrradflotte fuhr uns bei der Parade voraus. Haven und ich saßen auf dem Rücksitz eines blitzblanken Cabrios und winkten den Menschen zu. Ich stand auf einem Podium, hielt eine Rede und nahm die Schlüssel zur Stadt in Empfang. Ich hielt Ausschau und sah all diese Gesichter – die glücklichen, bewundernden, lächelnden Gesichter.

Ich hielt das nicht aus.

Verstehen Sie mich nicht falsch – ich schätzte das alles mehr, als ich überhaupt sagen kann. Ich fühlte mich geehrt und war dankbar für all die guten Wünsche. Es war so toll, von all den Freunden und Familien umgeben zu sein, mit denen ich aufgewachsen war. Aber in meinem Innersten schämte ich mich. All das Lob machte es noch schlimmer.

Das Schlimmste war, dass die Ehrungen kein Ende nahmen. Wildfremde Menschen legten Geschenke auf unserer Türschwelle ab; schrieben mir lange, bewegende Briefe, in denen sie mir mitteilten, wie sehr ich sie inspiriert hätte; machten mir per E-Mail Heiratsanträge; nannten ihre Kinder nach mir. Ich versuchte, die Aufmerksamkeit von mir abzulenken, um den Druck zu lindern. Fragte mich ein Fan nach meinem Schlüsselbein oder meinem Etappensieg, wechselte ich das Thema und fragte die Leute im Gegenzug nach ihrer Heimatstadt, ihrem Lieblings-Baseballteam oder ihrem Haustier. Alles war mir recht, um von mir selbst abzulenken. Oder ich reagierte, wenn sie mich lobten, mit einem Satz wie: »Hey, es ist doch nur ein Radrennen.« Ich meinte das wirklich so. Wir lösen schließlich nicht das Problem des Hungers auf der Welt, wir sind nur ein Haufen magerer, verrückter Typen, die versuchen, als Erster über die Ziellinie zu fahren. Aber meine Versuche bewirkten meist das genaue Gegenteil, weil mir die Leute das als Bescheidenheit und Freundlichkeit auslegten. Ich fühlte mich in der Falle: Was immer ich auch tat, es sorgte für mehr Ruhm und mehr Aufmerksamkeit.

Ich erinnere mich, wie ich dachte: *Damit lebt Lance Tag für Tag, nur bei ihm ist es hundertmal schlimmer.* Wir waren im selben Spiel gefangen, und es gab keinen Ausweg. Was sollte ich tun? Zurücktreten? Die Wahrheit sagen? Auf paniagua fahren? Die Welt wollte mehr, brauchte mehr. Deshalb würde ich den Leuten wohl mehr geben müssen, musste weiter gewinnen, weiter der Held sein, den sie in mir sahen.

In jenem Herbst kauften Haven und ich ein neues Haus außerhalb von Boulder, an der Sunshine Canyon Road, mit Blick auf die Rocky Mountains, einem Flügel im Wohnzimmer und allen innenarchitektonischen Feinheiten, bis hin zum aus Holz geschnitzten Elchkopf an der Wand. Wir fühlten uns, als hätten wir jetzt alles erreicht. Aber in meinem Innersten setzte mir die Wahrheit zu.

Im Herbst 2003 verfiel ich in die tiefste Depression meines Lebens. Ich sank bis auf den Grund des schwarzen Ozeans, konnte tagelang nicht aufstehen. Ich verspürte nicht das geringste Interesse am Radfahren, am Essen, an allem, was mit Freude verbunden war. Nach allen erdenklichen Maßstäben stand ich auf dem Höhepunkt meiner Laufbahn. Ich hatte praktisch alles erreicht, was ich mir einmal vorgenommen hatte, und noch mehr dazu. Ich hatte Erfolg, war reich, es sah so aus, als stünden mir alle Türen offen. Und mir war hundeelend zumute.

Die Menschen verstehen nicht, wie schmerzhaft eine Depression ist. Es ist, als wäre der eigene Verstand überzeugt davon, dass er stirbt, und produziert eine Säure, die einen innerlich auffrisst, bis nur noch eine unheimliche Leere übrig bleibt. Das Denken wird von düsteren Gedanken erfüllt. Man kommt zu der Überzeugung, dass einen die eigenen Freunde insgeheim hassen, dass man wertlos ist und es keinerlei Hoffnung mehr gibt. Ich sank nie so tief, dass ich daran dachte, allem ein Ende zu machen, aber ich verstehe, wie manche Leute so weit kommen. Die Depression tut einfach zu sehr weh.

Wir überstanden sie. Haven erfand Entschuldigungen für die Freunde und besorgte mir einen Termin bei einem vorzüglichen Arzt, der mir Effexor verschrieb, 150 Milligramm pro Tag, was ausreichte, um meine Gedanken wieder zu beruhigen. Ganz langsam, zentimeterweise, spürte ich die Erholung. Nach ein paar Wochen zog sich die Dunkelheit allmählich zurück. Mein Lebenshunger kam zurück. Haven war wunderbar. Sie verstand und betreute mich in diesen Wochen, bis ich mich stark genug fühlte, unter Menschen zu gehen und wieder aufs Rad zu steigen.

Hilfreich war für mich auch unsere Arbeit mit der Tyler-Hamilton-Stiftung, die wegen der zunehmenden Beachtung in der Öffentlichkeit rasch wuchs. Eines unserer Hauptprojekte war die Organisation von Gruppenfahrten, mit denen Geldmittel eingeworben und ein Problembewusstsein geweckt werden sollten. Eine der unerwarteten Überraschungen dabei war, wie viele Menschen mit Multipler Sklerose sich unseren Fahrten anschlossen. Alle Zweifel an meinem Erfolg verflogen, wenn ich ein Lächeln auf dem Gesicht eines MS-Patienten sah oder miterlebte, wie diese Menschen sich einen steilen Anstieg hinaufmühten. Ihre Anstrengungen und ihre Widerstandskraft gaben meinem Leben einen Sinn.

In die Saison 2004 gingen wir mit dem Gefühl, verwundet und zugleich weiser zu sein. Wir hatten es bis an die Spitze der Radsportwelt geschafft, und als wir dort angelangt waren, empfanden wir vor allem Trostlosigkeit und Leere. Ich glaube, zu diesem Zeitpunkt sprachen Haven und ich erstmals über einen Rücktritt. Wir redeten darüber, wann wir diesen verrückten Zirkus aufgeben, uns niederlassen und ein normales Leben führen konnten; Kinder haben, Freundschaften schließen, Zeit miteinander verbringen, richtig zu Abend essen, Spaziergänge unternehmen. Statt von einer langen, produktiven Karriere im Radsport träumten wir jetzt von einem anderen Ziel: Wir würden zwei Jahre bei Phonak bleiben und dann unsere Chips einlösen und nach Hause gehen.

12

Als ich Anfang 2004 nach Europa zurückkam, war ich bereit zu einem neuen Anlauf, und Phonak ebenso. Vom Eigner, Andy Rihs, bis hinunter zu den Mechanikern fühlte sich jeder als Teil des Teams und war ganz auf die Tour de France konzentriert.

Wenn es ein Motto für dieses Jahr gab, dann *Alle für einen, und einer für alle.*

Es begann mit den Menschen. Unser Sportlicher Leiter war ein ruhiger, freundlicher Mann namens Álvaro Pino, der zuvor für das starke Kelme-Team gearbeitet hatte. Wir engagierten ein Trio spanischer Fahrer, Óscar Sevilla, Santos González und José Gutiérrez, um die bestehende Mannschaft zu ergänzen, die aus Santiago Pérez, den Schweizer Fahrern Alex Zülle, Oscar Camenzind und Alexandre Moos sowie dem stahlharten Slowenen Tadej Valjavec bestand. Vom CSC-Team brachte ich Nicolas Jalabert mit, einen klugen Fahrer und guten Freund. Das Zusammengehörigkeitsgefühl wurde dadurch verstärkt, dass einige der Spanier bereits mit Ufe zusammenarbeiteten, der auch Teamarzt bei Kelme gewesen war.

Im Trainingslager gab ich das Thema vor: Wir würden hart arbeiten, aber auch aufeinander achten. Ich gab mir alle Mühe, nicht als Primadonna aufzutreten. Ich trainierte am fleißigsten; ließ mich auf jeden ein; ich lernte jeden Teamkameraden und seine Familie kennen. Ich tat mein Bestes, um sicherzustellen, dass niemand den Stil unseres Teams mit dem von Postal verwechselte.

Wir waren Vorreiter in Innovation und neuen Technologien. In Zusammenarbeit mit dem Fahrradhersteller BMC (der praktischerweise ebenfalls Rihs gehörte) entwarf das Team eine Reihe neuer Räder für meine Teilnahme an der Tour – leichte, schnelle Designs mit Anleihen an die Rennwagen-Technologie. Wir würden die besten Skinsuits für die Zeitfahrten haben, die besten Köche, die besten Betreuer. Unser Mannschaftsbus war eine richtige Schönheit: Er sah aus wie der Tourneebus einer Rockband, viel neuer und besser als der von Postal. Wir hatten zwei Badezimmer, Ledersofas, eine Stereoanlage, einen Fernseher, Höhensimulationsapparate – was man sich nur wünschen konnte.

Als ich im Februar Ufe wiedersah, hatte er eine große Neuigkeit: Er hatte sich gerade einen Gefrierschrank angeschafft; keinen gewöhnlichen, sondern einen medizinischen mit allem erforderlichen Zubehör. Er sollte die Grundlage einer entscheidenden Innovation sein und trug den Spitznamen »Sibirien.«

In einem noch hastigeren Wortschwall als sonst erklärte Ufe, was er sich vorstellte: Anstatt das Blut wie üblich nur zu kühlen – was erforderte, dass ich alle paar Wochen nach Madrid flog –, würde er die BBs jetzt einfrieren, sodass sie sich im Prinzip unbegrenzt hielten. Das war Musik in meinen Ohren. Ich würde den stressigen BB-Pendelflügen entkommen; ich würde mir Blut abzapfen lassen, wann immer es gerade passte. Und statt zwei oder drei BBs pro Tour würde ich in Zukunft mehr benutzen können.

Zwei Nachteile, so Ufe, musste ich in jedoch Kauf nehmen. Erstens würde Sibirien teurer werden als das bisherige Verfahren; es war eine Menge zeitraubender Arbeit erforderlich, um die gefrorenen Blutkonserven lebensfähig zu erhalten; sie mussten dazu langsam mit einer Glykollösung (im Prinzip ein Frostschutzmittel) versetzt werden, die das in ihnen enthaltene Wasser verdrängte und verhinderte, dass die Blutkörperchen platzten, während sie gefroren waren. Zweitens waren Sibirien-BBs etwas wirkungsschwächer als die gekühlten:

Durch den beim Einfrieren unvermeidlichen Schock starben etwa zehn Prozent der Blutkörperchen ab – kein großer Unterschied, aber man musste ihn kennen. Die abgestorbenen zehn Prozent Erythrozyten würde ich, wie Ufe erklärte, einfach mit dem Urin ausscheiden. Der würde davon etwas rostfarben, eine störende, aber harmlose Nebenwirkung.

Dann kam das Beste. (Ufe war ein guter Verkäufer.) Er sagte, er biete Sibirien nicht allen Patienten an, sondern nur einigen ausgewählten: Ullrich, Wino und Ivan Basso. Der Preis betrug 50000 Dollar pro Saison plus der üblichen Siegprämien.

Die Entscheidung fiel mir leicht, weil ich eigentlich keine Wahl hatte. Entweder sah ich zu, wie meine Rivalen den neuen Gefrierschrank benutzten, und ließ mich abhängen, oder ich schloss mich dem Club an. Es war auf gewisse Weise sogar fair, dass wir vier alle denselben Arzt hatten und unser Blut im selben Gefrierschrank aufbewahrt wurde – gleiche Chancen für alle. Ich erwiderte also: »Unbedingt, das mache ich«, und dankte Ufe.

Erst später fand ich heraus, wie unangebracht meine Dankbarkeit war.

Ich hatte noch nie so viel zu tun gehabt wie in diesem Frühling, als ich das Phonak-Team und mich selbst auf die Tour 2004 vorbereitete. Es gab tausend Einzelheiten zu beachten, tausend Entscheidungen zu treffen. Manchmal war ich ganz ruhig, manchmal allerdings auch kurz vorm Durchdrehen.

An einen Termin bei Ufe erinnere ich mich noch besonders gut. Ich kam gerade von einem Rennen; ich war erschöpft und zog einen Rollkoffer hinter mir her. Ufe ließ mich ungewöhnlich lange im Café warten. Ich hatte eine Reservierung für den Heimflug nach Girona und wollte so schnell wie möglich nach Hause. Ich trank einen Kaffee nach dem anderen. Als ich endlich die SMS bekam – *Die Luft ist rein* –, stürmte ich in die Praxis, legte mich hin, und Ufe fing an. Als die Nadel steckte, ballte ich die Hand zur Faust, um den Blutfluss anzuregen.

Als der Beutel gefüllt war, sprang ich wieder auf. Sonst hielt ich den Arm immer einige Minuten über den Kopf und drückte einen Wattebausch auf die Einstichstelle – aber diesmal hatte ich dafür keine Zeit. Ich klebte den Wattebausch mit Pflaster auf, rollte meinen Ärmel runter, verabschiedete mich und rannte zum Ausgang. Dann hastete ich die Straßen Madrids entlang, den holpernden Rollkoffer hinter mir, und hielt nach einem Taxi Ausschau, um meinen Flug noch zu bekommen. Vielleicht zwei Querstraßen von Ufes Praxis spürte ich plötzlich, dass meine Hand feucht wurde. Ich sah hinunter: Von meiner Hand tropfte Blut. Mein Ärmel war rot durchweicht. Ich hob die Hand, und sie sah aus, als hätte ich sie in rote Farbe getaucht. Man konnte denken, ich hätte gerade jemanden ermordet.

Ich verbarg die blutige Hand hastig in meiner Jacke und drückte auf die Einstichstelle. Als ich ein Taxi bekam, versuchte ich meinen Zustand vor dem Fahrer zu verbergen und gleichzeitig mit einem Papiertaschentuch das Blut von Arm und Hand zu wischen. Am Flughafen ging ich sofort auf eine Toilette, warf das blutige Hemd in den Mülleimer und tarnte es mit Papierhandtüchern. Über einem Waschbecken bemühte ich mich, die angetrockneten Blutreste aus der Handfläche, vom Handgelenk und unter den Fingernägeln abzuschrubben. Ich bürstete wie wahnsinnig, nicht nur, um selbst nicht aufzufallen, sondern auch, damit Haven nichts merkte: Ich wollte sie nicht beunruhigen.

Zu Hause schnupperte Tugboat sofort aufgeregt an meiner Hand; er merkte, dass hier etwas nicht stimmte. Haven fragte nur, wie die Reise gewesen sei. Nichts Besonderes, meinte ich.

Das Leben in Girona nahm eine neue Wendung, als Lance ohne Kristin auftauchte und stattdessen seine neue Freundin mitbrachte – Sheryl Crow. Wir hatten schon gehört, dass Kristin und er sich recht plötzlich hatten scheiden lassen, aber dass es so schnell gehen würde, hatten wir nicht erwartet. Sheryl machte einen netten Eindruck; sie wirkte sehr bodenständig, und Lance war glücklich, so weit wir das sagen konnten.

Wir sahen uns nicht sehr oft, höchstens gelegentlich im Vorbeigehen im Hauseingang oder vor dem Café gegenüber. Aber wir beobachteten einander natürlich. Die Radsportmedien waren voller Berichte über das Duell Lance gegen Tyler; wo man ging und stand, stieß man auf eine Webseite oder einen Zeitschriftentitel über unseren Showdown bei der Tour de France. In der Öffentlichkeit trat ich so bescheiden auf wie immer und betonte, ich hoffte sehr, überhaupt aufs Siegertreppchen zu kommen. Aber im Geheimen, mit meinen neuen Teamkameraden, gab ich meinen Ehrgeiz zu. Ich zielte höher; ich wollte das Gelbe Trikot.

Die Saison begann miserabel; dann aber wurden wir besser. Beim Critérium International wurde ich Zwölfter, bei der Tour du Pays Basque Vierzehnter, und als ich als Vorjahressieger bei Lüttich–Bastogne–Lüttich antrat, schaffte ich den neunten Platz. Zuvor hatte ich einen BB genommen. Mit jedem Start fand ich mehr in meine neue Rolle, wurde direkter und entschlossener. Als wir zum Beispiel fürs Mannschaftszeitfahren übten und die Jungs nicht dicht genug zusammenblieben, wurde ich ungeduldig. Mein altes Ich hätte einen Witz gemacht, eine freundliche Ermahnung angebracht. Jetzt blaffte ich einfach: »Verdammt, Jungs, jetzt reißt euch zusammen!«

Die Wirkungen zeigten sich bei der Tour de Romandie Ende April, als unser Team drei der sechs Besten in der Gesamtwertung stellte und ich den Sieg holte. Wir versammelten uns im Ziel, umarmten uns, lachten, jubelten. Es fühlte sich phantastisch an – ein Sieg in Postal-Qualität, aber zu unseren eigenen Bedingungen, errungen mit einem Lächeln statt einer Grimasse.

Unser großes Ziel vor der Tour war allerdings die Dauphiné Libéré, der letzte wichtige Test vor der Grande Boucle. Die meisten Stars der Szene würden antreten: Lance, Mayo, Sastre,

Leipheimer. Wenn wir hier gut abschnitten, würde das allen zeigen, dass sie mit Phonak rechnen mussten.

Vor der Dauphiné flog ich mit einer Handvoll Teamkameraden zu einer Transfusion nach Madrid. Wir hielten das Verfahren so einfach wie möglich: Wir blieben gleich in unserem Hotel am Flughafen; Ufe und Nick kamen zu uns und verabreichten uns die BBs in den Hotelzimmern. Es war seltsam, das alles gemeinsam zu tun, wie in den alten Tagen vor der Festina-Affäre, als das Doping noch von den Teams organisiert wurde. Es gefiel mir nicht, dass meine Teamkameraden nun genau wussten, wie ich es anstellte, und ich wollte nicht wissen, was sie machten. Ich fühlte mich nackt, entblößt. Aber ich wollte auch ein gutes Rennen fahren, also hielt ich den Mund. Als wir die BBs intus hatten und Ufe wieder verschwunden war, fühlten wir uns großartig. Wir traten mit ruhiger Vorfreude zur Dauphiné an, im sicheren Bewusstsein, dass wir gut abschneiden würden.

Gewöhnlich sah man schon an der Leistung im Prolog, welche Teams sich auf ein Rennen vorbereitet hatten, und genauso erkannte man auch, welche Teams vor einem Rennen gerade Blut abgezapft bekommen hatten, weil darunter die Leistung litt (wie man es zum Beispiel bei der Route du Sud nach meiner ersten Transfusion im Jahr 2000 dramatisch an mir selbst gesehen hatte). Wir jedenfalls hatten einen phänomenalen Prolog: fünf Phonak-Fahrer unter den ersten acht, während die Postal-Fahrer nur Platz 12, 25, 35 und 60 belegten. In den ersten Tagen des Rennens kam Lance mir besorgt vor. Normalerweise sprach er während der Etappen mit mir, versuchte mich einzuschüchtern und machte seine spitzen Bemerkungen. Jetzt wurde ich gezielt ignoriert.

Der große Tag kam mit der vierten Etappe, dem Einzelzeitfahren an unserem alten Freund, dem Mont Ventoux. An diesem Tag würden wir alle unsere Trümpfe für die Tour auf den Tisch legen, und die Atmosphäre am Start im Ort Bédoin war auch schon wie bei der Tour de France: Fahnen, Zelte, Wimpel und Gewimmel. Es kursierten eine Menge Gerüchte über Lance, die meisten in Verbindung mit einem angekündigten Buch von David Walsh, in dem sich neue Belege dafür finden sollten, dass Lance gedopt habe. Im Postal-Bus herrschte gespannte Stimmung. Gesenkte Köpfe, Schweigen, um Lance herum gingen alle wie auf rohen Eiern. Ich sah die angespannten Mienen, die misstrauischen Blicke und war sehr erleichtert, dass ich nicht mehr dazugehörte.

Bei uns dagegen war alles ruhig und im grünen Bereich; alle taten ihre Arbeit, wie es sein sollte. Ich saß auf einem Fahrrad-Prototyp, eigens kreiert zum Klettern: leicht wie eine Feder, pechschwarz und ohne jedes Logo, wie ein geheimes Testflugzeug. Damit wärmte ich mich auf der Rolle auf. Man spürt es, wenn die Dinge gut laufen werden, und so ging es mir jetzt: Meine Beine waren elastisch und reagierten auf jeden Impuls. Im Zwei-Minuten-Abstand starteten wir in umgekehrter Rangfolge und fuhren allein den Berg hinauf. Zuerst Lance. Dann ich. Dann Mayo.

Die unteren Hänge des Mont Ventoux wollen einfach nicht aufhören, ein steiler Anstieg durch einen schattigen Kiefernwald. Vor mir hörte ich den Jubel der Zuschauer, wenn Lance vorbeikam. Ich gab Gas und versuchte den Jubel näher zu mir heranzuziehen. Dann fuhr ich auf die berühmte Mondlandschaft aus weißem Gestein hinaus; es war wie ein Aufwachen oder als würde man neu geboren. Ich fühlte mich gut: Ich ging bis an die Leistungsgrenze und verharrte dort, dann schob ich noch ein bisschen nach. Das Geschrei der Menge kam jetzt wirklich näher, und Lance geriet in mein Blickfeld. Er fuhr im Stehen, wie er es nur tut, wenn er am Limit ist. Ich sah seiner Körpersprache an, dass er tatsächlich alles gab. Und ich holte auf. Mittels meines Headsets verfolgte ich meine Zwischenzeiten. Nach zwei Dritteln des Anstiegs hatte ich den Abstand zu Lance um 40 Sekunden verringert. Ich versuchte mich zu entspannen – es war noch viel zu früh zum Jubeln – und strengte mich noch mehr an.

Den Mont Ventoux hinaufzufahren ist eine seltsame Erfahrung, besonders oben am Gipfel. Ohne Vergleichsmöglichkeit – es gibt dort keine Bäume oder Gebäude – kann man die Entfernungen nicht richtig einschätzen. Manchmal kommt es einem vor, als rase man nur so dahin, dann wieder scheint man stillzustehen. Heute schien ich zu fliegen. Im Hitzeflimmern vor mir sah ich Lance. Einen Moment lang glaubte ich, ich würde ihn ein- und sogar überholen, und fast gelang mir das auch. Am Ziel erfuhr ich, dass ich den Mont Ventoux schneller hinaufgefahren war als jeder andere Radrennfahrer vor mir. Ich hatte in weniger als einer Stunde 1:22 Minuten auf Lance aufgeholt – eine kleine Ewigkeit. Noch wichtiger aber war, dass fünf meiner Phonak-Kameraden unter die ersten 13 kamen; die Postal-Jungs hingegen, bis auf Lance, im Mittelfeld gestrandet waren.[1]

Am Ziel auf dem Gipfel sah ich Lance kurz: Sein Gesicht war verkniffen, er hatte ein Handtuch um den Hals geschlungen, sprach mit niemandem, auch nicht mit mir. Er fuhr langsam zu einem Teamwagen hinüber. Er sah aus, als fürchte er sich. Er hatte gerade eine neue persönliche Bestzeit am Ventoux erzielt, und wir hatten ihn dabei in Grund und Boden gefahren. Es waren nur noch drei Wochen bis zur Tour, und für ihn stand alles auf dem Spiel: die Möglichkeit seines sechsten Siegs in Folge – das wäre ein Rekord für sich –, sein Status als größter Tour-Sieger aller Zeiten, ganz zu schweigen von den Millioneneinnahmen an Prämien, die Nike, Oakley, Trek und seine anderen Sponsoren ihm in Aussicht gestellt hatten. Ich wusste, er würde zurückschlagen; ich war nur noch nicht sicher, wie.

---

1 Jonathan Vaughters, der am Rennen teilnahm, sagt: »Nach dem Anstieg war Floyd [Landis] buchstäblich weiß im Gesicht; er sah aus wie eine aufgewärmte Leiche. Ich fragte, was mit ihm los sei, und er erzählte mir, er habe kurz vor dem Rennen einen Beutel Blut abgenommen bekommen.« Laut Landis hatte das ganze Tour-de-France-Team von Postal einige Tage vor der Dauphiné eine Transfusion gehabt.

Am selben Abend, drei Stunden nach dem Zieleinlauf am Mont Ventoux, bekam das Phonak-Teammanagement einen Anruf der UCI mit einer äußerst ungewöhnlichen Bitte: Ich solle mich bitte unmittelbar nach dem Rennen zu einer Sonderbesprechung im Hauptquartier im schweizerischen Aigle melden.

Ich war erstaunt und machte mir ein wenig Sorgen. Ich hatte noch nie gehört, dass ein Fahrer ins Hauptquartier der UCI bestellt worden wäre. Ich kam mir vor wie ein Schüler, der zum Direktor gerufen wird – *Du sollst sofort zu Hein Verbruggen kommen*. Die Frage war, was sie von mir wollten.

Ich war zwar nervös, aber doch einigermaßen zuversichtlich, dass ich nicht gesperrt werden würde. Ich wusste, dass es neue Tests für Blutdoping gab. Diese sogenannten Off-Score-Tests bestimmten das Verhältnis des Gesamthämoglobins zum Anteil an jungen roten Blutkörperchen, den sogenannten Retikulozyten. Je höher der Off-Score-Wert, desto größer war die Wahrscheinlichkeit einer vor Kurzem erfolgten Bluttransfusion, denn jede Transfusion führt ja zu einem unnatürlich hohen Anteil reifer Erythrozyten im Blut. Als normal galt ein Off-Score-Wert um 90; die UCI-Regeln sahen die Suspendierung eines Fahrers vor, wenn sein Wert 133 überstieg. Ich wusste, dass ich im April mit 132,9 getestet worden war. Knapp, aber ich war noch im grünen Bereich.

Hauptsächlich baute ich darauf, dass ich ja nichts tat, was meine Rivalen nicht auch taten. Ich ließ mir nicht fünf BBs auf einmal verpassen, ich spritzte das Edgar nicht tonnenweise, und ich experimentierte auch nicht mit Perflurocarbonen oder anderem abgefahrenen Zeug. Ich war ein Profi. Mein Hämatokritwert lag unter 50, ich spielte nach den Regeln.

Das Städtchen Aigle im Kanton Waadt, der Sitz der UCI, liegt in einem malerischen Alpental, das direkt aus einem Heimatfilm stammen könnte: romantische Almhütten, Bauernhäuser, Weiden. Das einzige moderne Bauwerk des Ortes, eine Glas-Stahl-Konstruktion direkt neben einer Kuhweide, entpuppte sich als die Weltzentrale der UCI. Das war schon eine Überraschung; bis dahin hatte ich mir den Sitz des Weltradsportverbandes immer viel größer vorgestellt, wie es seiner globalen Bedeutung entsprach, aber hier stand ich vor dem netten Bürogebäude eines kleineren Unternehmens.

Dr. Mario Zorzoli, der Chefmediziner des UCI, empfing mich an der Tür. Zorzoli war ein angenehmer Mensch: offen, lächelnd, von väterlich-ärztlicher Besorgtheit. Er führte mich herum, und wir schauten auch in Hein Verbruggens Büro vorbei. Verbruggen freute sich, mich zu sehen. Nach ein bisschen Smalltalk brachte mich Zorzoli in sein Arbeitszimmer und schloss die Tür.

»Ihre Blutwerte waren ein bisschen ungewöhnlich«, meinte er. »Gibt es da etwas, was wir wissen sollten? Waren Sie krank?«

Ich erklärte, ich sei im Frühling krank gewesen, jetzt aber wieder gesund und sicher, dass meine Blutwerte bald in den Normalbereich zurückkehren würden. Zorzoli zeigte mir die Laborergebnisse meines Bluttests und erklärte, sie deuteten auf eine Transfusion von Fremdblut hin. Mein Herz hämmerte, aber ich blieb äußerlich gelassen – ich wusste, dass ich nur Eigenblut empfangen hatte. Also erwiderte ich, die Daten müssten fehlerhaft sein, das Ergebnis könne unmöglich zutreffen, und Zorzoli nickte und meinte, dass es auch andere medizinische Gründe für die vorliegenden Werte geben könne. Er fügte hinzu, ich solle mir keine Sorgen machen und meine Rennen wie geplant fahren.

Dann wechselte er das Thema und fragte mich über die Kontrollen außerhalb der Wettkämpfe aus, wie sie die USADA durchführte. Er war neugierig, wie das Verfahren geregelt war, und stellte viele Fragen: Wie benachrichtigten die Sportler die USADA, wenn sie verreisten? Wie aktualisierte man die Benachrichtigungen? Hatten wir dafür eine Webseite, eine Faxnummer, oder schickten wir SMS-Nachrichten? Er erklärte, es gehe darum, dass die UCI in Kürze eigene Kontrollen außerhalb der Wettkämpfe einführen wolle.

Die ganze Besprechung dauerte 40 Minuten und ließ mich ratlos zurück. Zum ersten und einzigen Mal in meiner Laufbahn – und, soweit ich weiß, als einziger Radsportler in der Geschichte – hatte mich mein Weltverband eigens in seine Zentrale bestellt, als wäre ein extremer Notfall eingetreten. Ich eile hin – und es passiert eigentlich gar nichts. Seltsam, geradezu eine Antiklimax. Fast sah es so aus, als wolle die UCI nur sagen können, sie habe mich einbestellt.

Bei meiner Rückkehr nach Girona fand ich einen Brief der UCI vor, der Zorzolis Warnung wiederholte: Sie würden mich genau beobachten. Mir fiel auf, dass der Brief vom 10. Juni datierte, dem Tag des Einzelzeitfahrens am Mont Ventoux. Einige Wochen später verstand ich, warum.

Mit dem Näherrücken der Tour 2004 wurden meine Werte immer besser. Ich verlor die letzten Gramm überflüssiges Fett; meine Trikotärmel flatterten fröhlich im Wind. Ich ließ es locker angehen und achtete darauf, meine Streichhölzer nicht zu früh anzuzünden. Die letzten Tage in Girona waren erfreulich friedlich: Lance war mit Ferrari irgendwo in den Pyrenäen, und einige Teamkameraden trafen ihre üblichen Tour-Vorbereitungen.

Nach unserem Erfolg am Ventoux bestand die größte physische Herausforderung darin, den Körper wieder herunterzufahren. Auch mit Doping reicht die Spitzenform nur für eine bestimmte Anzahl von Tagen, und die wollte ich nicht verschwenden. Weil die meisten schweren Bergetappen in der dritten Woche lagen, wollte ich vorsichtig anfangen: den Prolog mit 90 Prozent beginnen und dann, wenn es darauf ankam, auf 100 Prozent gehen. Ufe und ich arbeiteten einen Plan aus: drei BBs, einen vor dem Rennen, einen am ersten Ruhetag nach der achten Etappe, dann einen nach der 13. Etappe, zwischen den Pyrenäen und den Alpen. Alles war bereit.

Zuhause wurde es für Haven und mich allerdings traurig: Unser geliebter Tugboat wurde krank. Nicht nur ein bisschen kränklich, sondern er hatte alle Kraft verloren, kam auf einmal kaum noch die Treppen hoch und wollte nicht mehr Gassi gehen. Der Tierarzt diagnostizierte innere Blutungen; im besten Fall bedeutete das Magengeschwüre, aber wir wussten im Grunde schon, dass es etwas Schlimmeres war. Es war, als ob wir ein krankes Kind hätten; wir taten, was wir konnten, um es ihm leichter zu machen, und begannen eine Medikamententherapie. Als ich zur Tour aufbrach, stand es schlecht um ihn. Ich sagte Tugs Auf Wiedersehen, und dass ich bald wieder zurückkäme.

Ich flog zur Transfusion nach Madrid und von dort zum Tourstart, wo mich Lance weiterhin, wie er es seit der Dauphiné tat, schweigend ignorierte. Gegenüber anderen Fahrern schwieg er allerdings nicht. Ich hatte schon von mehreren Freunden im Peloton gehört, dass Lance ständig über Phonak sprach und sich beklagte, unsere Leistungen seien nicht normal, wir seien bis zum Hals voll mit Doping, bestimmt irgendein neues Zeug aus Spanien. Das stimmte zwar nicht – wir taten nichts anderes als er auch –, aber das ließ sich natürlich nicht beweisen. Man konnte nichts machen, und so blieb uns nur, ihn genauso zu ignorieren wie er uns. Er und ich kamen uns in den ersten Tagen manchmal bis auf wenige Zentimeter nahe, wenn wir so Knöchel an Knöchel fuhren, aber wir starrten beide geradeaus und sagten kein Wort. Stur wie Viertklässler.

Die Veranstalter der Tour bringen auf den Flachetappen stets gern ein paar Schikanen unter. Dieses Jahr servierten sie auf der dritten Etappe eine große Portion belgisches Kopfsteinpflaster. Ich fühlte mich wieder in die Passage du Gois 1999 zurückversetzt – enge, gemeine Abschnitte, wie dafür gemacht, Panik und Stürze zu provozieren. Um dem zu entgehen, so das Rezept auch hier, musste man sein Team an die Spitze vorstoßen und es dort um einen Platz kämpfen lassen. Nun ist es nicht leicht, es zu Anfang der Tour an die Spitze des Feldes zu schaffen. Alle sind noch ausgeruht und voller Ehrgeiz; alle sind in Topform. Man kommt sich vor wie einer von 200 ausgehungerten Hunden, die einem Knochen hinterherrennen; niemand lässt sich da zurückfallen. In den letzten Jahren hatte Postal die Spitze praktisch gepachtet, aber das sollte sich jetzt ändern. Vor der dritten Etappe versammelte ich mein Team und erklärte den Fahrern, worum es ging. *Todos juntos adelante* – alle zusammen nach vorne!

Vor dem ersten Kopfsteinpflaster-Abschnitt wurde das Rennen chaotisch. Die Straße verengte sich, unsere Geschwindigkeit nahm zu, und immer mehr Fahrer drängten sich vorne zusammen: wir, Postal, Mayos Euskaltel-Team, Ullrichs T-Mobile-Team. Etwa neun Kilometer vor dem Kopfsteinpflaster zogen wir los: *todos juntos adelante*. Die Postal-Fahrer wollten mithalten; einer von ihnen, Benjamin Noval, verhakte sich mit dem Lenker eines anderen Fahrers, und schon war der Sturz passiert. Als wir nachher Bilanz zogen, hatten unsere Jungs es geschafft, Ullrichs auch und Lance' auch. Aber Mayo war mit in den Sturz geraten und zurückgeblieben; am Ende des Tages betrug sein Rückstand vier Minuten. Das war uns allen eine Lehre.

Lance war wütend, aber er konnte nichts dagegen unternehmen. Wir waren absolut genauso gut in Form wie das Postal-Team, wie wir am nächsten Tag im Mannschaftszeitfahren bewiesen. Postal legte ein fehlerloses Rennen hin, und obwohl wir im Gegensatz dazu mit vier geplatzten Reifen, einem gebrochenen Lenker und drei zurückgefallenen Fahrern fertigwerden mussten, wurden wir immer noch Zweite, nur 1:07 Minuten hinter Postal. Die Botschaft lautete: Selbst wenn wir Pech haben, bleiben wir immer dicht hinter euch.

Am nächsten Tag, zu Beginn der Etappe, fuhren Floyd Landis und ich nebeneinander. Ich mochte Floyd nach wie vor, und ich glaube, ihm ging es genauso mit mir. Eine Weile quatschten wir einfach so dahin, dann sah sich Floyd konspirativ um.

»Es gibt da etwas, das du wissen musst.«

Ich steuerte näher an ihn heran. Offenbar regte sich Floyds mennonitisches Gewissen.

»Lance hat die UCI auf dich gehetzt«, sagte er. »Nach dem Mont Ventoux hat er bei Hein angerufen und behauptet, euer Team und Mayo nehmen irgendein neues Zeug. Hein sollte euch hochgehen lassen. Lance hat von deiner Vorladung gewusst und redet die ganze Zeit solche Scheiße. Und ich finde es nur fair, wenn du Bescheid weißt.«

Für einen Moment nur fragte ich mich, wie Floyd überhaupt wissen konnte, dass die UCI mich einbestellt hatte. Ich hatte niemandem außer Haven und einigen Managern bei Phonak von der Vorladung erzählt, aber Floyd wusste davon. Natürlich, machte ich mir klar: weil Lance es ihm gesagt hatte.

Ich raste nicht oft aus. Aber wenn, dann richtig: Alles läuft plötzlich in Zeitlupe ab, und ich spüre, wie ich mich langsam über meinen eigenen Körper erhebe, der unter mir in einer Art rotem Nebel zurückbleibt.

Auf einmal passte alles zusammen: die Fahrt nach Aigle, die sinnlose Besprechung mit Dr. Zorzoli. Alles war nur wegen Lance inszeniert worden. Lance hatte die UCI am 10. Juni angerufen, am Tag, als ich ihn am Mont Ventoux geschlagen hatte, am selben Tag, als sie mich vorluden, und am selben Tag, an dem sie auch die Ermahnung nach Girona abschickten. Lance hatte Hein angerufen, und Hein hatte mich angerufen.[2]

Das Rennen verschwand. Jahre aufgestauter Wut brachen sich Bahn. Mir wurde glühend heiß.

Lance hat die UCI auf dich gehetzt.

Er hat Hein gesagt, sie sollen dich hochgehen lassen.

Er redet ohne Ende Scheiße.

Ich setzte mich neben Lance. Da waren wir, nebeneinander, wenige Zentimeter entfernt. Er sah, wie wütend ich war, und öffnete den Mund, um etwas zu sagen. Er kam nicht dazu.

---

2 Das war nicht das einzige Mal, dass Lance die Dopingbekämpfer auf seine Rivalen ansetzen wollte. Einige Tage vor Tourbeginn 2003 hatte er E-Mails an die UCI, die Welt-Anti-Doping-Agentur WADA und die Veranstalter der Tour de France gesandt, in denen er den Verdacht äußerte, spanische Fahrer setzten künstliches Hämoglobin ein.

»Halt verdammt noch mal dein Maul, Lance, du Stück Scheiße, halt bloß dein Maul! Ich kenne dich. Ich weiß, was du getan hast. Ich weiß, dass du mich angeschwärzt und Lügen über unser Team verbreitet hast. Kümmere dich um deine eigene Scheiße, wir machen dich nämlich fertig.«

Lance bekam große Augen.

»Das stimmt nicht. Ich habe nie ein beschissenes Wort gesagt. Wer hat das behauptet? Ich habe so was nie gesagt. Wer hat das behauptet? Wer zum Teufel hat das gesagt?«

»Scheißegal, wer das gesagt hat. Du weißt, dass es stimmt.«

Um uns bildete sich ein immer größerer freier Raum. Lance geriet fast in Panik, als er immer wieder seine Unschuld beteuerte und wissen wollte, wer ihn verleumdet habe.

»Ich habe verdammt noch mal nichts gesagt. Wer hat das behauptet? Wer denn? Sag mir endlich, wer das war!«

Ich erwiderte kein Wort.

»Wer? Sag mir, wer. Wer?«

»Scheiß auf dich, Lance.«

Es war, als hätte ich die letzten sechs Jahre darauf gewartet, diese Worte auszusprechen. Ich zog davon und fuhr zu meinen Teamkameraden. An die Spitze.

Ich glaube, es ist mein Schicksal, dass mich böse und gute Überraschungen immer dicht nacheinander treffen. Im Verlauf dieser Etappe geriet ich nämlich in einen Massensturz. Eigentlich stürzte das ganze Feld. Die Tour-Veranstalter hatten es mit ihrer Streckenwahl auf eine Katastrophe geradezu angelegt. Einen Kilometer vor dem Ziel verengte sich die Straße in eine Kurve hinein und wurde dann noch schmaler. Wir rasten alle wie besessen dahin und trafen mit 65 Stundenkilometern auf diesen Flaschenhals. Dann krachte es, als ob eine Mine hochgegangen wäre, Menschen flogen durch die Luft, Fahrräder knirschten, rasselten und scharrten über die Straße, Körper schlugen auf. Auch meiner. Ich wurde mitten in den Schrotthaufen geschleudert, überschlug mich und krachte auf den Rücken. Hart.

Eine Sekunde lag ich da, bekam keine Luft und war überzeugt, dass ich mir das Rückgrat gebrochen hatte. Immerhin hatten meine Gliedmaßen noch Gefühl. Das ermutigte mich, sie langsam zu bewegen und zu zählen, ob noch alle da waren. Wie sich herausstellte, war eigentlich nur mein Helm zersprungen, der Rest funktionierte. Mein Rad fuhr sogar noch. Wie betäubt stieg ich wieder auf.

Mit der Hilfe meiner Teamkameraden schaffte ich es über die Ziellinie. Ich sah Ullrich und Lance; sie waren ebenfalls in den Sturz geraten, schienen aber nichts abbekommen zu haben. Ich spürte Schmerzen im Rücken; etwas stimmte dort nicht. Ganz und gar nicht. Ich hatte ja kein Polster da unten.

Am Abend verkrampfte sich der ganze Bereich, als würde eine Zange zusammengedrückt, immer enger, bis ich keine Luft mehr bekam. Schmerzen durchzuckten mich an seltsamen Stellen. Ich rief Haven an. Das war keine normale Sturzverletzung mehr, sondern etwas Ernstes. Kristopher, der Physiotherapeut des Teams, untersuchte mich. Er redete von Nervenschäden, möglichen Organverletzungen. Ich schnitt ihm das Wort ab.

»Sag die Wahrheit«, forderte ich ihn auf. »Ist mein Rücken im Arsch?«

»Dein Rücken ist im Arsch.«

Ich schaffte es durch die nächsten Tage, zum Glück keine schweren Bergetappen, bis zum Ruhetag in Limoges. Dann kam's noch schlimmer. Haven rief mich an: Tugboat lag im Sterben. Wir entschieden uns, dass es das Beste wäre, ihn jetzt einzuschläfern. Schweren Herzens lud Haven ihn in unseren Audi Kombi und brachte ihn nach Limoges, damit ich mich von ihm verabschieden konnte.

Inzwischen wollte ich den nächsten BB nehmen, nur zur Sicherheit. Ufe hatte die nächste Transfusion für 13 Uhr im Hotel Campanile im Norden von Limoges arrangiert – ein gutes Hotel für diesen Zweck, unauffällig, eine Art Holiday Inn. Wie sich aber herausstellte, konnte Ufe selbst nicht kommen, also führten die Phonak-Teamärzte die Transfusion durch, und dabei gab es keine Probleme. Als ich aber danach in meinem Hotelzimmer auf Haven und Tugs wartete, fühlte ich mich plötzlich scheußlich. Ich bekam Kopfschmerzen, und meine Stirn glühte.

Ich musste dringend pinkeln. Als ich hinuntersah, erwartete ich die übliche leichte Verfärbung im Urin durch den BB. Aber diesmal pinkelte ich Blut. Dunkel, dunkelrot, fast schwarz. Es kam immer mehr; es füllte die Toilettenschüssel wie in einem Horrorfilm.

Ich fühlte Panik in mir aufsteigen und sagte mir energisch, das sei sicher nicht so schlimm. Vielleicht waren 15 Prozent der Blutkörperchen in dem Beutel abgestorben. Dann hatte ich immer noch die restlichen 85 Prozent. Das reicht doch auch. Ich trank ein Glas Wasser, legte mich aufs Bett und versuchte zu ruhen.

Das Fieber stieg weiter. Die Kopfschmerzen wurden schlimmer. Dann musste ich wieder pinkeln. Erst wollte ich nicht hinuntersehen, dann tat ich es doch. Reines Rot.

Da wusste ich, dass ich ein Problem hatte. Der Beutel war verdorben gewesen. Irgendwo in Sibirien oder auf dem Weg nach Limoges war er falsch behandelt worden, vielleicht zu warm geworden oder beschädigt worden; und ich hatte einen ganzen Beutel abgestorbener roter Blutkörperchen injiziert bekommen. Ich fühlte mich wie vergiftet. Ich bekam Schüttelfrost, mir wurde übel. Ich sah wieder vor mir, wie Manzano im Jahr zuvor mit dem Rettungshubschrauber abtransportiert worden war, als er umgekippt war; er hatte ins Krankenhaus gemusst und nur knapp überlebt. Meine Kopfschmerzen wurden schlimmer, bis sich mein Schädel anfühlte, als würde er in Stücke gerissen und von meinem Gehirn abgeschält. Ich legte das Telefon neben mir aufs Bett, falls ich den Notarzt rufen musste.

Dann kam Haven; sie sah gleich, dass es mir wirklich schlecht ging. Ich erzählte ihr, was geschehen war, wenn auch nicht alles – ich wollte ihr keine Angst machen. Ich log; ich sagte ihr, ich hätte ein wenig Blut uriniert, fühlte mich aber schon besser. Sie holte mir Aspirin und tat ihr Bestes, um es mir angenehmer zu machen. Ich schärfte ihr ein, niemandem etwas davon zu erzählen – weder den Ärzten noch den Teamkameraden oder dem Sportlichen Leiter. Damals hielt ich das eher für so etwas wie strategisches Ableugnen – *Wenn ich nicht davon spreche, ist es auch nicht passiert –,* aber inzwischen weiß ich, dass ich mich eigentlich schämte. Mein Rücken war im Arsch. Mein Blut war im Arsch. Die ganze Tour – die harte Arbeit so vieler Menschen, unsere große Chance – zerrann mir unter den Händen.

Ich verbrachte die Nacht neben Tugs, mit Fieber und Schüttelfrost, und verabschiedete mich von ihm.

Man macht immer weiter. Das ist das Schreckliche und Schöne am Radsport. Man fährt immer weiter. Am nächsten Morgen war ich wieder am Start und schleppte mich durch eine flache Etappe. Dann kam der erste Härtetest der Tour, die zehnte Etappe, ein mühsames Auf und Ab durch das Zentralmassiv, ein großes Mittelgebirge, das mich als Amerikaner an die Appalachen erinnerte. Ich brannte den ganzen Tag lang Streichhölzer ab, um mit der Spitzengruppe mitzuhalten. Als wir den schwersten Anstieg des Tages erreichten, den Col du Pas de Peyrol, wurde es ernst – und ich blieb zurück. Das Hauptproblem war mein Rücken: Ich konnte mich nicht mehr stark genug anspannen, dass es wehtat. Ich konnte mit Übelkeit umgehen, auch mit Schmerzen, aber nicht einmal mehr so viel Kraft aufzubringen, dass es schmerzte – das war wirklich hart.

Auf dieser Etappe verlor ich sieben Sekunden. Eine winzige Zeitspanne, aber sie zeigte, wie es stand: Ich konnte nicht mithalten. Danach fand ich mich Seite an Seite mit Lance wieder. Unser Zusammenstoß vor einigen Tagen hatte die Luft gereinigt. Jetzt sahen wir einander in die Augen und redeten wieder miteinander.

»Scheiße, das war schwer«, meinte Lance im Plauderton.

»Ja, mir ging es wirklich beschissen«, stimmte ich zu. »Ehrlich, gegen Ende bin ich fast gestorben.«

Lance wandte sich mir zu, und ich konnte sein Gesicht sehen. Er wirkte sehr gesund: rosig, leuchtende klare Augen, keine Spur von Leiden; seine Augen glitzerten sogar. Da sah ich, dass er mit seiner Bemerkung nur hatte testen wollen, wie es mir ging. Er litt nicht im Geringsten, aber er hatte mich dazu gebracht, es zuzugeben. Es war wie ein Nadelstich, ein kleines *Scheiß auf dich.*

Ich mühte mich nicht als Einziger ab. Ullrich war zwar nicht gestürzt, aber ihm ging offenbar die Kraft aus: Auf den großen Bergstrecken kam er keuchend gerade so eben mit. Er war die ganze Tour über nicht er selbst, zwar gut in Form, blieb aber nur mit Mühe in der Spitzengruppe. In der Gesamtwertung wurde er nur Vierter. Zum ersten Mal errang er nicht mindestens den zweiten Platz. Später hörte ich Gerüchte, auch Ullrich habe eine verdorbene Bluttransfusion erwischt. Ich weiß nicht, ob es stimmt oder nicht; angesichts seines Leistungsabfalls aber wäre es durchaus möglich.

Mayo ging es auch nicht besser. Zwar hatte er beim Massensturz keine Verletzungen davongetragen, aber es sah aus, als habe er einige PS verloren. Das frustrierte ihn so, dass er irgendwann tatsächlich vom Rad stieg und aufhören wollte. Wir fielen alle auseinander, nur Lance war übrig geblieben.

Für mich endete die Tour mit der 13. Etappe, die von Lannemazan auf das Plateau de Beille führte. Zufällig war das der Tag, an dem unsere Stiftung gemeinsam mit dem Outdoor Life Network und der Regal Entertainment Group eine Spendenaktion durchführte, während derer die Tour live in neunzehn Kinosäle überall in den USA übertragen wurde. Ich hatte gehofft, eine gute Leistung zu zeigen; stattdessen sahen die Zuschauer mich mit seltsam unbeteiligtem Gesicht immer weiter zurückfallen. Sicher warteten sie darauf, dass ich meinen Kampfgeist zeigte; aber ich hatte keinen. Ich konnte meine Beine nicht mehr bewegen; ich spürte keine Schmerzen; mein Rücken war wie in einen Schraubstock gespannt.

Ich fuhr weiter.

Álvaro, mein Teamleiter, sah, was geschah. Am Morgen hatte er mir gesagt, ich solle mal schauen, wie weit ich komme, dann würden wir weitersehen. Ich wusste, dass er mir damit in Wirklichkeit verschlüsselt zum Aufgeben riet.

Ich fuhr weiter.

Mein Teamkamerad Nic Jalabert setzte sich neben mich. Ich hatte ihn aus dem CSC-Team mitgenommen, weil mir seine lockere Art und sein Trainingseifer gefielen. Er war der jüngere Bruder von Laurent Jalabert, dem französischen Weltmeister, und vielleicht deshalb betrachtete er den Wahnsinn an der Spitze dieses Sports eher skeptisch. Bei einem Rennen 2003 in Holland waren wir einmal in einen Massensturz geraten. Ich hatte mir an den Zähnen eines Kettenblatts böse die Hand aufgerissen, sprang aber sofort wieder auf und raste weiter, um das Feld einzuholen. Ich fuhr wie der Teufel und kämpfte wieder einmal gegen meine Grenzen an, dabei tropfte mir das Blut so stark von der Hand, dass es von den Speichen zu einem regelrechten Sprühregen verwirbelt wurde. Auf einmal legte sich Nics Hand auf meine Schulter.

Tyler, es ist bloß ein Radrennen.

Zuerst verstand ich nicht, was er meinte. Dann sah ich mich an und merkte, dass er recht hatte. Es ist bloß ein Radrennen. Platz 6, 60 oder 106 – kommt es darauf wirklich an? Tu dein Bestes, und lass los. An jenem Tag hatten wir's ausrollen lassen und waren zusammen durchs Ziel gefahren.

Als ich mich jetzt abmühte, auf dem Plateau de Beille mit dem Peloton Schritt zu halten, fühlte ich wieder Nics Hand auf meiner Schulter. Er sagte nichts, aber ich spürte, was er meinte: *Tyler, es ist bloß ein Radrennen.*

Ich entspannte mich. Ich ließ meine Beine zur Ruhe kommen. Ich rollte an den Straßenrand, neben ein Steinmäuerchen, und stieg zum ersten und einzigen Mal in meiner Laufbahn vom Rad, obwohl ich hätte noch weiterfahren können.

Keine Arbeit zu niedrig und keine zu schwer.

Tatsächlich war mir kein Job zu hart. Dieser Job allerdings war mir auf einmal ein bisschen zu unbedeutend.

An diesem Abend sollte ich meinen zweiten BB von Ufe bekommen. Um ihm die jetzt unnötige Fahrt zu ersparen, rief ich ihn an. Ich wählte sorgfältig verschleierte Formulierungen, falls jemand mithörte, und erklärte ihm, dass ich aufgegeben habe und unsere Verabredung zum »Essen« damit hinfällig sei. Bevor ich den Satz auch nur zu Ende gesprochen hatte, fiel er mir aber schon aufgeregt und hastig ins Wort.

»Irrsinniges Pech! Alles ist weg, futsch! Tut mir so leid, Mann.«

»Was?«

»Er ist in eine Kontrolle gekommen. Polizei. Musste alles wegwerfen. Tut mir echt leid, Mann. Wirklich. Ich kann's selber nicht glauben, das ist so irrsinnig ...«

Ich legte hastig auf, beunruhigt, dass Ufe so offen gesprochen hatte. Später erklärte er, was er eigentlich gemeint hatte: Der Kurier war in eine Straßensperre der Polizei geraten und hatte die Blutbeutel in Panik im Straßengraben entsorgt. Es war mir egal. Schade um den BB, aber wir hatten ja noch mehr davon. Ich argwöhnte zuerst nicht, dass mehr als Zufall dahintersteckte – obwohl ich mich später, als mir ein Freund erzählte, dass Ullrich dasselbe passiert sei, schon fragte, ob das noch Zufall war.

Ich fuhr nach Hause, um mich zu erholen. Im Fernsehen sah ich ein paar Minuten der Tour zu. Das Postal-Team, ganz vorne, dominierte die Spitzengruppe. Alle zusammen, George, Chechu, Floyd, flogen die großen Steigungen hinauf, der vertraute blaue Güterzug an der Spitze. Es war eine Demonstration wie in den alten Tagen vor Festina: Ein Team setzte seine Trümpfe ein, um das Rennen an sich zu reißen. Lance holte sich in dieser letzten Woche noch eine Reihe von Etappensiegen, auch solche, die er gar nicht brauchte, um seine Botschaft klarzumachen: Er war immer noch der Chef. Und als ein italienischer Fahrer namens Filippo Simeoni ihn herausforderte (Simeono hatte vor Gericht gegen Ferrari ausgesagt und sprach offen über Doping), sorgte er dafür, dass Simeoni die passende Antwort bekam. Der Italiener riskierte einen Ausbruch, um eine Etappe zu gewinnen, und Lance jagte ihm – im Gelben Trikot und höchstpersönlich! – hinterher, um ihn dem Rudel einzuverleiben. Dabei machte er die bekannte »Halt-die-Schnauze«-Geste.

Kurz gesagt, alles war wieder wie immer.[3]

---

3 Laut Landis führte Postal während der Tour de France 2004 beim gesamten Team zwei Transfusionen durch. Die erste fand nach dem ersten Ruhetag in einem Hotel in Limoges statt. Die Fahrer wurden in kleinen Gruppen in ein Zimmer geführt, wobei man ihnen bedeutete, zu schweigen. Zur Sicherheit waren an beiden Enden des Ganges Teammitglieder postiert. Um sich gegen versteckte Kameras abzusichern, waren die Klimaanlage, die Lichtschalter, der Rauchmelder und sogar die Toilette mit schwarzer Plastikfolie verklebt. Laut Landis fand die zweite Transfusion zwischen der fünfzehnten und sechzehnten Etappe statt. Der Busfahrer des Postal-Teams musste auf dem Weg zum Hotel eine Panne vortäuschen. Während er so tat, als reparierte er den Motor, legten sich die Fahrer auf die Sitzbänke und erhielten die Transfusion. Getönte Fensterscheiben und Vorhänge verhinderten, dass Passanten einen Blick hineinwerfen konnten. Die Blutbeutel waren mit Sportlertape in den Wandschränken befestigt. Armstrong erhielt die Transfusion auf dem Boden des Busses liegend.
Landis sagte, Postal habe die Blutbeutel in einer Hunde-Transportbox mitgeführt, die in einem Wohnmobil deponiert gewesen sei, das ein Assistent gefahren habe. »Sie legten die Beutel auf dem Boden der Box aus, bedeckten sie mit Styropor und einer Decke, und darauf saß dann der Hund«, sagte Landis. »Es war ganz einfach. Wenn die Blutbeutel aus dem Kühlschrank herausgenommen werden, halten sie die Temperatur noch sieben bis acht Stunden. Auf diese Weise musste das Team keine Kühlboxen oder Kühlschränke mitführen, die die Polizei aufmerksam gemacht hätten. Sie konnten ganz einfach ins Hotel fahren und die Beutel in einem Pappkarton oder einem Koffer zusammen mit der übrigen Ausrüstung in die Zimmer tragen; niemandem fiel etwas auf.« Landis fügte hinzu, der Hund habe Poulidor geheißen.

13

Der Leitsatz für meine Generation von Radprofis lautet: *Früher oder später wird jeder erwischt.*
Wie wahr er ist, zeigt sich beim Blick zurück:

Roberto Heras: 2005
Jan Ullrich: 2006
Ivan Basso: 2006
Joseba Beloki: 2006
Floyd Landis: 2006
Alexander Winokurow: 2007
Iban Mayo: 2007
Alberto Contador: 2010

Und so weiter. Das liegt nicht daran, dass sich die Tester plötzlich zu Genies entwickelten, wenngleich sie dazulernten. Ich glaube, es hat mehr damit zu tun, wie Chancen sich auf lange Sicht entwickeln. Je länger man Verstecken spielt, desto größer ist die Wahrscheinlichkeit, dass man einen Fehler begeht oder dass die anderen einmal Glück haben. Es ist wirklich unvermeidlich, und vielleicht war es von Anfang an unvermeidlich. Vielleicht hätte ich es kommen sehen sollen. Aber so ist es nun einmal mit dem Schicksal: Am Ende kommt es dann doch stets überraschend.

Als ich nach Girona zurückkehrte, nachdem die Tour 2004 durch meinen Sturz für mich deutlich kürzer ausgefallen war, nahm ich das Zeitfahren bei den Olympischen Spielen ins

Visier. Die im August anstehenden Spiele von Athen waren meine Chance, dieses Wettkampfjahr für mich zu retten. Ein paar Wochen lang ruhte ich mich aus, kurierte meinen Rücken aus, ordnete meine Gedanken. Die Olympischen Spiele haben mir immer viel bedeutet, vielleicht ist das der alte Skirennfahrer in mir (schon beim Hören der Olympia-Hymne bekomme ich Gänsehaut).

Ich tauchte ein in die gewohnte Prozedur, trainierte exzessiv, verbrachte Tag um Tag auf der Zeitfahrmaschine. Ich vergaß auch Edgar nicht, schraubte meine Werte hoch und ließ mich zusätzlich vom Gedanken motivieren, dass ich auch im zu erwartenden Weltklassefeld einen gewichtigen Vorteil haben würde: Ich trat gegen Fahrer an, die nach der Tour erschöpft waren.

Beim olympischen Rennen herrschte eine Bruthitze. Es war windig, und das Thermometer kletterte in Richtung 38 Grad. Wie immer beim Zeitfahren gingen die Fahrer einer nach dem anderen einzeln auf die Strecke. Ich war unter den Letzten, die sich auf den Weg machten, ebenso Ullrich, Jekimow, Bobby Julich und der Australier Michael Rogers. Der Kurs führte über zwei 24-Kilometer-Runden in der Nähe eines Städtchens namens Vouliagmeni am Meer entlang. Man sah kleine Häuser, schmale Straßen und Segelboote. Wenn ich die Augen ein bisschen zusammenkniff, konnte ich fast glauben, ich wäre zu Hause in Marblehead.

Ich startete gut, rollte die Startrampe hinunter und brachte den Motor auf Touren. Wie üblich ging auch etwas schief: In der Hitze hielt das Klebeband nicht, das das Funk-Headset in meinem Ohr fixieren sollte, deshalb zog ich das Ding einfach raus. Einen Augenblick lang baumelten die Drähte neben meinen Speichen, und ich dachte: *Oh, oh, nicht schon wieder.* Aber dieses eine Mal waren die Unfallgötter auf meiner Seite. Die Drähte fielen auf die Straße, ohne Schaden anzurichten. Ich machte mich an die Arbeit und konzentrierte mich auf die drei Fahrer vor mir: Jekimow, Julich und Rogers (Ullrich, der nach mir startete, hatte nicht seinen besten Tag erwischt; er wurde Siebter). Ich fuhr gern ohne Headset, und ohne die Zwischenzeiten zu kennen. Stattdessen konzentrierte ich mich auf das Geräusch des Windes und das Zischen der Reifen auf dem heißen Asphalt. Nach meinem Gefühl lief es gut für mich – Teufel noch mal, ich *wusste*, dass es gut lief. Aber ich wusste noch nicht, ob es reichen würde.

Beim Überqueren der Ziellinie registrierte ich vage, dass die große Menschenmenge verrückt spielte. Dann sah ich Haven, sah ihr strahlendes Lächeln, das jetzt immer heller strahlte.

Gold.

Mit einem Schlag war bei uns die Hölle los. Unsere Telefone standen vor lauter Glückwünschen und Angeboten nicht mehr still. Zu Hause in Marblehead, so hörte ich, waren die Leute völlig aus dem Häuschen. Ich stellte mir meine Eltern vor: meinen Vater, wie er jeden Menschen in Reichweite umarmte; meine Mutter, stiller und zurückhaltender, aber mit Augen, die vor Stolz glänzten.

Tyler Hamilton, Olympiasieger, Gewinner der Goldmedaille.

In der folgenden Nacht wollte ich die Medaille gar nicht mehr abnehmen. Sie fühlte sich so gut an, sah so schön aus. Ich legte die Medaille auf unseren Nachttisch, wachte mitten in der Nacht auf und nahm sie in die Hand, um mich zu vergewissern: Nein, das war kein Traum.

Mein Agent bekam eine Menge Anrufe: Sponsoren, Talkshows, Vortragsangebote. In Athen boten mir Unternehmen im Rahmen von Olympia Geld nur dafür, dass ich mich ein paar Stunden in einem ihrer Sponsorenzelte zeigte. Verrückt, dort eine oder zwei Stunden herumzustehen, mit Leuten zu plaudern und dafür auch noch bezahlt zu werden. Aber ich nahm den Scheck. Wenn sich Schuldgefühle einstellten, unterdrückte ich sie, indem ich mir selbst all die üblichen Argumente aufsagte. *Es herrschte Chancengleichheit. Ich habe am härtesten gearbeitet, und derjenige, der am härtesten arbeitet, gewinnt. Nach allem, was ich durchgemacht habe, habe ich diesen Sieg verdient.*

Immer wieder berührte ich die Medaille, fuhr mit den Fingerspitzen darüber, spürte das Gewicht in meiner Hand, brachte es nicht fertig, sie beiseitezulegen. Ich glaube, das Schönste daran war das Gefühl der Dauerhaftigkeit. Der Gewinn einer Goldmedaille, das war etwas, was einem niemand wegnehmen konnte.

Ich bekam gerade eine Massage, als ich die Tür quietschen hörte. Als ich die Augen öffnete, sah ich in das todernste Gesicht meines Sportlichen Leiters Álvaro Pino und lächelte ihn an, aber er schien das gar nicht zu bemerken.

»Tyler, ich möchte dich sprechen, wenn du hier fertig bist«, sagte er nur.

Das war 29 Tage nach den Olympischen Spielen, und ich hielt mich mit dem Phonak-Team gerade in einem Städtchen irgendwo in der spanischen Provinz Almería auf. Haven war zur Hochzeit einer Freundin in die Staaten geflogen; mein Team hatte mich gebeten, bei der Spanien-Rundfahrt mitzufahren. Ich war gut in Form und hatte jetzt die Chance, mein Comeback mit dem ersten Sieg bei einer großen Rundfahrt zu krönen. Bisher war es ganz ordentlich gelaufen. Ich hatte eine Etappe gewonnen, aber in den Bergen etwas Zeit verloren, deshalb nahm ich an, dass Álvaro über die Rennstrategie sprechen wollte.

Nach der Massage stand ich auf, zog mich an und ging sofort zu Álvaros Zimmer. Er sagte, ich solle mich setzen, und sah mich aus großen, besorgten Augen an.

»Die UCI hat angerufen. Sie sagen, es gebe eine positive A-Probe mit Hinweisen auf eine Fremdblut-Transfusion von dir.«

Fast musste ich lachen, denn das war verrückt – wie Álvaro genau wusste. Er selbst hatte für unser Team vor der Dauphiné eine Transfusion organisiert. Warum sollte denn irgendjemand anderes Blut als das eigene verwenden? Das Testergebnis war falsch. Ausgeschlossen.

»Ich weiß, Tyler, aber ...«

»Das kann nicht stimmen. Sind die sicher, dass ich das bin?«

»Das sind sie.«

»Sind sie sicher, dass der Test positiv ist?«

»Genau das sagen sie. Die A-Probe. Als Nächstes testen sie die B-Probe.«

»Vollkommen ausgeschlossen.«

Álvaro versuchte mich zu beruhigen, aber ich feuerte eine Frage nach der anderen ab. Welche Beweise haben sie? Was für ein Scheißtest ist das? Wen muss ich anrufen? Wo ist das Labor? Wir erzählten der Presse, ich hätte Magenprobleme, als ich aus der Vuelta ausstieg. Wir trieben den Team-Eigentümer Andy Rihs auf, der sich im Renntross aufhielt. Er sah mir in die Augen und fragte, ob ich so etwas getan hätte. Ich hielt dem Blick stand und sagte, ohne mit der Wimper zu zucken, dass ich unschuldig sei.

Ich ging auf mein Hotelzimmer, atmete tief durch und rief Haven an. Ich versuchte es wie eine Panne klingen zu lassen, wie einen harmlosen Zufallstreffer, der sich schon bald erledigt haben würde, aber ich hörte das Zittern in ihrer Stimme und bin mir sicher, dass sie bei mir dasselbe hörte. Haven ist nicht dumm. Sie wusste genau, wie ernst diese Geschichte war, und sie wusste außerdem, dass wir jetzt nicht viel Zeit hatten: Wir mussten uns um diese Sache kümmern, bevor die Medien Wind davon bekamen. Sobald die Story ins Internet gelangte, würde sie überall bekannt werden, und an mir würde ein Makel hängen bleiben. Ich sagte Haven, es werde schon alles in Ordnung kommen, gab mir Mühe, dabei überzeugend zu klingen, beendete das Gespräch und saß schweigend da.

Das war er, jener Augenblick kurz vor der Weggabelung. Jeder, der erwischt wird, erlebt ihn: diese unheimliche Ruhe vor dem Sturm, diese wenigen Stunden, in denen man sich entscheiden kann, die Wahrheit zu sagen oder eben nicht. Ich würde jetzt gern erzählen, dass ich damals über ein umfassendes Geständnis nachdachte, aber die Wahrheit ist, dass ich so etwas nie erwog, nicht eine Sekunde lang. Ein Geständnis, das schien unmöglich, undenkbar, eine Wahnsinnstat. Und das nicht nur, weil ich Jahre in diesem Spiel zugebracht und mir dabei eingeredet hatte, ich sei kein Betrüger und alle täten so etwas. Nicht nur, weil es mit der Schande der Enttarnung verbunden war und ich mein Team, meinen Vertrag und meinen guten Namen verlieren würde und meinen Eltern alles eingestehen müsste. Nicht nur, weil ein Geständnis auch meine Freunde betreffen, vielleicht sogar die Karriere meiner Mannschaftskameraden und aller Betreuer und Helfer beenden würde – es verhielt sich schließlich nicht so, dass ich das alles alleine getan hatte. Der Hauptgrund war vielmehr, dass mir die Beschuldigung völlig absurd zu sein schien. Die UCI behauptete, ich hätte mir Fremdblut zuführen lassen – und ich war mir hundertprozentig sicher, dass das nicht stimmte. Sollte ich mein Leben und das Leben anderer ruinieren, indem ich mich für etwas schuldig bekannte, das ich gar nicht getan hatte? Meine Antwort war klar: *Nein.*[1]

Andy, Álvaro und ich steckten die Köpfe zusammen und versuchten eine Strategie zu entwickeln. Wir alle kannten die Verfahrensweise: Die Tester nahmen zwei Proben, eine A- und eine B-Probe. Meine A-Probe hatte ein positives Testergebnis erbracht. Die B-Probe war bisher noch nicht analysiert worden. Wenn das erste Ergebnis bestätigt wurde – und das war fast immer der Fall –, galt ich offiziell und in aller Öffentlichkeit als positiv getestet, wurde automatisch gesperrt und könnte den Test allenfalls bei der USADA anfechten, der Anti-Doping-Organisation, die für alle amerikanischen Radprofis

---

1 Hätte Hamilton sofort ein Geständnis abgelegt, wäre das eine Premiere gewesen. In der Geschichte des Radrennsports gibt es kein einziges Beispiel eines Spitzenfahrers, der nach einem Dopingtest sofort ein umfassendes Geständnis abgelegt hat. Selbst Fahrer wie der Exweltmeister David Millar, die letztlich dann doch reinen Tisch machten, leugneten zunächst monatelang oder behaupteten, sie hätten nur ein- oder zweimal gedopt. Dieses Verhalten hat teilweise rechtliche Gründe, eine größere Rolle aber spielten psychologische Gründe: Sie haben nicht das Gefühl, etwas Unrechtes getan zu haben, also gibt es auch nichts zu gestehen.

rechtlich zuständig ist. Wir dachten sofort daran, die Methodik dieses Tests auf Bluttransfusion infrage zu stellen, der, wie wir feststellten, brandneu war. Ich war sogar der Erste gewesen, der damit positiv getestet wurde. Rihs unterstützte mich und sagte, er werde dafür sorgen, dass ich die besten Rechtsanwälte und Ärzte bekam, ja, er wollte sogar aus eigener Tasche eine unabhängige wissenschaftliche Untersuchung der Testmethode finanzieren.

Doch dann wurde alles noch schlimmer. Das Internationale Olympische Komitee (IOC) teilte mir zwei Tage nach dem positiven Test bei der Spanien-Rundfahrt mit, auch meine A-Probe bei den Olympischen Spielen sei positiv getestet worden. Mich verließ der Mut. Das war keine zufällige Test-Panne mehr, es war ein Muster. Jetzt hatten sie zwei Ergebnisse, zwei leuchtende Reagenzgläser, und ich hatte zwei harte Auseinandersetzungen zu führen.

Mein Leben wurde zum Albtraum. Ich flog zur Öffnung und Analyse der B-Probe nach Lausanne, wo das zuständige Labor beheimatet war. Als die Medien von meinem positiven Testergebnis Wind bekamen, gab ich gemeinsam mit Rihs in der Schweiz eine Pressekonferenz, und wir sagten all die abgesprochenen Dinge – wir würden alles in unserer Macht Stehende tun, um meinen Namen reinzuwaschen. Ich versuchte, nicht allzu sehr zu lügen. Ich weiß, es klingt verrückt – da saß ich nun, nach acht Jahren ununterbrochenen Dopens, und beteuerte meine Unschuld –, aber ich versuchte instinktiv, so nahe an der Wahrheit zu bleiben wie nur möglich. Ich fühlte mich wie ein Schauspieler in einem miserablen Stück, der keine andere Wahl hatte, als einfach weiterzumachen.

»Ich war seit meinen Kindertagen immer ein ehrlicher Mensch«, sagte ich. »Meine Familie hat mir von Kindesbeinen an beigebracht, mich ehrlich zu verhalten. Ich habe immer an Fair Play geglaubt. [...] Man beschuldigt mich, ich hätte mir Fremdblut übertragen lassen, doch jeder, der mich kennt, weiß, dass das vollkommen unmöglich ist. [...] Ich garantiere

Ihnen, dass die Goldmedaille in meinem Wohnzimmer bleiben wird, solange ich auch nur einen Cent besitze.«

Hinter meiner tapferen Fassade fühlte ich mich allerdings ohnmächtig. Ich wusste nur zu gut, wie solche Dinge gehandhabt werden konnten, wenn man die richtigen Verbindungen besaß. Lance war 1999 positiv auf Cortison getestet worden, und das wurde mit den Tour-Verantwortlichen in aller Stille geregelt – mit einem Rezept. Als Lance 2001 bei der Tour de Suisse den verdächtigen EPO-Test hatte, geschah dasselbe: Er hatte Besprechungen mit den Leuten im Labor, und die Sache verlief im Sand. Lance bediente sich des Systems – Teufel noch mal, Lance *war* das System. Aber wen konnte ich anrufen? Wer würde mir helfen?

Niemand.

Nach der Pressekonferenz sah ich nach meinen SMS und E-Mails. Ich hoffte auf Nachrichten von meinen Freunden bei Postal oder Phonak, von den Jungs, die wussten, was ich durchmachte. Ich hätte gerne ein paar »Halte durch«- oder »Wir denken an dich«-Botschaften gelesen. Aber da kam nichts. Mein Anrufbeantworter lief stattdessen über mit Nachrichten von Journalisten. Das war alles. Haven würde noch eine Woche in den Staaten sein. Ich war allein.

Ich reiste nach Girona zurück, weil ich nicht wusste, wohin ich sonst gehen sollte. Ich fühlte mich wie ein Flüchtling, trug eine Sonnenbrille, zog mir die Baseballmütze tief ins Gesicht und stellte mir die anklagenden Blicke vor: *Da drüben geht er. Betrüger. Doper.* Ich ging die schmale Straße hinunter und schloss das Tor zu unserem gemeinsamen Hof auf. Nie war ich dankbarer dafür, dass Lance gerade nicht da war. Ich ging die Treppe hoch, die zu unserer Wohnung führte, schloss die Tür hinter mir, setzte mich auf einen der Hocker an der Küchentheke und starrte auf den Boden.

Ich weiß nicht, wie lange ich so dasaß. Einen Tag? Zwei Tage? Ich aß nichts, schlief nicht, weinte nicht. Ich fühlte mich innerlich tot, wie ein Zombie. Stundenlang starrte ich auf den Boden, versuchte zu akzeptieren, was mir jetzt widerfuhr. Versuchte mich auf das einzustellen, was noch vor mir lag. Ich starrte auf den Boden und versuchte mich innerlich abzuhärten.

Ich lasse mich davon nicht unterkriegen. Ich werde kein zorniger oder verbitterter Mensch werden. Es wird sich nichts ändern. *Es wird sich nichts ändern.*

Ich werde diese Sache durchstehen. Es wird vielleicht eine Weile dauern, aber ich werde es durchstehen.

Ich bin immer noch Tyler. Ich bin immer noch Tyler. Ich bin immer noch Tyler.

Erwischt zu werden, macht einen ein kleines bisschen wahnsinnig. Da hat man nun seine ganze Laufbahn mit dieser elitären Bruderschaft verbracht, in dieser Familie, und das Spiel mit allen anderen gemeinsam gespielt – und plötzlich wird man in eine Welt aus Scheiße gespült, in Überschriften als »Doper« bezeichnet, verliert sein Einkommen, und, das ist das Allerschlimmste, alle Mitglieder der Bruderschaft tun so, als hätte es dich nie gegeben. Du erkennst, man hat dich geopfert, um diesen Zirkus am Laufen zu halten. Du bist der Grund dafür, dass sie behaupten können, sie seien sauber. Du stehst allein da, und der einzige Weg zurück dauert Jahre, kostet Hunderttausende von Dollars für Rechtsanwälte, damit du, mit viel Glück, am Ende in dieselbe kaputte Welt zurückkrabbeln kannst, aus der du zuvor hinausbefördert worden bist.

Als Marco Pantani 1999 und 2001 erwischt wurde, verfiel er in Depressionen und starb schließlich 2004 an einer Überdosis Kokain. Jörg Jaksche litt, nachdem er aufgeflogen war, an Depressionen, ebenso wie Floyd Landis. Jan Ullrich wurde wegen eines »Burnout-Syndroms« im Krankenhaus behandelt. Iban Mayo zeigte vielleicht die beste Reaktion: Als er überführt wurde, gab er den Radsport ganz auf, und ich hörte später, er habe auf Lastwagen umgesattelt und sei Fernfahrer geworden. In den Tagen nach meinem positiven Test stellte ich mir vor, ich könnte es ähnlich halten und vielleicht als Schreiner arbeiten.

Aber ich konnte nicht aussteigen, nicht jetzt. Dasselbe galt für Haven. Also machten wir uns daran, unseren Namen reinzuwaschen. Es war unsere alte reflexhafte Art, uns auf ein großes Rennen vorzubereiten. Nur hatten wir es diesmal mit Bergen von juristischem und wissenschaftlichem Papierkram zu tun, um diesem Test die Grundlage zu entziehen, bevor er mir die Grundlage entzog.

Wir steckten unsere ganze Energie in dieses Projekt, engagierten Howard Jacobs, den besten auf Doping im Sport spezialisierten Rechtsanwalt, den wir finden konnten, und richteten in unserem Haus in Colorado ein Büro ein. Wir vertieften uns in die Vorgeschichte und Zuverlässigkeit des Testverfahrens, suchten vor allem Beispiele falscher Positiv-Proben. Wir fanden heraus, dass falsche Positiv-Proben von einer Reihe von Krankheiten verursacht werden konnten, unter anderem Blutchimärismus, eine seltene Krankheit im fötalen Stadium, die dazu führen kann, dass ein Mensch zwei verschiedene Blutgruppen hat, ein Phänomen, das auch als »verschwundener Zwilling« bezeichnet wird.

Wir behaupteten zwar nie, ich sei eine Zwillings-Chimäre, aber die Presse hatte große Freude an Witzen über meine »Verschwundener-Zwilling-Verteidigung«, als ob dies das Kernstück unserer Strategie gewesen wäre. Die Presse begriff nicht, dass wir mit allen verfügbaren Mitteln gegen den Test vorgehen mussten, um seine Glaubwürdigkeit in Zweifel zu ziehen. (Das Rechtswesen, so stellte ich fest, funktioniert nicht anders als ein Radrennen: Versuche einfach alles, vielleicht funktioniert ja etwas davon.)

Zu Anfang kam eine gute Nachricht: Ich durfte meine olympische Goldmedaille behalten. Aus unerfindlichen Gründen hatte das Labor in Athen die B-Probe eingefroren. Sie war deshalb unbrauchbar geworden und konnte die positive A-Probe nicht bestätigen. Das war eine gute Nachricht, nicht nur wegen der Goldmedaille, sondern weil sie auch zeigte, dass das Labor nachlässig arbeitete.

Außerdem kam uns eine beunruhigende Geschichte über einen Schweizer namens Christian Vinzens zu Ohren. Dieser Mann hatte versucht, Phonak-Verantwortliche zu erpressen – so berichteten es Schweizer Zeitungen –, bevor die positiven Ergebnisse bekannt wurden, indem er behauptete, er wisse, welche Phonak-Fahrer, unter anderem auch ich, positiv getestet würden; für die Behebung des Problems verlangte er Geld von den Team-Vertretern. Wir konnten niemals einen ursächlichen Zusammenhang zwischen Vinzens und dem Test beweisen, aber der Vorgang bestärkte uns in dem Gefühl, dass es bei dieser Geschichte noch einiges aufzudecken gab.

Unsere Freunde und Familienangehörigen unterstützten uns währenddessen bedingungslos. Die Menschen waren unglaublich nett. Sie schrieben Briefe, schickten E-Mails, spendeten sogar Geld. Ein Freund aus der Highschool-Zeit richtete die Website *www.believetyler.org* ein; es wurden rote Armbänder verkauft, auf denen BELIEVE zu lesen war.[2]

Ich lebte mit Lügen auf diversen Ebenen. Nach außen war ich dankbar für die Unterstützung. Aber unter dieser Oberfläche war mir das Ganze unangenehm, vor allem der Slogan »Believe Tyler«, der mich regelrecht zum Heiligen erhob. Und ganz tief in meinem Herzen war mir klar, dass ich ohne Einschränkung schuldig war – vielleicht nicht im Sinn dieses speziellen Vorwurfs, aber schuldig, weil ich mit einer Lüge lebte. Dennoch brachte ich es nicht fertig, mein Unterstützer-Team mit der Wahrheit zu konfrontieren. (*»Äh, hört mal, Leute, danke für alles, aber die Wahrheit ist: Ich bin nicht* völlig *unschuldig ...«*) Außerdem musste ich nicht einmal Schauspielstunden nehmen, um mich verfolgt zu fühlen. Ich fühlte mich ungerecht behandelt – vom Sport, von der UCI, von den Testern, von einigen

---

2 Insgesamt kamen dadurch etwa 25 000 Dollar zusammen, die nach Hamiltons Angaben aber nicht für seine Verteidigung verwendet wurden. »Eine solche Verwendung war mir unangenehm, also steckten wir das Geld schließlich in die Tyler-Hamilton-Stiftung.« Die Stiftung stellte ihre Tätigkeit im Jahr 2008 aus Geldmangel ein – mit einem negativen Saldo auf dem Konto.

Leuten im Peloton, von bestimmten Journalisten und am allermeisten von einer Welt, die schnell bei der Hand war, wenn es galt, mich pauschal zum »Betrüger«, »Doper« und »Lügner« abzustempeln, ohne auch nur einen Blick auf die Details zu werfen. Wenn meine Freunde mich da als unschuldig betrachteten, als jemanden, der ungerechten Beschuldigungen ausgesetzt war, passte mir das gut in den Kram. Wenn die Leute in meiner Stiftung Veranstaltungen organisieren wollten, sagte ich Ja. Wenn meine Eltern mir mit Tränen in den Augen versicherten, dass sie an mich glaubten und nach besten Kräften alles tun würden, um mir zu helfen, dankte ich ihnen von Herzen und meinte das auch so.

Haven und ich vergruben uns unterdessen in nicht enden wollenden juristischen Recherchen. Wir schliefen kaum noch und arbeiteten uns sieben Tage pro Woche und zwölf Stunden täglich durch einen endlosen Dschungel aus Problemen und juristischen Strategien. Wir engagierten Experten des Massachusetts Institute of Technology (MIT), der Harvard Medical School, des Puget Sound Blood Center, des Georgetown-Universitätskrankenhauses und des Fred-Hutchinson-Krebsforschungszentrums. Wir ermittelten Einzelheiten zur Entwicklung des Tests, unter anderem auch einen ansehnlichen Stapel von E-Mails, in denen nachgefragt wurde, warum er falsche Positiv-Proben erbrachte. Ich reiste nach Athen und beschaffte dort weiteres scheinbar nützliches Material – E-Mails von Labortechnikern, die die Zuverlässigkeit des Tests infrage stellten. Bei der UCI beantragten wir die Freigabe der Unterlagen zu den Bluttests, denen ich mich im Juli bei der Tour unterzogen hatte. Als der Verband dem nicht nachkam, flogen Howard Jacobs und ich nach Lausanne und forschten dort wie ein Schnüffler-Duo im Labor nach, bis wir die Unterlagen in Händen hielten.

Ich machte Fortschritte bei der öffentlichen Darstellung meines Falles. Ich lernte, dass man gar nicht lügen musste, wenn man sich nur vage genug ausdrückte. Ich sagte Dinge wie: »Ich habe immer hart gearbeitet« und »Ich bin zehn Jahre lang in der Weltspitze mitgefahren« und »Ich bin Dutzende Male getestet worden« und so weiter. Ich lernte, dass man etwas selbst zu glauben beginnt, wenn man es nur oft genug wiederholt hat. Um meine Unschuld zu beweisen, unterzog ich mich sogar einem Lügendetektor-Test – und bestand ihn. (Allerdings googelten wir vorher ein paar Tipps, wie man einen solchen Test übersteht. Den Hintern zusammenzukneifen zählte meiner Erinnerung nach auch dazu.)

An Rechtsanwalts- und Gerichtskosten kam letztlich etwa eine Million Dollar zusammen. Um das zu finanzieren, verkauften wir unser Haus in Marblehead und unser Häuschen in Nederland, das ich noch als Jungprofi gekauft hatte. Es tat weh, es wegzugeben, aber wir taten es, weil wir überzeugt waren, dass wir gewinnen und von allen Vorwürfen entlastet würden. Unterdessen trainierte ich weiter, getrieben von einer neuen Wut, und unternahm aberwitzig lange Trainingsfahrten in den Bergen rund um Boulder. Ich würde es diesen Scheißkerlen schon zeigen, und ich würde zurückkommen und meinen Platz wieder einnehmen. Als der Tag des Schiedsgerichtsverfahrens näher rückte, wurde ich immer aufgeregter und malte mir schon aus, wie ich zur Tour zurückkehren würde. Dieser Test war doch nichts als ein Haufen Scheiße – wir wussten es, und sie wussten es auch. Ich war mir sicher, wir würden gewinnen. Wir mussten gewinnen.

Und dann verloren wir.

Wir unterlagen nicht nur einmal, sondern zweimal. Zuerst bei einer Anhörung der USADA im April 2005 und dann, im Februar 2006, beim Berufungsverfahren vor dem Internationalen Sportgerichtshof CAS (Court of Arbitration for Sport) in Lausanne. Die Gegenseite trug vor, der Test sei zuverlässig. Die E-Mails und anderen Materialien, die wir beigebracht hatten, seien »Belege für eine normale wissenschaftliche Diskussion«. Wir waren am Boden zerstört. Mir blieb nichts weiter übrig, als meine Enttäuschung zu formulieren, den Rest meiner zweijährigen Sperre abzusitzen und mich damit abzufinden, erst im Herbst 2006 wieder ins Renngeschehen einzusteigen.[3]

Eine Niederlage kann auch zur Klärung der eigenen Ansichten beitragen. Wir erkannten, wie naiv wir gewesen waren, wie wir alles in einen hoffnungslosen Fall investiert hatten. Ich begriff, wie das System wirklich funktionierte. Das war keine Gerichtsverhandlung – wir waren nicht unschuldig, bis unsere Schuld bewiesen wurde. Der Schlüsselbegriff der USADA lautete »hinreichende Zufriedenheit« (»comfortable satisfaction«). Sie sahen sich die Beweise an, und dann

---

3 Die große Frage lautet: Angenommen, der Bluttest war zuverlässig: Wie kam das Fremdblut in Hamiltons Körper? Einige Theorien gingen davon aus, dass Hamiltons Blut mit dem seines Phonak-Teamkameraden Santiago Pérez verwechselt worden war, der unmittelbar nach seinem Sieg bei der Spanien-Rundfahrt 2004 wegen desselben Vergehens aufflog. (Es stellte sich aber heraus, dass das wegen unterschiedlicher Blutgruppen unmöglich war.)

Dr. Michael Ashenden, der australische Wissenschaftler, der an der Entwicklung des Testverfahrens beteiligt war und bei Hamiltons USADA-Anhörung aussagte, geht davon aus, dass es an irgendeinem Punkt von Fuentes' Transfusions-Prozedur zu einer Panne gekommen sein könnte. Das Einfrieren von Blut ist ein Prozess mit vielen einzelnen Schritten, bei dem mehrere Transfers und Vermischungen mit zunehmend höheren Konzentrationen von Glykol anfallen. Das geschieht mit einem Mischgerät namens ACP-215. Weil es sich um lebende Zellen handelt, muss man stundenlang bei dieser Maschine ausharren und auf einen exakten Ablauf achten. In einer Situation, in der Fuentes und sein Assistent José Maria Batres (alias Nick) mit dem Blut von Dutzenden Fahrern arbeiteten, kann man sich durchaus ein Szenario vorstellen, bei dem das Blut Hamiltons und eines anderen Fahrers versehentlich falsch etikettiert und/oder vermischt wurden. Außerdem litt Batres – das berichteten spanische Zeitungen im Jahr 2010 – an Demenz.

Hamilton nahm von seiner Kritik an diesem Test, den er als »eindeutig nicht optimal« bezeichnete, nichts zurück, akzeptierte allerdings letztlich die Möglichkeit, dass sein positives Ergebnis auf einen simplen Fehler zurückging. »Nick [Batres] machte manchmal einen etwas verwirrten Eindruck«, sagt er. »Ich musste ihn immer an meinen Codenamen erinnern.«

Interessant ist in diesem Zusammenhang noch, dass Dr. Ashenden nach den Geständnissen von Hamilton, Landis und anderen das Dopingproblem schließlich aus der Fahrer-Perspektive betrachtete. »Bis dahin hielt ich sie für schwache, schlechte Menschen«, sagte er. »Heute erkenne ich, dass sie sich in einer unmöglichen Situation befinden. Wäre ich an ihrer Stelle gewesen, hätte ich dasselbe getan.«

fällten sie eine Entscheidung. Am Ende, so empfanden wir es, hatten wir trotz all unserer Anstrengungen nie eine echte Chance gehabt.

Rückblickend sehe ich, dass dies wohl der Augenblick war, in dem die Partnerschaft mit Haven zu scheitern begann. In den letzten Jahren hatte sich unsere Ehe eher zu einer Geschäftsbeziehung entwickelt. Oft fühlten wir uns wie ein überarbeitetes Rechtsanwaltspaar, das eben noch im selben Bett schlief. Bis zu den Urteilen hatten wir uns eingeredet, die ganze Plackerei würde der Mühe schon wert sein. Wenn unsere Unschuld erst bewiesen und der Makel weggewischt sei, würden wir umso stärker zurückkommen.

Jetzt, in den ruhigen Wochen nach der Entscheidung, erkannten wir, wie unglaublich müde wir waren – müde vom Kampf gegen das System, müde vom Verlieren, müde vom Rollenspiel des niemals aufgebenden Radfahrers und der mutigen, unterstützenden Ehefrau. Wir hatten so hart gearbeitet, hatten wirklich alles gegeben, und es war alles umsonst gewesen. Wir versuchten uns wieder zu sammeln, redeten uns ein, das sei nur ein weiterer Rückschlag gewesen. Wir konnten diese Sache durchstehen, wie wir bisher auch alles andere durchgestanden hatten. Aber in Wirklichkeit, so stellten wir fest, hatte diese Zähigkeit – wie auch unsere Beziehung – ihre Grenzen.

Als der CAS meinen letzten Berufungsantrag ablehnte, war Lance bereits zurückgetreten. Er hatte 2005 seinen siebten Tour-Sieg herausgefahren und die Zweifler vom Siegertreppchen herab so angesprochen: »Ihr tut mir leid. Ihr tut mir leid, weil ihr keine großen Träume haben könnt, und ihr tut mir leid, weil ihr nicht an Wunder glaubt.« Sprach's und radelte davon, in den Sonnenuntergang hinein.[4]

---

4 Das war natürlich nicht die ganze Geschichte, denn Armstrong war ebenfalls in eine Reihe von Rechtsstreitigkeiten verwickelt, dazu gehörten:
1. eine Klage gegen Mike Anderson, einen ehemaligen persönlichen Assistenten, der sagte, er sei gefeuert worden, weil er in Armstrongs Wohnung in

Und dann, mit einem Timing, das man nur als dramatisch bezeichnen kann, erlebte der Radsport seinen nächsten großen Skandal. Der betraf diesmal allerdings jemanden, den ich ziemlich gut kannte. Ufe.

Ende Mai 2006 durchsuchte die spanische Polizei Ufes Büro in Madrid – das Büro, das mir so vertraut war – sowie einige Wohnungen in der unmittelbaren Umgebung. Dabei kam eine Sammlung von Beweisen ans Licht, die alle Welt verblüffte. 220 Blutbeutel. 20 Plasmabeutel. Zwei Kühlschränke. Ein Tiefkühlschrank (das war wohl, so nahm ich an, das gute, alte Sibirien). Große Plastikbeutel, die nicht weniger als 105 verschiedene Medikamente enthielten, unter anderem Prozac, Actovegin, Insulin und EPO. Rechnungsunterlagen und Rech-

---

Girona zufällig Dopingmittel entdeckt habe. Armstrong verklagte Anderson; der Fall wurde später außergerichtlich beigelegt;

2. Verleumdungsklagen gegen, unter anderem, La Martinière, den französischen Verlag von David Walshs und Pierre Ballesters Buch *L. A. Confidentiel,* sowie die Londoner *Sunday Times.* Armstrong zog später die Klage gegen Martinière zurück, und die *Sunday Times* entschuldigte sich bei ihm;

3. eine Klage gegen SCA Promotions, das Versicherungsunternehmen, das die Bonuszahlungen für Armstrongs Tour-Siege hatte leisten sollen. Als die SCA-Verantwortlichen 2004 einen Dopingverdacht gegen Armstrong schöpften, hielten sie seinen Fünf-Millionen-Dollar-Bonus zurück. Armstrong klagte, und im Herbst 2005 kam es zu einer Schiedsgerichtsverhandlung, bei der Armstrong, Greg LeMond, Frankie und Betsy Andreu und andere Zeugen unter Eid aussagten. Die Rechtsprechung orientierte sich ausschließlich an den Bestimmungen des Originalvertrags – der sah vor, dass SCA bei einem Sieg Armstrongs zahlen musste, ungeachtet jedweder Fragen nach den Methoden, mit denen er diesen Sieg möglicherweise errang –, deshalb lenkte SCA schließlich ein und bezahlte die fünf Millionen Dollar plus zweieinhalb Millionen Dollar Zinsen und Rechtsanwaltsgebühren.

Armstrong begnügte sich jedoch keineswegs mit der defensiven Rolle. Nach einem Bericht des *Wall Street Journal* nahmen er und sein Agent Bill Stapleton im Herbst 2006 Gespräche mit potenziellen Investoren auf, mit denen sie dem Eigentümer der Tour de France, der Amaury Sport Organisation, für 1,5 Milliarden Dollar die Rechte abkaufen wollten. Der Handel kam aus verschiedenen Gründen, unter anderem auch wegen der weltweiten Wirtschaftskrise, nie zustande. Die Vorstellung, die Tour zu kaufen, reizte Armstrong weiterhin. Er bezeichnete sie noch im Jahr 2011 als »großartige Idee«, die aber nur schwer zu verwirklichen sei.

nungen. Preislisten. Kalender. Hotellisten für die Tour de France und den Giro d'Italia. Und Belege für die Bonuszahlungen, die ihm zustanden, wenn ein Kunde eine Etappe oder ein Rennen gewann.

Ich hatte gewusst, dass Ufe ein vielbeschäftigter Mann war. Und ich hatte auch immer gewusst, dass er mit anderen Fahrern zusammenarbeitete – er selbst hatte mir von Ullrich und Basso erzählt. Aber jetzt wurde die ganze Wahrheit deutlich: Ufe hatte keine Boutique für Spitzenfahrer betrieben; er war ein Ein-Mann-Supermarkt gewesen, der seine Dienste offensichtlich dem halben Peloton zur Verfügung gestellt hatte. Die Polizei ermittelte offiziell Verbindungen zu 41 Radrennfahrern. Inoffiziell verlautete aus Polizeikreisen, es könnten noch mehr Personen sein, auch Tennisspieler und ganze Fußballmannschaften. Die Staatsanwaltschaft schätzte Ufes Einnahmen aus diesen Geschäften für das erste Quartal 2006 auf 470 000 Euro.

JONATHAN VAUGHTERS: Über Fuentes und all diese Typen muss man wissen, dass sie aus einem bestimmten Grund zu Dopingärzten wurden. Auf dem herkömmlichen Weg haben sie es nicht geschafft, also sind das nicht gerade die bestorganisierten Leute. Man kann also damit rechnen, dass sie schon mal einen Blutbeutel in der Sonne liegen lassen, weil sie im Café noch ein Glas Wein trinken wollen. Der tödliche Fehler, den Tyler, Floyd, Roberto [Heras] und die anderen machten, als sie von Postal weggingen, war, dass sie annahmen, sie würden andere Ärzte finden, die genauso professionell arbeiteten. Aber als sie dann weg waren, stellten sie fest, dass es keine anderen gab.

Bei aller Besorgnis, in den sich entwickelnden Skandal hineingezogen zu werden, musste ich angesichts dieser taktischen Brillanz zugleich den Hut ziehen. Ufe, du gerissener Bastard! Du hast das hingekriegt, du hast die Schattenseiten unserer

Welt genutzt, um meisterlich mit allen nur erdenklichen Tricks zu arbeiten. Selbst nach vorsichtigen Schätzungen verdiente Ufe *Millionen*. Du warst nicht nur ein begabter Arzt, du warst auch ein talentierter Betrüger. Außerdem wusstest du die ganze Zeit über, dass dir nichts passieren kann, weil es in Spanien keine Gesetze gegen Doping im Sport gab.[5]

Die Operación Puerto schlug im Radsport – ähnlich wie der Festina-Skandal acht Jahre zuvor – unmittelbar vor Beginn der Tour de France 2006 wie eine Bombe ein. Einige betroffene Fahrer wie Ivan Basso und Frank Schleck (der zugab, Fuentes 7000 Euro gezahlt zu haben) gaben halbherzige Erklärungen ab, sie hätten nicht gedopt. Andere, wie Ullrich, waren so einsichtig, ihren Rücktritt vom Wettkampfsport zu erklären (das war eine gute Idee, denn DNA-Tests zeigten, dass zu Ufes Lagerbeständen *neun* BBs von Ullrich gehörten). Die Tour ging weiter, aber nichts wurde besser: Der spätere Sieger Floyd Landis, an dessen Wechsel zu Phonak ich noch mitgewirkt hatte, wurde wenige Tage nach dem Finale der Tour mit Testosteron erwischt.

Ich hatte Mitgefühl mit all den Jungs, die in jenem Jahr aufflogen, aber am stärksten war dieses Gefühl bei Floyd – wegen der Art, in der es geschah. Er hatte die Tour mit einer dramatischen Aufholjagd gewonnen, und dabei war ihm etwas gelungen, was altgediente Beobachter als die größte Alleinfahrt der Tourgeschichte bezeichneten, eine Solo-Flucht auf der 17. Etappe, bei der er das Verfolgerfeld mit einem Husarenritt über einige der steilsten Tourberge auf Distanz hielt. Es war die wagemutigste Fahrt, die ich je sah, vor allem, wenn man

---

5 Fuentes' Zuversicht scheint sehr berechtigt gewesen zu sein. Die Operación Puerto kam vor spanischen Gerichten nicht voran, weil es in Spanien kein Gesetz gegen Doping gibt. Fuentes wurde letztlich wegen eines Vergehens gegen die öffentliche Gesundheit angeklagt. Die Verteidigung führte in ihrem Schriftsatz aus, alle von ihm verantworteten Transfusionen seien unter hygienisch einwandfreien Bedingungen von zuverlässigem, qualifiziertem Personal vorgenommen worden.

bedenkt, dass Testosteron nur recht geringe Auswirkungen auf die Leistungsfähigkeit hat. [6]

Ich schaute mir Floyds Pressekonferenz an, nachdem er erwischt worden war, sah sein halbherziges Dementi (bei der Frage, ob er gedopt habe, zögerte er kurz und sagte dann: »Ich sage mal Nein«). Ich spürte, wie sehr er in der Falle saß, und erkannte, dass er denselben Weg nehmen würde, den ich gegangen war. Er würde das Testergebnis anfechten und dabei aller Wahrscheinlichkeit nach verlieren. Als ich das Geschehen auf meinem Laptop mitverfolgte, hätte ich am liebsten durch den Bildschirm gegriffen und ihn umarmt. Ich fragte mich, wie Floyd – der unabhängige, furchtlose Floyd – diese Sache wohl verkraften würde. [7]

Allerdings konnte ich mich nicht zu lange mit Floyd aufhalten, denn die Folgen der Puerto-Ermittlungen bescherten mir meine eigenen Probleme. Es dauerte nicht lange, bis einige Kalender und Materialien aus Ufes Beständen im Internet auftauchten. Das meiste davon war verschlüsselt, aber ein im Klartext gehaltenes Schriftstück war eine von Hand geschriebene Rechnung, die Ufe an Haven gefaxt hatte. Aus diesem Papier ging hervor, dass wir ihm bereits 31 200 Euro gezahlt hatten und noch 11 840 Euro schuldeten, auch von »Sibirien« war die Rede. Jedermann konnte den Dopingkalender für 2003 nachlesen, den Ufe für mich ausgearbeitet hatte, die Datumsangaben, die zu meinem Rennplan passten, und seine

6 Landis gab später zu, während der Tour zwei BBs und EPO-Mikrodosen zu sich genommen zu haben, erklärte aber weiterhin, er habe kein Testosteron benutzt.

7 Landis sagte, er habe daran gedacht, reinen Tisch zu machen, nachdem er von seinem positiven Testergebnis erfahren hatte. Nach weiterem Nachdenken und einem Gespräch mit Armstrong habe er beschlossen, sich gegen die Vorwürfe zu wehren. Er schrieb ein Buch, *Positively False: The Real Story of How I Won the Tour de France,* und über den Floyd-Fairness-Fonds sammelte er mehrere Hunderttausend Dollar zur Finanzierung des Rechtsstreits. »Wenn du schon lügen willst, musst du im großem Stil lügen«, sagte Landis. »Das hat mir Lance beigebracht.«

dazugekritzelten Notizen zu den Spritzen und Transfusionen, die er empfohlen hatte. Ich bestritt, der Fahrer 4142 gewesen zu sein, und beteuerte meine Unschuld, aber jeder denkende Mensch konnte diese Verbindung herstellen.

Manche Leute fragten sich später, warum nur mein Rennkalender veröffentlicht worden war und keine vergleichbaren Materialien, die sich auf jüngere, noch aktive Stars wie Alberto Contador bezogen, den man hinter dem Kunden mit der Codebezeichnung A. C. vermutete. Ich weiß darauf nur eine einzige, naheliegende Antwort: Diese Sportart weiß ihre Aktivposten zu schützen. Auf die Gefahr eines neuen, verheerenden Skandals reagierte sie mit der bewährten Strategie: Opfere ein paar Sündenböcke, schütze den Rest und mach einfach weiter.

Durch die Verstrickung in die Puerto-Ermittlungen war ich mit amtlicher Bestätigung toxisch geworden: Kein großes Team reagierte mehr auf meine Anrufe, und ich fand mich genau dort wieder, wo ich 1994 angefangen hatte: Ich war ein Außenseiter, der eine Mannschaft suchte.

Im November 2006 unterschrieb ich einen mit 200 000 Dollar dotierten Einjahresvertrag bei einem kleinen italienischen Team namens Tinkoff Credit Systems. Es gehörte einem russischen Restaurant-Tycoon namens Oleg Tinkoff. Er war ein Schlitzohr, das schlau genug war, eine Marktlücke zu erkennen: Er beschloss, Fahrer unter Vertrag zu nehmen, die erwischt worden waren und die von anderen Teams deshalb geschnitten wurden: mich, Danilo Hondo, Jörg Jaksche (er wollte auch Ullrich verpflichten, aber der war immer noch gesperrt).

Der Giro d'Italia im Mai 2007 sollte mein erstes großes Rennen nach dem Comeback werden. Vor dem Start zeigte ich genau, wie sehr die Sperre meine Einstellung verändert hatte: Über einen italienischen Freund im Fahrerlager kam ich zu etwas EPO und brachte mich so auf ein gewisses Niveau. Ich mochte ein Betrüger gewesen sein, aber ich war kein Idiot.

Ohne BBs hatte ich natürlich nicht die leiseste Chance auf den Gesamtsieg; ein Etappenerfolg wäre mehr als genug.

Am Tag vor dem Giro-Start setzte die UCI die teilnehmenden Teams mit einem ihrer bewährten Vorstöße unter Druck. Nach der Devise »Lasst uns so tun, als sorgten wir für einen sauberen Radsport« sollten sie keine Fahrer an den Start bringen, die von den noch andauernden Ermittlungen der Operación Puerto betroffen waren. Jörg Jaksche und ich waren damit vom Giro ausgeschlossen, Tinkoff stoppte die Gehaltszahlungen, und ich sah mich nach einem neuen Team um.

Im Herbst 2007 unterschrieb ich einen 100 000-Dollar-Vertrag bei Rock Racing, einem neuen amerikanischen Team, das von dem charismatischen Modeunternehmer Michael Ball gegründet worden war. Ball wollte ein Team mit Rock-'n'-Roll-Ausstrahlung aufbauen; er wusste, dass Verrufenheit durchaus verkaufsträchtig sein konnte, wenn sie nur richtig verpackt wurde. Zusammen mit mir engagierte er Santiago Botero und Óscar Sevilla, zwei weitere Flüchtlinge vor der Operación Puerto. Uns war klar, dass wir mit einem solchen Aufgebot nicht zur Tour de France eingeladen werden würden. Aber wir fuhren gut, und wir hatten Spaß miteinander. Wir genossen es auf eine gewisse Art, die bösen Buben des Radsports zu sein, ließen uns die Haare wachsen, trugen coole Dienstkleidung. Ball gab große Partys und fuhr schnelle Autos. Es fühlte sich gut an, loszulassen.

Ironie des Schicksals: Während meiner Profikarriere sah ich aus wie ein Pfadfinder und dopte, und jetzt, bei meinem Comeback, kam ich wie ein Rock-'n'-Roller daher und war meistens clean, ohne Edgar. (Testosteron nahm ich ein paarmal.) Ich möchte hier klarstellen: Das hatte nichts mit Moral zu tun. Hätte mir jemand Edgar angeboten, hätte ich es sicher genommen, keine Frage. Ich wusste doch, dass die Welt sich nicht geändert hatte – die Jungs an der Spitze spielten das Spiel noch ganz wie zuvor, wenn auch mit etwas strengeren Prüfungen seitens der Tester. Ich hatte nur die entsprechenden Verbindungen nicht mehr, außerdem fuhren wir kürzere Rennen, meist in den USA und gegen weniger harte Konkurrenz. Ich empfand es als wirklich befriedigend, dass ich mit Wasser und Brot noch immer gute Resultate einfahren konnte, ganz wie damals als Profi-Neuling.

Weniger befriedigend war dagegen das Verhalten mancher Fahrer, wenn ich bei größeren Rennen, etwa bei der Tour of California, wieder im Peloton auftauchte. Ich hatte dort immer einen Haufen Freunde gehabt, hatte mir immer etwas darauf zugutegehalten, wie ich mit den Leuten umging. Ich rechnete natürlich nicht damit, wie ein glanzvoller Held aufgenommen zu werden, doch wenigstens einen Gruß, ein bisschen Freundlichkeit hätte ich schon erwartet. Ein paar Jungs waren auch großartig. Ich erinnere mich an den sehr herzlichen Chechu Rubiera. Insgesamt aber wurde ich im Peloton nicht gerade mit offenen Armen empfangen.

Kurz nach meinem Comeback traf ich Jens Voigt in einem Rennen. Jens ist einer der beliebtesten Fahrer im Feld. Er ist lustig und extrovertiert, und wir sind immer gut miteinander ausgekommen. Ich freute mich sehr über das Wiedersehen und fuhr, eine kurze Unterhaltung erwartend, zu ihm auf. Ich merkte, wie er kurz zu mir herüber sah und dann stur geradeaus starrte. Wie sollte ich darauf reagieren? Wir fuhren eine ganze Minute lang so weiter, nur wenige Zentimeter lagen zwischen uns.

Vielleicht macht er nur Spaß, dachte ich. *Das ist vielleicht ein Witz, und er wird gleich lächeln.*

Nichts.

»Hey, Jens«, sagte ich schließlich und versuchte dabei fröhlich zu klingen. »Wie geht's denn heute?«

Er sah gar nicht her. »Ich folge nur dem Rad da vor mir«, erwiderte er unbewegt.

Ich wartete, war noch nicht bereit, das so zu schlucken. Dann schüttelte ich traurig den Kopf und löste mich von seiner Seite. Ich versuchte es nicht persönlich zu nehmen. Vielleicht hatte Jens nur Angst, mit mir in Verbindung gebracht zu werden. Vielleicht funktioniert auch nur die Bruderschaft auf eben diese Weise: Du bist entweder dabei oder draußen. Dazwischen gibt es nichts.

Haven und ich wurden uns unterdessen immer fremder. Den größten Teil der Saison 2007 trainierte ich in Italien bei Cecco, während Haven in Boulder blieb, ihre Maklerlizenz erwarb und ihre berufliche Laufbahn wieder in Schwung brachte. Wenn ich fort war, redeten wir nicht viel, und wenn ich nach Hause kam, war ich nicht die angenehmste Gesellschaft. Ich hatte mit den Belastungen des Comebacks ebenso zu kämpfen wie mit meinen Depressionen. Außerdem ist es nicht besonders erfreulich, wenn man versuchen muss, seinen Schwiegereltern zu erklären, wie ihr Nachname auf das Fax eines berüchtigten spanischen Arztes gelangt ist. Unser Haus im Sunshine Canyon entwickelte sich allmählich zu einem Museum der Hoffnungen, die uns verloren gegangen waren. Wir waren Zombies, erledigten den Alltag automatisch – und irgendwann war klar, dass es nicht mehr funktionierte. Im Herbst 2008 wurden wir geschieden. Wir regelten das auf schlichte und freundliche Art: ein Rechtsanwalt, alles wurde hälftig geteilt, kein Streit, kein Chaos und viele gute Wünsche füreinander. Es war, als würden wir aus den Trümmern klettern, uns die Hände reichen und dann getrennte Wege gehen.

Rock Racing wurde Anfang 2008 zur Tour of California eingeladen: ein großes Rennen, das mir Gelegenheit bot, zu zeigen, was ich draufhatte. Und dann zogen uns die Veranstalter – wie im Vorjahr beim Giro d'Italia – den Boden unter den Füßen weg und schlossen alle Fahrer aus, die von der Operación Puerto betroffen waren. Das war nicht fair. Ich hatte meine Sperre abgesessen und hätte jetzt die Chance haben sollen zu fahren. Außerdem waren da Botero und Sevilla; beide waren Tausende von Kilometern geflogen, um hier zu starten. Wir beschlossen, aus Protest beim Team zu bleiben, und hofften darauf, dass sich andere Fahrer für uns einsetzen würden. Aber niemand machte den Mund auf. Sie hatten Angst, es könnte ihrem Image schaden, wenn sie »bekannte Doper« unterstützten.

Ich unterdrückte meinen Ärger und siegte bei einigen großen Rennen wie der Tour of Qinghai Lake in China – und dann, im August, holte ich den US-Meistertitel im Straßenfahren. Es war gut, einen gewissen Grad von Wiedergutmachung zu erleben, vor allem bei der Meisterschaft, als ich meinem alten Zimmergenossen George Hincapie und einer großen Zahl amerikanischer Spitzenprofis das Hinterrad zeigte.

Aber die Befriedigung war nur von kurzer Dauer. Jeder Sieg war überschattet von einem Gefühl für das, was verloren gegangen war, jedes Interview enthielt die Geschichte von meinem positiven Test und erinnerte mich daran, dass es kein Entkommen vor der Vergangenheit gab. Ich war angeschlagen, ein 37 Jahre alter Radrennfahrer mit lädiertem Ruf, der von Rennen zu Rennen tingelte, ohne Frau, ohne Zuhause, ohne Zukunftsaussichten. Ich fing an, zu viel zu trinken; meine Depressionen verschlimmerten sich.

Im Herbst 2008 überraschte Lance die Welt mit der Ankündigung seines Comebacks. Er sagte, er komme zurück, um die Öffentlichkeit für das Thema Krebs zu sensibilisieren. Für mich war der wahre Grund jedoch sonnenklar: Durch all die Skandale wurde sein Lebenswerk beschädigt. Er drängte zurück ins Spiel, wollte die Kontrolle wieder übernehmen. Warum auch nicht? Er konnte die Tester überlisten, hart arbeiten und das alte Spiel wieder aufnehmen. Wie früher verspürte er den alten Drang, den Einsatz zu erhöhen. Ein großer Sieg, und alle würden den Mund halten.[8]

---

8 Armstrong hatte die Verbindung zu Ferrari 2004 offiziell gekappt, nachdem der Arzt von einem italienischen Gericht wegen Dopingbetrugs und Medikamentenmissbrauchs verurteilt worden war (die erste Verurteilung wurde später wegen Verjährung aufgehoben, die zweite im Berufungsverfahren), doch die beiden hielten Kontakt. Armstrong sagte, die Verbindung sei rein persönlicher Art und Ferrari würde ihn nicht mehr trainieren. Meh-

Lance kam zurück, und mein Weg führte in die andere Richtung. Im Frühjahr 2009 wurde ich abermals positiv getestet. Ich war damals auf der Suche nach einem natürlichen Ersatz für meine Antidepressiva und stieß dabei auf ein frei verkäufliches Mittel auf Pflanzenbasis, das aber auch DHEA (Dehydroepiandrosteron) enthielt, ein Steroidhormon. Diese Substanz war zwar nicht leistungsfördernd, stand aber auf der Dopingliste. Ich wusste genau, dass DHEA verboten war, suchte aber verzweifelt nach Hilfe und hielt das Risiko, erwischt zu werden, für gering. Es war das eine Mal in meiner Laufbahn, dass die Tester effizient arbeiteten – sie erwischten mich ungeschützt (jetzt, wo ich allein lebte, verfügte ich nicht mehr über das übliche Frühwarnsystem).

Ich glaube, dass ich in meinem Innersten sogar erwischt werden wollte. Als ich um 6.30 Uhr zum Test aufgefordert wurde, machte ich mir nicht einmal die Mühe, vorher noch pinkeln zu gehen, was meinen Organismus gereinigt und meine Urinprobe verdünnt hätte. Als man mich über das positive Testergebnis informierte, empfand ich zunächst einen überwältigenden Reflex, dagegen anzugehen und zu beweisen, dass die Tester im Unrecht waren (seltsam, wie stark manche Gewohnheiten sind). Aber nach Gesprächen mit einigen Freunden erlebte ich einen Augenblick der Einsicht. Ich beschloss, es mit einer seltsamen neuen Taktik zu versuchen: Ich würde den Menschen sagen, was wirklich geschehen war.

Das tat ich dann auch. Ich berief eine Pressekonferenz ein, atmete tief durch und legte die Fakten auf den Tisch. Zum ersten Mal in meinem Leben sprach ich offen über meine Depressionen. Ich sprach darüber, dass ich mich nicht zu die-

---

rere Postal-Fahrer berichteten allerdings, sie hätten Ferrari und Armstrong im Jahr 2005 in Girona beim gemeinsamen Training gesehen. Nach einem Bericht der *Gazzetta dello Sport* stießen italienische Ermittler außerdem auf eine 2006 erfolgte Zahlung Armstrongs an Ferrari in Höhe von 465 000 Dollar – zwei Jahre nachdem Armstrong die Verbindung mit dem Doktor öffentlich für beendet erklärt hatte.

ser Krankheit hatte bekennen wollen, weil ich befürchtete, die Öffentlichkeit würde das als Schwäche auslegen. Ich sprach über meinen Versuch, die mir verschriebenen Medikamente abzusetzen (deren Wirksamkeit in letzter Zeit nachgelassen hatte, wie das bei Antidepressiva manchmal der Fall ist), und wie ich dabei auf das pflanzliche Mittel gestoßen war. Ich gestand, dass ich dieses Ergänzungsmittel eingenommen und dabei sehr wohl gewusst hatte, dass es DHEA enthielt.

Ich kündigte außerdem an, dass ich meine Karriere mit sofortiger Wirkung beenden würde. Noch während ich sprach, fühlte ich, wie mir leicht ums Herz wurde: Ich musste keine Rechtsanwälte mehr engagieren, musste weder Strategien entwickeln noch meine Worte sorgfältig wählen oder Geheimwissen mit mir herumtragen. Ich konnte einfach berichten, was geschehen war, genau so. In den darauffolgenden Tagen spürte ich, dass sich ein lange verkrampfter Teil von mir öffnete, wie eine geballte Faust, die sich allmählich lockerte.

Ich nahm wieder Kontakt zu meiner Familie auf. Im vergangenen Herbst war bei meiner Mutter Brustkrebs diagnostiziert worden, und ich verbrachte jetzt mehr Zeit damit, sie bei der Genesung zu unterstützen. Ich begann in Boston mit einer Therapie, und diese Sitzungen waren mir eine große Hilfe. Der Therapeut half mir, kürzerzutreten und das Leben aus einer neuen Perspektive zu betrachten. Langsam verabschiedete ich mich von einem Teil der Schuldgefühle, die ich empfunden hatte, und sah, wie verrückt das Leben gewesen war, das ich geführt hatte. Ich traf alte Freunde wieder, ging zu Spielen der Red Sox, verbrachte Zeit mit meinen Eltern, mit meiner Schwester und meinem Bruder und ihren Familien.

Im Januar 2010 ging ich nach Boulder zurück und eröffnete ein kleines Trainingsunternehmen. Es ging dabei um einfache Dinge, wir boten nicht viel computergestütztes Training an. Stattdessen entwarfen wir mithilfe meines Freundes Jim Capra individuelle Trainingsprogramme, die den Leuten helfen sollten, ihre Ziele zu erreichen, ob sie sich nun fürs Olympiateam qualifizieren oder 20 Kilo loswerden wollten. Wir hatten ein paar Dutzend Kunden, vom Anfänger bis zum Spitzenkönner. Auch die Wohltätigkeitsarbeit mit MS-Kranken führte ich weiter. Mein Vater und ich organisierten weiterhin unsere jährliche Spenden-Werbefahrt unter dem Motto »MS Global«.

Das Beste von allem aber war, dass ich mit einer wunderbaren Frau namens Lindsay Dyan zusammen war. Lindsay war wunderschön, blitzgescheit, unglaublich witzig und hatte eine Spontaneität an sich, die ich liebte. Wir hatten uns während meines Comebacks in Italien kennengelernt, den Kontakt aufrechterhalten, und jetzt stimmten wir unsere zeitlichen Verpflichtungen so aufeinander ab, dass wir zusammensein konnten. Sie war eine echte Bostonerin, stammte aus einer eng verbundenen Familie italienischer Herkunft und ging noch an die Suffolk University, um ihr Magisterstudium in Internationaler Politik und Ethik abzuschließen. Sie brachte eine Leichtigkeit in mein Leben, die sich frisch und neu anfühlte, ein Gefühl, dass jeder neue Tag neue Möglichkeiten bereithält. Nur so zum Spaß versuchte ich einmal, Lindsays Persönlichkeit auf einem Post-it-Zettel festzuhalten, und kam dabei auf drei Wörter: VERRÜCKT. LUSTIG. HELLWACH. Und das stimmt. Einmal verliebte sie sich auf eBay in einen 1979er Oldtimer-Jeep, einen Grand Wagoneer. Im Nu flogen wir nach Texas, um das Ding abzuholen und damit nach Boulder zurückzufahren. Wir nannten es die »grüne Maschine« und erkundeten damit die Berge der Umgebung. Ich glaube, für Lindsay war ich ein bisschen wie dieses Auto: hohe Laufleistung, ein paar Beulen, aber allemal einen Versuch wert.

Das sollte mein neues Leben werden. Ich versuchte, unter dem Radar zu bleiben. Sah mir keine Minute der Tour an. Ich verbrachte meine Freizeit mit Freunden und unternahm lange Läufe in den Bergen mit Tanker, meinem neuen Golden Retriever, der Tugboat in nichts nachstand, wenn unerschöpfliche Energie gefragt war. Ich spielte Hallenfußball, führte mein Unternehmen und hielt mich von der hochgradig wettkampforientierten Radrennfahrer-Szene in Boulder fern. Ich hatte keine wirklich klare Vorstellung von der Zukunft, wenn man einmal davon absieht, dass ich versuchen wollte, noch mehr gute Tage zu erleben, nach vorne zu schauen und ein normaler Mensch zu sein.

Ich dachte, das wäre es gewesen. Ich dachte, dass all die Dramen mit Lance vorbei, erledigt und begraben seien. Aber wie ich schon bald herausfinden sollte, war die Vergangenheit nicht tot. Sie war noch nicht einmal vergangen.

14

NOVITZKYS BULLDOZER

Ein ruhiger Abend Mitte Juni 2010. Ich war zu Hause in Boulder, lag auf dem Bett und sah mir einen Gangsterfilm an: *The Bank Job*. Mitten im Film brummte mein Handy: eine SMS.

Mein Name ist Jeff Novitzky. Ich bin Ermittler der FDA. Ich möchte mit Ihnen reden. Bitte rufen Sie mich unter dieser Nummer an.

Mein Herz hämmerte. Natürlich kannte ich den Namen. Novitzky hatte Barry Bonds vor Gericht und andere Doper hinter Gitter gebracht, unter ihnen die Olympia-Goldmedaillen-Gewinnerin Marion Jones. Er wurde oft mit Eliot Ness verglichen, dem aufrechten Cop, der während der Zeit der Prohibition gegen die Korruption angekämpft hatte, und so sah er auch aus: groß, dünn, mit rasiertem Kopf und einem durchdringenden Blick. Ich hatte erwartet – und befürchtet –, dass er sich mit mir in Verbindung setzen würde.

Begonnen hatte alles einige Wochen vorher, als Floyd Landis eine Bombe platzen ließ: in Form einer E-Mail an den US-amerikanischen Radsportverband, mit Daten und Namen und sehr detaillierten Angaben über Lance und das Postal-Team. Die Nachricht verbreitete sich schnell um die ganze Welt, und bei der Kalifornien-Rundfahrt stand Lance vor seinem Mannschaftsbus und tat das, was er immer tat: kein bisschen Überraschung zeigen. Er behauptete, Floyd sei verbittert und habe wohl auch psychische Probleme. Zugleich aber setzte er still und leise teure Anwälte in Bewegung. Erst als Juliet Macur, die Reporterin der *New York Times,* Novitzkys Namen ins Spiel brachte, wurde Lance nervös. »Warum sollte … warum sollte Jeff Novitzky sich dafür interessieren, was ein Sportler in Europa macht?«, stammelte er.

Lance war zu Recht nervös. Innerhalb weniger Tage erhob der Bundesstaatsanwalt Doug Miller, der mit Novitzky im BALCO-Fall zusammengearbeitet hatte, Anklage vor einem Geschworenengericht. Zeugen wurden vorgeladen und mussten die Wahrheit sagen, wenn sie nicht selbst wegen Meineids im Gefängnis landen wollten. Es war Lance' größter Albtraum – eine mit Nachdruck geführte gerichtliche Untersuchung darüber, wie er die Tour de France gewonnen hatte.

Es schien gerecht und war vielleicht unvermeidbar, dass ausgerechnet Floyd schließlich auspackte: der Mennoniten-Sohn, der mit seinem eisernen Durchhaltewillen Lance in nichts nachstand. Floyd störte gar nicht so sehr das Doping. Aber er hasste Ungerechtigkeit, hasste sie aus tiefster Seele. Den Missbrauch von Macht. Die Vorstellung, dass Lance ihm mit voller Absicht die Chance vermasselt hatte, wieder Rennen zu fahren.

Floyd hatte nur wieder fahren wollen. Als seine Sperre endete, hatte er nach einem Weg zurück ins Peloton gesucht. Doch Lance und der Sport ignorierten ihn und zogen ihn durch den Schmutz, und so hangelte Floyd sich allein durch eine Reihe kleinerer Teams. Für Lance wäre es ein Leichtes gewesen, Floyd einen Platz in seinem oder einem anderen Team zu verschaffen. Ein Griff zum Telefonhörer hätte genügt. Die ganze Untersuchung hätte vermieden werden können, wenn Lance sich Floyd gegenüber wie ein Freund verhalten hätte, ihm die Hand gereicht und die Wogen geglättet hätte. Aber genauso gut hätte man von Lance verlangen können, zum Mond zu fliegen. Für Lance war Freundschaft undenkbar. Floyd war ein Feind, und Feinde mussten vernichtet werden. Ganz einfach. Diese Methode funktionierte bei den meisten Menschen. Aber nicht bei einem zähen Mennoniten-Sohn, der die King-James-Bibel aus dem Gedächtnis zitieren kann, vor allem 4. Mose 32,23: *Seid sicher, eure Sünde wird euch finden.* Im April 2010 nahm Floyd Kontakt mit USADA-Chef Travis Tygart auf und erzählte ihm die Wahrheit über seine Zeit beim Postal-Team.

Novitzky hatte die Szene bereits einige Monate zuvor betreten. Er beschäftigte sich mit dem Fall, seit leistungssteigernde Drogen im Kühlschrank einer Wohnung in Calabasas, Kalifornien, gefunden worden waren, die von einem Rock-Racing-Fahrer namens Kayle Leogrande angemietet worden war. Der Vermieter hatte den Drogenvorrat entdeckt und die zuständige Food and Drug Administration (FDA) informiert, für die Novitzky seit Kurzem arbeitete. Novitzky hatte daraufhin einen alten Bekannten kontaktiert, Tygart von der USADA. So kam es, dass Floyd kurze Zeit, nachdem er mit der USADA geredet hatte, auch eine Unterhaltung mit Novitzky führte.

Floyd erzählte Tygart und Novitzky die Wahrheit, und er hatte offensichtlich auch seine juristischen Hausaufgaben gemacht. Der False Claims Act ist ein US-amerikanisches Gesetz zum Schutz der Regierung gegen Betrug. Nach diesem Gesetz stehen jedem, der einen Betrug aufdeckt, 15 bis 30 Prozent der sichergestellten Gelder zu. Da die US-Postbehörde über 30 Millionen Dollar an Sponsorengeldern an Tailwind Sports (die Managementfirma, deren Teilhaber Lance war) für das Postal-Team bezahlt hatte, konnte das Gesetz unter Umständen Anwendung finden – vor allem, wenn nachgewiesen wurde, dass Tailwind ein organisiertes Dopingprogramm durchgeführt und damit gegen Anti-Doping-Klauseln in den Verträgen verstoßen hatte. Floyd reichte nach seinen Unterhaltungen mit der USADA und Novitzky eine Klage nach dem False Claim Act gegen Tailwind Sports ein. Es war wie im Bilderbuch: Konnte bewiesen werden, dass Lance und Tailwind die Regierung betrogen hatten, hatte Floyd die Chance auf eine Rache biblischen Ausmaßes.

Floyds endgültige Entscheidung fiel in den Wochen vor der Kalifornien-Rundfahrt im Mai, der größten Rundfahrt im

Land. Per E-Mail informierte er den Rennleiter Andrew Messick, dass er mit der USADA über seine Zeit im Postal-Team gesprochen hatte. (Typisch Floyd: Er hatte sogar Lance zu seinen Treffen mit der USADA eingeladen.) Als Floyd klar wurde, dass Lance und Messick ihn weiterhin wie Luft behandeln würden, schrieb er die Bekennermails an den US-Radsportverband, und die Lunte brannte.

Novitzky und Miller walzten praktisch mit einem Bulldozer durch die Welt des Radsports. Angst und böse Vorahnungen verbreiteten sich wie ein Lauffeuer. Zeugen wurden kontaktiert: Hincapie, Livingston, Kristin Armstrong, Frankie und Betsy Andreu, Greg LeMond und viele andere. Wie ich hörte, erhielt Levi Leipheimer seine Vorladung am Zoll, als er von der Tour de France zurückkehrte. Armstrongs Teamkollege Jaroslaw Popowytsch erhielt seine Vorladung auf noch dramatischere Weise: von Agenten in einem schwarzen Geländewagen, die ihm auflauerten, als er in jenem Herbst in Austin an einer von Armstrongs Aufklärungsveranstaltungen über Krebs teilnahm.

Dann kam der Abend, an dem Novitzkys Bulldozer in Form seiner SMS an meine Tür rumpelte. Ich verwies Novitzky an meinen Anwalt, Chris Manderson. Als Novitzky Chris fragte, ob ich ihn aus freien Stücken bei seinen Untersuchungen unterstützen würde, antwortete ich mit einem entschiedenen Nein. Noch immer galten die alten Grundsätze: Warum sollte ich freiwillig etwas aussagen, das ich so lange geleugnet hatte? Warum sollte ich auch den letzten Rest meines guten Rufes noch aufs Spiel setzen? Ich wollte mein Leben weiterführen und die Vergangenheit hinter mir lassen. Novitzkys Antwort erreichte mich wenige Tage später in Form einer gerichtlichen Vorladung. Ich hatte am 21. Juli 2010 um 9 Uhr morgens in Los Angeles vor Gericht zu erscheinen.

Je näher der 21. Juli rückte, umso angespannter wurde ich. Ich lag nächtelang wach und überlegte, was ich tun sollte. Manchmal dachte ich: *Scheiß drauf, ich lüge einfach weiter, ich riskiere einen Meineid.* Dann wollte ich lieber die »Ich erin-

nere mich nicht«-Schiene fahren, wie ich es bei Wirtschafts-
bossen und Regierungsbeamten im Fernsehen gesehen hatte.
In der Zwischenzeit gingen bei meinem Anwalt mehrere drin-
gende Anrufe von Lance' Anwälten ein, die mir kostenlos ihre
Dienste anboten. Das war wieder typisch Lance: Sechs Jahre
lang hatte ich absolut null Unterstützung von ihm bekommen.
Und jetzt, wo es eng wurde, wollte er mich plötzlich wieder im
Team haben. Nein danke.

Am Tag vor meiner Aussage vor Gericht flog ich nach Los
Angeles, um mich mit Manderson und Brent Butler zu treffen, einem seiner Anwaltskollegen, der früher als Staatsanwalt
gearbeitet hatte. Wir setzten uns in einem kleinen Konferenzraum zusammen. Sie wollten meine Aussage mit mir durchge-
hen und begannen mit der einfachsten Frage: *Erzählen Sie uns
von Ihrer Anfangszeit im Postal-Team.*

Eine Flut von Bildern und Erinnerungen schoss durch meinen Kopf. Das erste Treffen mit Lance bei der Tour DuPont,
Thom Weisels raue Stimme, die weißen Beutel, die roten Pillen, Motoman und Ferrari und Ufe und Cecco. Ich holte tief
Luft und begann am Anfang, so gut ich konnte. Ich sah, wie
Manderson und Butler ganz still wurden. Sie lehnten sich zurück. Sie stellten keine Fragen mehr, hörten einfach nur noch
zu und ließen mich nicht aus den Augen. Es kam mir vor wie
eine Stunde, aber als ich aufsah, waren vier Stunden vergangen.

Es hört sich seltsam an, aber ich hatte es noch nie so erzählt,
alles, von Anfang bis Ende. Doch es fühlte sich nicht gut an,
jetzt, nach 13 Jahren endlich die Wahrheit zu sagen. Es tat
weh. Mein Herz raste wie bei einem steilen Aufstieg. Aber
sogar durch diesen Schmerz hindurch fühlte ich, dass es ein
Schritt nach vorn, dass es richtig war. Ich wusste, dass es kein
Zurück mehr gab. Ich verstand, was Floyd gemeint hatte, als
er sagte, er habe sich sauber gefühlt, nachdem er die Wahrheit
gesagt hatte, weil ich mich jetzt auch sauber fühlte, ich fühlte
mich wie ein neuer Mensch.

Am nächsten Tag fuhr ich mit Manderson und Butler zum Gerichtsgebäude in der Innenstadt von Los Angeles. Wir waren früh dran, und Novitzky erwartete uns an der Tür. Er war groß (um die zwei Meter), wirkte sauber, und sein kahler Schädel verlieh ihm etwas Einschüchterndes. Von da an abwärts aber war er eher ein Sportler-Dad aus der Vorstadt mit legerer Körpersprache, gelassener Stimme, einem Lederarmband unter den weißen Manschetten seines Anzugs und einem kleinen Kinnbärtchen. Er hatte eine beruhigende Art und vermittelte einem ein Gefühl von Sicherheit. »Vertrauenerweckend« beschrieb ihn wohl am besten. Ich verstand nun, warum Betsy Andreu ihn »Pater Novitzky« nannte. Er besaß eine Gemütsruhe, die man sonst nur bei Priestern und alten Menschen antrifft. Wir unterhielten uns eine Weile über Basketball und die Red Sox. Durch seine Autorität und sein Selbstvertrauen erinnerte mich Novitzky ein wenig an Lance, doch mit einem Unterschied: Lance setzte seine Macht wie eine Keule ein, während Novitzky sie viel unauffälliger ausübte.

Als der Termin für meine Vernehmung näher rückte, wurde aus Novitzkys entspanntem Lächeln ein sachliches Auftreten, sein »Ermittlergesicht«. Er erklärte mir den Ablauf, dass ich vereidigt und von einem Staatsanwalt, Doug Miller, verhört werden würde. Novitzky bereitete mich nicht gezielt vor und beeinflusste mich auch nicht. Er sprach nicht über Lance oder die Untersuchung. Ja, er durfte noch nicht einmal mit in den Gerichtssaal hinein. Er sagte mir, ich solle einfach so wahrheitsgetreu wie möglich auf die Fragen antworten. Ich holte tief Luft, und als ich durch die Tür ging, hatte ich nur einen Gedanken: *Keine Frage wird mich stoppen.*

Die Befragung begann, und ich antwortete umfassend. Ich sagte nicht nur das Nötigste, sondern ging weiter zurück und lieferte Hintergründe und Details. Wenn sie mich dazu bringen wollten, Lance zu beschuldigen, verwies ich immer erst auf meine eigene Schuld. Ich wollte ihnen nicht einfach nur die harten Fakten liefern. Sie sollten nachvollziehen können, in welcher Situation wir uns befunden, wie wir uns gefühlt hatten. Ich wollte, dass sie darüber nachdachten, wie sie sich an unserer Stelle verhalten hätten. Ich wollte, dass sie verstanden.

Miller bemühte sich, keine Regung zu zeigen, aber gelegentlich warf ich einen Blick zu ihm hinüber und sah, wie sich seine Augen weiteten. Nach vier Stunden war ich noch mitten in meiner Geschichte, aber die für die Befragung vorgesehene Zeit war zu Ende, und die Geschworenen wurden entlassen. Ich wollte aber weitermachen, und Miller wollte das auch. Ich besprach mich mit meinen Anwälten und beschloss dann, auch über den Rest noch auszusagen, unter der Voraussetzung, dass aufgrund meiner Aussage keine Anklage gegen mich erhoben würde. Eine solche Vereinbarung ist bei kooperativen Zeugen durchaus üblich. Es ist keine echte Strafimmunität, kommt der aber nahe. Dann setzte ich meine Aussage in Anwesenheit von Novitzky und meinen Anwälten noch drei Stunden lang in einem Konferenzraum fort, sodass ich insgesamt schließlich sieben Stunden lang ausgesagt hatte. Am Ende bedankten sich Novitzky und Miller bei mir. Sie bemühten sich, objektiv und geschäftsmäßig zu bleiben, aber ich sah ihren Gesichtern an, dass sie meine Ehrlichkeit zu schätzen wussten. Sie sagten, sie würden sich melden, und gingen dann zur Tür hinaus. Ich war völlig ausgelaugt, leer. Aber ich fühlte mich gut.

Selbst jetzt schien Lance nie weit weg zu sein. Am Morgen nach meiner Aussage stand ich auf der Straße vor dem Haus der Mandersons in Orange County und brachte Chris' Sohn das Fahrradfahren bei. Ich hielt das Fahrrad fest und rannte damit die Straße hinunter, als ein grauer Geländewagen an uns vorbeifuhr, dann plötzlich bremste und anhielt. Das Fenster wurde heruntergelassen, und ich blickte überrascht in ein vertrautes Gesicht: Stephanie McIlvain, die Oakley-Vertreterin, mit der ich während meiner Zeit bei Postal befreundet gewesen war. Stephanie war mit in jenem Krankenhauszimmer in Indiana gewesen, als Lance 1996 sein angebliches Geständnis abgelegt hatte. Rein zufällig wohnte sie in der Nähe der Mandersons.

Ich war sofort misstrauisch, weil ich nicht sicher war, auf wessen Seite Stephanie stand. Sie hatte in aller Öffentlichkeit und unter Eid ausgesagt, sie habe nicht gehört, dass Lance in jenem Krankenhauszimmer gestanden habe zu dopen. Im persönlichen Gespräch hatte sich das aber ganz anders angehört. Da hatte sie zugegeben, dass sie Lance' Geständnis tatsächlich gehört hatte und dass er sie unter Druck setzte, damit sie den Mund hielt.[1]

Stephanie schien reden zu wollen. Sie bat mich um meine Telefonnummer, und ich gab sie ihr. Eine Stunde später erhielt ich die erste SMS von ihr, in der sie mich bat, zu ihr zu kommen, damit wir weiterreden konnten. Ich redete mich heraus und behauptete, ich sei beschäftigt. Dann schickte Stephanie eine weitere SMS. Und noch eine. Und noch eine. Dann schrieb sie mir, dass ein anderer alter Freund, Toshi Corbett, der für den Helm-Hersteller Giro gearbeitet hatte, gerade gekommen sei und ich ihn treffen solle.

Das machte mich noch misstrauischer. Toshi war auf Lance' Seite. Wollten Stephanie und Toshi, dass ich hinfuhr, damit sie Informationen sammeln und sie an Lance weitergeben konnten?

Ich antwortete Stephanie nicht. Ich hatte ein schlechtes Gewissen, dass ich sie ignorierte, aber ich wollte kein Risiko eingehen. Ich wollte verhindern, dass Lance von meiner Aus-

---

1 In der SCA-Promotions-Anhörung im Jahr 2005 hatte McIlvain unter Eid ausgesagt, sie habe nie gehört, dass Armstrong zugegeben habe zu dopen. In einem Gespräch, das Greg LeMond ein Jahr zuvor heimlich mitgeschnitten hatte, hatte McIlvain allerdings gesagt, sie habe gehört, dass Armstrong in dem Krankenhauszimmer gestanden habe. »So viele Leute beschützen [Armstrong], dass einem schlecht werden könnte«, sagte sie.
Im September 2010 sagte McIlvain sieben Stunden lang vor einem Geschworenengericht aus. Danach ließ ihr Anwalt, Tom Bienert, verlauten, sie habe »einen sehr emotionalen Tag« und sie habe ausgesagt, dass sie nie gesehen oder davon gehört habe, dass Armstrong leistungssteigernde Mittel nahm. Es wird sich zeigen, ob das die Wahrheit war. Der *Bicycling*-Kolumnist Joe Lindsey stellte aber die begründete Frage, warum ein einfaches Dementi sieben Stunden gedauert habe.

sage erfuhr. Am nächsten Tag fuhr ich nach Boulder zurück, hatte aber das Gefühl, beobachtet zu werden.

Ich stand jetzt mittendrin, genau zwischen Novitzky und Lance, dem Jäger und dem Gejagten. Ich dachte jeden Tag an beide, stellte mir ihre Gesichter vor oder spürte ihre Anwesenheit in meinem Leben. Sie spielten Schach, und ich war eine der Figuren.

Im November 2010 reisten Novitzky und sein Team nach Europa, um dort zu ermitteln. Im Hauptquartier von Interpol in Lyon trafen sie sich mit Radsportfunktionären und offiziellen Dopingkontrolleuren aus Frankreich, Italien, Belgien und Spanien; die Funktionäre sagten ihnen Unterstützung zu. Um den Fall abzuschließen, suchte Novitzky offensichtlich nach den Originalproben von der 1999er Tour, die in einem französischen Labor immer noch gefroren lagerten. Auf mich wirkte das alles surreal: Novitzky suchte das EPO, das wir 1999 benutzt hatten, dieselben Moleküle, die auf Motomans Motorrad durch Frankreich gefahren waren, denselben EPO-Vorrat, aus dem auch ich mich bedient hatte. Jetzt musste auch dem Letzten klar werden, dass dies keine normale Untersuchung und dass Novitzky kein normaler Ermittler war. »Das Justizministerium würde normalerweise nicht [so] viel Zeit und Geld einsetzen, wenn man es nicht wirklich ernst meinen würde«, äußerte sich Matthew Rosengart, ein ehemaliger Bundesstaatsanwalt.

Lance verstand die Botschaft. Außerdem zückte er sein Scheckbuch und verstärkte sein Team, indem er Mark Fabiani engagierte, den »Master of Disaster«, der US-Präsident Bill Clinton während des Whitewater-Skandals vertreten hatte und auch Goldman Sachs im Betrugsfall gegen die Börsenaufsicht. Er engagierte außerdem John Keker und Elliot Peters, zwei Prozessanwälte, die bei Dopingfällen in der Baseball-Profiliga gegen den Staat angetreten waren. Sie verstärkten ein Team, das bereits aus Tim Herman, Bryan Daly und Robert Luskin bestand, die Karl Rove, den Berater von US-Präsident George W. Bush, im Fall um die Enttarnung von Valerie Plame verteidigt hatten. Kurz gesagt, besorgte sich Lance die besten Anwälte, die man für Geld bekam.

Das war sein neues Postal-Team, und anscheinend trieb er die Anwälte genauso hart an wie uns damals. Sie veröffentlichten Stellungnahmen, in denen sie die Frage aufwarfen, warum die US-Regierung sich um zehn Jahre alte Radrennen kümmern sollte, und beklagten die Verschwendung von Steuergeldern. Lance übte inzwischen weiterhin Druck über die Medien und seine Beziehungen aus. Er spielte Golf mit Bill Clinton und ließ keine Gelegenheit aus, um sich mit den höchsten Staatsdienern, einem Promi oder einem Wirtschaftsboss zu treffen. Er lud einflussreiche Vertreter der Radsportmedien zu privaten Gesprächen in sein Haus ein, und er schickte fröhliche Tweets an seine über drei Millionen Followers. Er handelte nach dem Motto »Frechheit siegt«: Er machte einfach weiter und tat so, als gäbe es die Untersuchung nicht.

Manchmal gewannen Lance' alte Instinkte jedoch die Oberhand. Als Novitzky nach Europa reiste, verschickte Lance einen Tweet: *Hey Jeff, como estan los hoteles de quatro estrellas y el classe de business in el aeroplano? Que mas necesitan?* (Hey, Jeff, wie sind die Vier-Sterne-Hotels und die Business Class im Flugzeug? Was brauchen Sie sonst noch?) Typisch Lance: irgendwie witzig, aber eine Spur zu überheblich, vor allem weil Novitzky Economy flog und in derart billigen Hotels abstieg, dass einer seiner Kollegen im Anzug schlief, um sich keine Bettwanzen einzufangen.

Doch es sickerte immer mehr durch. Im Januar veröffentlichten Selena Roberts und David Epstein von *Sports Illustrated* einen größeren, gut recherchierten Artikel über die Untersuchung, der einiges an interessantem neuem Material enthielt, darunter:

- Eine Schilderung des Motorola-Fahrers Stephen Swart darüber, wie Lance das Team 1995 dazu gedrängt hatte, EPO zu nehmen. Swart erinnerte sich auch daran, dass Lance am 17. Juli 1995, vier Tage bevor er eine Etappe der Tour de France gewann, einen Hämatokritwert von 54 oder 56 hatte.
- Einen Vorfall von 2003 im Flughafen von St. Moritz, als Lance und Floyd unerwartet von Schweizer Zollbeamten durchsucht wurden. (Ein Vorteil der Privatjets, so war zu lesen, seien die weniger strengen Zollkontrollen.) In einem Seesack hätten die Beamten eine Packung Spritzen entdeckt, außerdem Medikamente mit spanischer Aufschrift. Die beiden überzeugten die Beamten, dass es sich hierbei um Vitamine handelte und die Spritzen für Vitaminspritzen gebraucht würden. Man ließ sie passieren.
- Floyds Bericht darüber, wie Ferrari von seinen Befürchtungen erzählte, dass Lance' Hodenkrebs von Steroiden verursacht worden sei.
- Die Aussage eines Informanten, der über die Ermittlungen der Staatsanwaltschaft Bescheid wusste, dass Lance in den späten 1990er-Jahren Zugang zu einem blutbildenden Mittel namens HemAssist gehabt habe, einem neuen Medikament, das sich damals noch in der klinischen Erprobung befand. »Wenn jemand etwas Besseres als EPO herausbringen wollte, wäre dies das ideale Produkt«, sagte Dr. Robert Przybelski, Leiter der Abteilung für Hämoglobintherapie bei Baxter Healthcare, wo das Medikament entwickelt wurde.

Lance antwortete über Twitter auf seine übliche Art: Erst tat er alles mit einem Schulterzucken ab (er schrieb auf seinem Twitteraccount: »*Das war alles?*«) und legte dann frech nach: »*Toll, dass @usada den Behauptungen von @si nachgeht. Ich freue mich auf meine Rehabilitation.*«

Ab und zu erkundigte ich mich bei Novitzky nach dem Stand der Dinge. Er erzählte mir nicht viel. Er verhielt sich in dieser Hinsicht sehr professionell. Aber im Lauf der Monate lernten wir uns besser kennen. Er war immer freundlich und entspannt und hilfsbereit. Wir sprachen nicht nur über den Fall. Wir unterhielten uns über die Volleyballspiele seiner Tochter, seine eigene Karriere im Sport (er war Hochspringer gewesen und hatte einmal 2,13 Meter übersprungen). Er sagte oft »Bullshit«, und er nannte mich »Alter«.

Man hätte denken können, Novitzky hasse Lance, aber wenn er über Lance sprach, war Novitzky immer nur der coole Profi. Er wurde nie emotional und äußerte auch nie seine Meinung zu Lance' Charakter, schimpfte oder fluchte auch nie über ihn. Ich weiß, dass Novitzky im Grunde Mitleid mit Dopern hat. Er hatte ausreichend viele von uns kennengelernt, um zu realisieren, dass die meisten von uns keine schlechten Menschen waren. Zumindest für meine Situation hatte er viel Verständnis. Aber hatte er dasselbe Verständnis auch für Lance? Ich glaube nicht. Wenn Lance' Name fiel, wurde Novitzky kühl, sachlich, fokussiert. Ich glaube, ihm missfiel, wofür Lance stand: die Vorstellung, dass ein Mensch seine Macht nutzen konnte, um die Regeln zu brechen, die Welt zu belügen, Millionen zu verdienen und ungeschoren davonzukommen.

Im März meldeten sich die Produzenten von *60 Minutes* bei mir, die an einem größeren investigativen Beitrag über Armstrong arbeiteten. Sie verfügten über Informationen, nach denen bald Anklage gegen ihn erhoben werden sollte. Die Produzenten meinten, ein Auftritt bei *60 Minutes* sei eine gute Gelegenheit für mich, um meine Version der Geschichte zu erzählen. Ich zögerte ein paar Wochen und erklärte mich dann bereit, Mitte April nach Kalifornien zu fliegen und mich mit einem Reporter von *60 Minutes* und Scott Pelley, dem Moderator der CBS News, für ein Interview zusammenzusetzen. Vorher aber musste ich erst noch etwas anderes erledigen, etwas, vor dem ich Angst hatte: Ich musste meiner Mutter die Wahrheit sagen.

Meinem Vater hatte ich bereits alles erzählt. Während eines Besuchs bei meinen Eltern Anfang des Jahres war es eines Abends einfach aus mir herausgeplatzt. Mein Vater hatte mir zunächst nicht geglaubt – und dann plötzlich doch. Als echter Hamilton versuchte er, sich nichts anmerken zu lassen, aber ich sah den Schmerz auf seinem Gesicht. Ich hätte ihm genauso gut ein Messer in den Leib stoßen können. Wir sprachen ausführlich darüber, und als er von der Untersuchung und der bevorstehenden Anklage hörte, sah er den Sinn darin. Er hatte verstanden und gesehen, wie viel besser es mir ging. Trotzdem hatte Dad vorgeschlagen, Mom erst einmal nichts davon zu erzählen, und ich hatte zugestimmt.

Aber jetzt konnte ich es nicht mehr länger aufschieben. Mein Interview sollte in wenigen Tagen stattfinden. Bei einem Familientreffen im Haus meiner Eltern in Marblehead war der Moment schließlich gekommen. Ich war nervös, zitterte fast und wartete auf den richtigen Moment. Ich fühlte mich wie bei einem Sturz, wenn man noch immer fällt und nichts mehr dagegen tun kann. Also tat ich, was ich in solchen Situationen immer tat: Ich schloss die Augen und bereitete mich auf den Aufprall vor.

Gegen Ende der Feier waren alle mit dem Schokoladenkuchen beschäftigt, und es gab eine kleine Gesprächspause. Ich holte tief Luft. *Jetzt.*

»Es gibt da etwas, das ich euch erzählen muss, Leute. Etwas Wichtiges.«

Die erste Reaktion war ein Lächeln. War Lindsay schwanger? Dann sahen sie den Ausdruck auf meinem Gesicht und erstarrten.

»Ich hätte es euch allen schon lange erzählen sollen.«

Ich glaube, tief drinnen wussten sie, was kommen würde. Unbewusst hatten sie es wahrscheinlich die ganze Zeit gewusst. Aber das machte es nicht einfacher. Sie hatten über die Jahre alle so hart für mich gearbeitet, mich verteidigt, mich geliebt. An mich geglaubt.

Ich begann zu erzählen, kam dann aber ins Stocken, als ich in die Augen meiner Mutter blickte, die sich mit Tränen füllten. Ich holte ein paarmal tief Luft und sah zur Seite. Ich sprach schnell und so sachlich ich konnte. Ich erzählte ihnen von der Untersuchung und dem Prozess und dass alle Geheimnisse herauskommen würden. Ich erzählte ihnen, dass ich die Wahrheit für mich selbst sagen musste, und für den Sport. Ich erzählte ihnen, dass man manchmal, bevor man weitergehen kann, erst einmal einen Schritt zurückgehen muss. Ich erzählte ihnen, dass ich ihnen noch so viel sagen wollte, dass ich wusste, sie könnten es jetzt nicht wirklich verstehen, aber dass ich hoffte, dass der Tag kommen würde, an dem sie es konnten. Dann nahm mich meine Mutter in die Arme.

Ich fühlte ihre Umarmung und wusste: Es war ihr nie wichtig gewesen, ob ich die Tour gewann oder Letzter wurde. Ihr war nur eine Sache wichtig. Jetzt fragte sie mich danach: »Geht es dir gut?«

Ich lächelte als Antwort. *Es geht mir gut.*

Wenige Tage später flog ich nach Kalifornien. Ein Interview für *60 Minutes* ist eine Mischung aus Luxus und Folter. Man wird in ein Fünf-Sterne-Hotel gefahren, sitzt in einem Polstersessel, umgeben von super-netten Produktionsmitarbeitern, die sich darum bemühen, dass man entspannt ist und es bequem hat, und dann – klick! – gehen die Lichter an, und sie nehmen dein Leben auseinander, eine Schicht nach der anderen. Pelley stellte alle unangenehmen Fragen, und ich erzählte ihm die Wahrheit, so gut ich konnte. Natürlich hatte er es vor allem auf Lance abgesehen, und ich bemühte mich, seinen Blick auf das vollständige Bild zu lenken, ihm zu sagen, dass Lance kaum mehr getan hatte als der Rest von uns. Ich wollte ihm die Welt zeigen, in der wir gelebt hatten.

An einer Stelle sprachen wir darüber, wie ich mich damals, 1997, dazu entschlossen hatte zu dopen. Ich erzählte Pelley, ich sei so dicht an meinem Ziel dran gewesen, eine Tour zu fahren, dass es sich wie eine Ehre angefühlt hätte, als mich der Mannschaftsarzt aufgefordert hatte zu dopen, dass ich das Gefühl gehabt hätte, ich hätte keine andere Wahl als entweder mitzumachen oder auszusteigen. Ich fragte Pelley: »Was hätten Sie getan?«

Ich bin froh, dass ich ihm diese Frage gestellt habe, weil ich glaube, dass sich jeder, der Doper verurteilt, einmal diese Frage stellen sollte. Man arbeitet sein Leben lang für den Erfolg, und dann, wenn man ganz kurz davor steht, wird man vor die Wahl gestellt: Entweder du machst mit, oder du gehst nach Hause. Was würden Sie tun?

15

Der *60 Minutes*-Bericht wurde am 22. Mai 2011 gesendet. Neben meinem Interview enthielt er auch Details von George Hincapies Aussage, in der er den Ermittlern wohl eröffnet hatte, er habe gemeinsam mit Lance EPO genommen. (George dementierte den Bericht nicht.) Frankie Andreu trat auf und beschrieb das hohe Tempo des von EPO angetriebenen Pelotons. Er sagte: »Ohne EPO zu nehmen, konnte man da nicht gewinnen.« *60 Minutes* lieferte auch Einzelheiten zu Lance' verdächtigem EPO-Test bei der Tour de Suisse 2001 und den danach von der UCI initiierten Treffen zwischen Lance, Johan und dem Laborleiter, die beim Verschwinden des Tests hilfreich waren. Lance bot man Sendezeit zur Darlegung seines Standpunkts an. Er lehnte ab. Ein paar Tage vor der Sendung übergab ich meine Goldmedaille der USADA. Sie sollte zu gegebener Zeit bestimmen, wem sie rechtmäßig gehörte.

Ich sah mir die Sendung in Marblehead gemeinsam mit meiner Familie und Lindsay an. Meine Familie war natürlich ganz auf meiner Seite, doch ich hatte keine Ahnung, wie der Rest der Welt die Dinge sah. Jahrelang hatten die Leute Lance geglaubt. Ich konnte verstehen, wenn sie da erst einmal wütend auf mich waren, weil ich die harten Wahrheiten aussprach. Als Floyd damals auspackte, tauchten bei den Rennen Typen auf, die Schilder schwenkten, auf denen Ratten abgebildet waren. Was würde ich da wohl erleben?

In den folgenden Tagen spürte ich, wie die Leute mich musterten, mich erkannten. Als ich am Bostoner Flughafen in der Ticket-Warteschlange stand, kam ein Mann auf mich zu, gab mir die Hand und gratulierte mir, weil ich die Wahrheit gesagt hatte. Im Flugzeug reichte mir jemand von der anderen Seite des Ganges einen Zettel: *Ich schätze Ihre Ehrlichkeit. Sie haben das Richtige getan.* Auf Facebook hinterließen die Menschen Dutzende und Aberdutzende positiver Kommentare. Ein paar Tage später schicken mir meine Eltern einen fünf Zentimeter hohen Stapel ausgedruckter E-Mails und Briefe, die sie erhalten hatten. Ehrlich, wie die Hamiltons nun einmal sind, sortierten sie die negativen Mitteilungen nicht aus. Einige der Absender griffen mich an; sie meinten, ich müsse doch lügen, weil ich schon früher gelogen hätte. Aber die überwältigende Mehrheit reagierte positiv. Da fielen Worte wie »Mut« und »Schneid«, Begriffe, die ich im Grunde nie auf mich bezogen hätte. Aber es tat gut, sie zu lesen.

Auch Lance und sein Team reagierten. Fabiani sagte, ich hätte *60 Minutes* hinters Licht geführt, und beschuldigte mich, ich würde »Quatsch für Cash« erzählen. Von CBS verlangte er einen Widerruf (eine Forderung, die rundweg abgelehnt wurde) und sang dabei die übliche Leier von der Verschwendung von Steuergeldern. Sie stellten auch eine Website zusammen, *Facts4Lance,* auf der sie versuchten, meine und Frankies Glaubwürdigkeit zu untergraben (allerdings nicht die von George). Alles in allem aber war das, was dort aufgeboten wurde, ziemlich schwach. Einerseits lag das daran, dass sie nicht gerade viele Fakten parat hatten, andererseits hatten sie es versäumt, sich den Twitter-Namen *Facts4Lance* schützen zu lassen. Freunde von Floyd Landis kaperten ihn daher rasch und steuerten ihre einzigartigen Zwischenrufe bei. *Facts4Lance* geriet schon bald ins Stocken und wurde schließlich eingestellt. Ein wenig überrascht war ich, weil ich erwartet hatte, Lance würde mich persönlich attackieren. Diese Stille brachte mich zum Nachdenken: Gab er auf? War ihm die Kampflust abhanden gekommen?

Ich hätte es besser wissen müssen.

Schon im Frühjahr hatte ich eine Einladung der Zeitschrift *Outside* zu einer Veranstaltung am 11. Juni in Aspen, Colorado, angenommen. Ich freute mich über diese Gelegenheit, für meine Trainingsfirma zu werben und ein paar alte Freunde wiederzusehen. Als der Termin näher rückte, wurde ich jedoch nervös. Ich wusste, dass Lance mit seiner Freundin Anna Hansen viel Zeit in seinem Haus in Aspen verbrachte. Kurz vor dem Termin checkte dann ein Freund von mir Lance' Terminplan und ließ mich wissen, er würde am 11. Juni in Tennessee ein Hundert-Meilen-Rennen absolvieren, bei dem um Spenden geworben wurde.

Gut, dachte ich. *Also kreuzen sich unsere Wege nicht.*

Es war ein wunderschöner Tag. Mit meinem Kollegen Jim Capra führte ich eine Nachmittags-Ausfahrt durch die Berge. Sie war auf ein mittleres bis fortgeschrittenes Leistungsniveau ausgerichtet, aber dann schloss sich uns noch eine ehrgeizige Anfängerin an, eine junge Frau namens Kate Chrisman. Sie trat mit Tennisschuhen und einem alten Rad mit Pedalhaken an. So fuhr sie mit, und trotz ihrer Bedenken, sie könnte uns bremsen, schlug sie sich großartig.

Nach der Rückkehr machten Jim und ich es uns mit der übrigen Truppe im Hotel Sky bequem und genossen die Abendsonne. Dabei traf ich zufällig Erich Kaiter, meinen Zimmergenossen von der Highschool und jetzigen Nachbarn in Boulder. Wir hatten noch keine Pläne fürs Abendessen, bis ein Freund von mir namens Ian McLendon fragte, ob wir uns nicht ihm und ein paar anderen Leuten anschließen wollten. Wir sagten zu. Bis gegen 20.15 Uhr war unsere Gruppe auf etwa ein Dutzend Leute angewachsen, und – typisch Aspen – zwei davon waren Stars aus dem Reality-TV: Ryan Sutter und seine Frau Trista (aus *The Bachelorette* und *The Bachelor*) mit ihren beiden Kindern. Ian suchte das Restaurant aus, ein kleines Lokal namens Cache Cache, französisch für: Versteckspiel.

Keiner von uns wusste, dass das Cache Cache Lance' Lieblingsrestaurant war, sein Stammlokal. Als wir dort eintraten, erkannte mich die Miteigentümerin, eine Frau namens Jodi Larner. Sofort rief sie bei Lance an, um ihm zu sagen, ich sei im Lokal. Später war sie bemüht, diesen Anruf als Gefälligkeit darzustellen, die sie geschiedenen Eheleuten in Aspen routinemäßig erweise: Sobald eine Hälfte des ehemaligen Paares im Haus sei, benachrichtige sie die andere, um unangenehme Begegnungen abzuwenden. In diesem Fall aber hatte ihr Anruf genau die gegenteilige Wirkung. Offenbar war Lance nämlich gerade aus Tennessee zurückgekehrt. Und sofort nach Jodi Larners Anruf machte er sich auf den Weg zu mir.

Später malte ich mir den Moment aus, in dem Lance diesen Anruf erhielt. Ich bin sicher, dass er dachte, ich sei absichtlich ins Cache Cache gekommen, würde ihn auf diese Art auffordern, vorbeizukommen. Prompt reagierte er – auf die einzige Art, die er kannte. Und doch überrascht es mich, dass Lance sofort in sein Auto stieg und zum Restaurant fuhr. Man muss kein Rechtsanwalt sein, um zu wissen, dass es vielleicht keine so tolle Idee ist, Kontakt zu mutmaßlichen Zeugen zu suchen, wenn man der Gegenstand umfangreicher Ermittlungen seitens der Bundesbehörden ist.

Von uns unbemerkt, betrat Lance das Lokal in Begleitung seiner Freundin Anna Hansen. Er setzte sich, umgeben von ein paar Bekannten, auf einen Hocker auf der linken Seite der großen U-förmigen Bar, an der reger Betrieb herrschte. Dort saß er vielleicht knapp zehn Meter von unserem Tisch entfernt und hatte freie Sicht auf meinen Hinterkopf, während ich aß, trank und mit den anderen lachte. Gegen 22 Uhr brachen Ryan und Trista auf, um ihre Kinder ins Bett zu bringen. Wir anderen beendeten in aller Ruhe unsere Mahlzeit und besprachen dabei, ob wir nicht anderswo noch einen Drink nehmen sollten. Gegen 22.15 Uhr stand ich auf, um zur Toilette zu gehen, die gegenüber von Lance' Sitzplatz auf der anderen Seite der Bar lag.

Als ich zurückkam, steuerte ich auf unseren Tisch zu und sah dabei aus dem Augenwinkel, wie mir jemand von der Bar aus zuwinkte – Kate Chrisman, die Frau von unserer Nachmittags-Ausfahrt. Ich beschloss, sie zu begrüßen, und steuerte durch die Menge auf sie zu.

Als ich an der Bar vorbeikam, spürte ich, wie etwas hart gegen meinen Magen drückte und mich aufhielt wie ein verschlossenes Tor, ohne auch nur einen Millimeter nachzugeben. Ich dachte im ersten Moment, einer meiner Freunde würde sich einen Scherz erlauben – für einen Zufallskontakt war das zu aggressiv. Also wandte ich mich lächelnd um und erwartete ein freundliches Gesicht.

Es war Lance.

»Hey, Tyler«, sagte er in verächtlichem Ton. »Wie geht's?«

Mir klopfte das Herz bis zum Hals. Mein Kopf konnte gar nicht so schnell registrieren, was da gerade geschah. Lance bewegte seine Hand nicht, drückte kräftig gegen meinen Bauch und genoss den Augenblick. Er sah meine Verblüffung. Ich trat einen Schritt zurück, um etwas Abstand zu schaffen.

»Hey, Lance«, antwortete ich dümmlich.

»Was treibst du denn heute Abend so, Mann?« Jetzt war sein Ton eher jovial bis geringschätzig.

»Ich, äh, esse hier nur mit ein paar Freunden zu Abend«, brachte ich heraus. »Wie geht's dir?«

Lance' Augen glänzten, seine Wangen waren rosig, in seinem Atem lag ein Hauch von Alkohol. Er wirkte kräftiger, hatte etwas Gewicht zugelegt, die Falten in seinem Gesicht waren tiefer. Neben ihm saß eine blonde Frau, seine Freundin, nahm ich an, und dann waren da noch ein paar Leute, die, ihren zustimmenden Mienen nach zu urteilen, mit Lance befreundet zu sein schienen.

»Hör mal, mir tut diese ganze Scheiße wirklich leid«, sagte ich.

Lance schien das nicht gehört zu haben. Er deutete auf meine Brust. »Wie viel hat dir *60 Minutes* gezahlt?«

»Lass gut sein, Lance. Die haben nichts ...«

»Wie viel haben sie dir bezahlt?«, wiederholte er und wurde dabei lauter. Es war dieselbe etwas zu laute Stimme, die er im Postal-Bus gern einsetzte, die Hört-mir-mal-alle-zu-Stimme.

»Du weißt, dass sie mir nichts zahlen, Lance«, erwiderte ich ruhig.

»Wie viel, Scheiße noch mal, zahlen sie dir?«

»Lass gut sein, Lance. Wir wissen beide, dass sie mir nichts zahlen.« Ich hatte Mühe, jetzt nicht ebenfalls laut zu werden.

Lance' Nasenlöcher weiteten sich. Sein Gesicht wurde immer röter. Aus wenigen Metern Entfernung beobachtete Kate Chrisman das Geschehen mit besorgter Miene.[1] Ich hatte das Gefühl, dass die Situation außer Kontrolle geriet, und wollte sie entschärfen.

»Lance, es tut mir leid«, sagte ich.

»Was zum Teufel tut dir leid?«

»Es muss hart sein für dich und deine Familie. All das, was da gerade abgeht.«

Lance bemühte sich, ungläubig dreinzuschauen. »Mann, das hat mich keine Minute Schlaf gekostet. Ich will nur wissen, wie viel sie dir, verdammt noch mal, bezahlt haben.«

Ich zeigte nach links, zur Eingangstür hin.

»Warum gehen wir nicht raus, dort können wir unter uns reden«, schlug ich vor.

Lance ließ ein herablassendes *Pfff* hören. »Scheiß drauf. Was hätten wir denn davon.«

Ich schaute nach rechts und entdeckte einen kleinen Raum neben der Bar. Er war leer, und ich zeigte dorthin. »Okay, lass uns da reingehen, wenn es etwas zu besprechen gibt«, sagte ich.

Für mich dachte ich: *Lance, du Stück Scheiße. Wenn du das wirklich willst, dann lass uns von deinen Typen hier wegge-*

---

1 Chisman, die etwa drei Meter entfernt saß, sagte: »Ich hörte nicht, was [Armstrong und Hamilton] sagten, aber es war offensichtlich sehr hässlich und sehr angespannt. Lance lehnte sich nach vorn, er war der Angreifer. Tyler wich zurück, so als wollte er nur von dort weg. Ich erinnere mich an Angstgefühle, als ich sah, wie Lance Armstrong in nächster Nähe völlig ausrastete.«

hen und wirklich mal über die Wahrheit reden, von Mann zu Mann. Ich zeigte abermals auf den Raum.

Lance senkte die Stimme und deutete dabei auf mich.

»Wenn du im Zeugenstand bist, werden wir dich verdammt noch mal auseinandernehmen«, sagte er, »und du wirst dabei wie ein verdammter Idiot aussehen.«

Ich sagte nichts. Lance war jetzt kaum mehr zu bremsen. »Ich werde dir das Leben zu einer … verdammten … Hölle machen.«

Ich stand da wie versteinert. Ein mir bekannter Rechtsanwalt sagte später, es wäre klug gewesen, diesen Augenblick festzuhalten – etwa indem ich mit lauter Stimme sagte: »Haben das alle gehört? Lance Armstrong hat mir gerade gedroht.« Aber an so etwas dachte ich gar nicht, weil ein Teil von mir es überhaupt nicht glauben konnte, dass er so dumm war, mir in aller Öffentlichkeit zu drohen, während ein anderer Teil ihn zugleich herausforderte, weiterzumachen, weiterzureden – Arschloch, mach schon, zeig mir, was du drauf hast. Es war unsere alte Dynamik: Er provoziert, ich halte dagegen. *Immer noch da, Mann.*

Über Lance' rechte Schulter hinweg sehe ich das kleine runde Gesicht einer schwarzhaarigen Frau um die fünfzig auftauchen: Jodi Larner, die Miteigentümerin des Restaurants. Sie hatte dieses Aufeinandertreffen durch ihren Anruf bei Lance ja erst herbeigeführt, und nun dachte sie wohl, es sei Zeit für ihren Auftritt. Sie beugte sich vor und zeigte mit dem Finger auf meine Brust.

»Sie sind in diesem Restaurant nicht mehr willkommen«, sagte Larner. »Sie werden dieses Restaurant … in … Ihrem … *ganzen* … Leben … nicht mehr betreten!« Dabei sah sie Lance an, Zustimmung heischend. Er nickte. Und sie schaute drein, als wollte sie vor Genugtuung vergehen.

Meine Gedanken wirbelten durcheinander. Eine Erkenntnis setzte sich allmählich fest: Ich musste diesen Auftritt dokumentieren, also bat ich Larner um ihre Karte. Ich entschuldigte mich für die mutmaßliche Störung und gab mir alle Mühe, höflich zu bleiben. Dann wandte ich mich an Lance.

»Hör mal, wenn du diese Unterhaltung fortsetzen willst, kann ich einen meiner Freunde dazubitten. Er wird kein Wort sagen.«

»Scheiß drauf«, war Lance' Antwort. »Das interessiert doch niemanden.«

Lance hatte alles gesagt. Er war seine Botschaft losgeworden, hatte seine Entourage beeindruckt und es mir so richtig gezeigt – Auftrag erfüllt. Er würde nicht mit mir zusammenarbeiten, jeder Versuch in dieser Richtung war sinnlos. Ich wandte mich ab, um zu unserem Tisch zurückzugehen. Doch zuvor machte ich noch einen Schritt nach links, dorthin, wo Lance' Freundin Anna saß. Sie sah zur Bar hin, den Oberkörper ein Stück weit Lance zugewandt, und starrte geradeaus. Sie wirkte traurig, als wünsche sie sich, dass dies alles vorbeigehen möge.

»Hey, das alles tut mir wirklich leid«, sagte ich. Anna zeigte ein kaum merkliches Nicken. Ich sah, dass sie mich verstanden hatte.

Innerlich zitterte ich, als ich an unseren Tisch zurückging. Mein Freund Jim sagte mir später, ich sei bleich wie ein Gespenst gewesen. Als ich ihm erzählte, was gerade passiert war, dachte er zuerst, ich machte Witze. Dann berichtete ich den anderen am Tisch, was vorgefallen war. Wir beendeten unsere Mahlzeit, bestellten noch Kaffee und Nachtisch, sahen aber nicht zur Bar hinüber. Ich wusste, Lance würde nicht vor uns gehen. Er würde, wenn nötig, die ganze Nacht hier verbringen. Er musste schließlich gewinnen. Wir blieben noch eine Dreiviertelstunde. Ian bezahlte die Rechnung, und dann gingen wir.

Neun Tage später betrat ich in Denver das Amtsgebäude einer Bundesbehörde und gab via Telekonferenz vor Staatsanwalt Doug Miller und zwei Ermittlern eine eidesstaatliche Erklärung zu dieser Begegnung ab. Ich berichtete, was geschehen war, und nannte die Namen mehrerer Zeugen an der Bar.

Die Ermittler zeigten Interesse. Sie hatten eine Menge Fragen zu der Person, die den Kontakt initiiert hatte, zu dem, was Lance gesagt und wie er es gesagt hatte. Sie meinten, sie würden sich wieder bei mir melden.

Wochen und Monate vergingen, und ich gab mir Mühe, äußerlich gelassen zu bleiben, aber in Wahrheit wollte ich, dass jetzt Anklage erhoben wurde. Nach dem Vorfall im Cache Cache wollte ich, dass die Menschen (und ganz besonders meine Familie) die Wahrheit hörten; und ich wollte entlastet werden. Novitzky hatte mir gesagt, es werde schon recht bald so weit sein. Aber die Wochen und Monate vergingen, und alles blieb ruhig.

Es war aber nicht so, dass nichts geschah – ganz im Gegenteil. Die Ermittlungen gingen weiter. Novitzky und Miller bedienten die Hebel des Bulldozers, die Grand Jury lud weitere Zeugen vor, mehr Beweise wurden gesammelt. Nach meinem Verständnis bestand das Problem nicht darin, dass es zu wenig potenzielle Beweise gab, sondern dass ein Überangebot herrschte: Aussagen der Teamkameraden und des Teammanagements, Steuersachen, Urinproben, etwaige Geldüberweisungen an Ferrari und so weiter. Ich konnte mir nicht vorstellen, wie lange das wohl dauern würde. (Der Fall Barry Bonds, bei dem es nur um simplen Meineid ging, hatte sich schon sechs Jahre hingezogen.)

Ich führte mein Leben weiter. Im August, drei Monate nach der Sendung des *60 Minutes*-Berichts, tat ich etwas, was ich schon lange nicht mehr getan hatte: Ich verfolgte ein Radrennen als Zuschauer. Die USA-Pro-Cycling-Challenge führte an Boulder vorbei, und viele amerikanische Spitzenprofis waren dabei. Es war sehr seltsam, nun auf der anderen Seite des Spiegels zu stehen.

Ich stand an der Straße und sah das Feld vorbeirollen. Ich spürte die Zugluft, als die Fahrer vorüberrauschten, sah, wie stark sie waren, dünn wie Bohnenstangen, die Körper summten dahin, fast als ob sie fliegen würden. Und ich sah sie nach dem Rennen, völlig ausgelaugt. *Ich hatte meist genauso ausgesehen.*

Die Menschen erkannten mich, und die meisten waren freundlich. Ich muss wohl an die 30 Autogramme gegeben haben. Die Leute sagten, sie seien wegen meiner Ehrlichkeit stolz auf mich gewesen. Ein Vater eröffnete mir, er habe seinen Kindern das *60 Minutes*-Interview viermal gezeigt. (»Die armen Kinder«, scherzte ich.)

Repräsentanten aus der Fahrrad-Industrie zu begegnen führte hingegen oft zu seltsamen Situationen. Sie zögerten, drucksten herum und ließen mich möglichst schnell wieder allein. Einige verhielten sich schlicht abweisend, sahen mir kaum in die Augen. Ich verstand den Grund. Diese Leute konnten es sich nicht leisten, Lance gegen sich aufzubringen. Ihr Einkommen hing davon ab, dass die Legende lebte. Aber dass ich sie verstand, machte mein Leben nicht leichter. Ich war nach wie vor ein Ausgestoßener, ein Fremder in meinem eigenen Sport.

Die Begegnung, die mir am meisten bedeutete, hatte ich nach dem Rennen, als ich Levi Leipheimer entdeckte, der auf dem Weg zur Dopingkontrolle an mir vorbeifuhr. Ich rief: »Hey, Levi, ich bin's, Tyler!«

Levi erkannte meine Stimme, hielt an und machte kehrt. Wir unterhielten uns zwei Minuten lang. Levi wusste Bescheid: Er war vorgeladen worden; er wusste viel von dem, was auch ich wusste, und ich ging davon aus, dass er die Wahrheit gesagt hatte. Oberflächlich betrachtet, redeten wir gar nicht viel, doch schon der bloße Kontakt zu ihm war großartig. Levi hätte nicht freundlicher sein können, fragte ein paarmal, wie es mir gehe, und wünschte mir alles Gute. Es war ein gutes Gefühl zu wissen, dass – zumindest in Levis Augen – unsere Bruderschaft immer noch stark war.

Das Leben ging weiter, während wir auf die Verkündung der Anklagepunkte warteten. Lindsay und ich, inzwischen verlobt, beschlossen, den Herbst in Boston zu verbringen, weil sie kurz vor dem Abschluss ihres Magisterstudiums stand. Tanker und ich zogen in ihre nette kleine Wohnung in Cambridge ein, die nur eine Autostunde von meiner Familie in Marblehead entfernt war. Es war wunderbar, wieder in der alten Heimat zu sein. Wir konnten die Red Sox anfeuern, alte Freunde treffen und Zeit mit unseren beiden Familien verbringen. Es gab nur eine Sache, die uns zusetzte: das immer stärker werdende Gefühl, dass wir beobachtet wurden. Zunächst waren es nur Kleinigkeiten. Uns fielen Leute auf, die uns im Lebensmittelladen oder auf der Straße im Auge behielten. Einmal waren es zwei Typen, die am Straßenrand vor unserer Wohnung mehrere Stunden lang in einem hellbraunen Ford-Astro-Transporter saßen und am folgenden Tag in einem anderen Auto wiederkamen. Etliche Postsachen verschwanden aus unserem Eingangsbereich, darunter auch Steuerformulare.

Beunruhigender war, dass unsere Computer und Telefone plötzlich Mucken machten. Wir hatten unsere E-Mails bis dahin auf Gmail gelesen und sahen uns plötzlich ausgesperrt, weil jemand anders sich eingeloggt hatte. Am Telefon hörten wir seltsame Pieptöne. Wir schickten eine SMS und stellten fest, dass zwei Kopien verschickt worden waren, nicht nur eine. Wir änderten unsere Passwörter und redeten uns ein, das habe nichts zu bedeuten. Aber die Zeit verging, und diese Dinge hörten nicht auf. Wenn hier Hacker am Werk waren, hatten sie jedenfalls Sinn für Humor: Wir sahen jetzt überall Pop-Ups für die Lance-Armstrong-Stiftung, auch auf Websites, die nie und nimmer in irgendeiner Form mit Lance oder seiner Stiftung zu tun haben konnten. Ich sprach mit meinem Vater über den Verdacht, unsere Telefone könnten angezapft sein – woraufhin er zum Schluss dieses Telefonats seinen Teil beisteuerte, indem er sagte: »... und übrigens: Scheiß auf dich, Lance.«

Nach einigen Wochen mit Erfahrungen dieser Art rief ich Novitzky an, um ihm davon zu berichten. Er zeigte keinerlei Überraschung, ja, er klang sogar, als hätte er so etwas erwartet.

Novitzky sagte, sämtlichen Zeugen im Fall Barry Bonds sei es ähnlich ergangen. In solchen Fällen gehörte es offenbar zur üblichen Vorgehensweise der Verteidigung, Privatdetektive anzuheuern, die potenzielle Zeugen beschatteten: Je mehr Informationen sie über mich hatten, desto leichter konnten sie im Prozess meine Glaubwürdigkeit erschüttern. Novitzky versprach, dass er uns unterstützen werde: Wir sollten sofort Kontakt aufnehmen, wenn wir uns bedroht fühlten. Er gab mir eine spezielle Notrufnummer, die rund um die Uhr erreichbar war. Seine Hilfe war professionell; sie wurde auf eine lockere und freundliche Art gewährt, die wir schätzten. Einmal schickte er zum Schluss einer seiner Mails sogar ein Smiley. Lindsay und ich hatten unsere Freude daran: Dieser große, hartgesottene Regierungsermittler verwendete Emoticons.

Der Herbst erinnerte mich daran, warum Boston meine Lieblingsstadt ist. Es sind nicht nur die Farben, es ist das Gefühl prallen Lebens, ein Gefühl, dass da zwar etwas vergeht, dafür aber sogleich eine neue Überraschung vor der Tür steht. Lindsay bereitete sich auf ihr Examen vor, und Tanker und ich gingen auf Erkundungstour. Wir trafen einen Teenager namens James, der in der Nachbarschaft lebte und auf eine Sonderschule ging. Er und Tanker wurden auf den ersten Blick Freunde, und James kam ab sofort regelmäßig vorbei, um mit Tanker Gassi zu gehen.

Schon bald unternahmen James und ich gemeinsame Radtouren, und Tanker lief neben uns her. Wir fuhren den Heartbreak Hill hinauf, die berühmte Steigung beim Boston Marathon, und James schlug sich großartig. Er war stark und entschlossen. Als wir oben ankamen, war James so erhitzt, als wäre er gerade nach Alpe d'Huez hinaufgefahren. Bei mir war's nicht anders.

Nach wie vor ging zu ich Dr. Welch, dem Therapeuten, und genoss unsere Gespräche. Im Lauf der Zeit öffnete ich mich ihm immer mehr. Die Wochen vergingen, und irgendwann stellte sich ein ganz seltsames Gefühl ein. Ich fühlte mich merkwürdig unbeschwert, beinahe ausgelassen. Plötzlich plauderte ich mit Leuten, die mir gerade über den Weg liefen, oder ich stand mit James und Tanker regungslos auf dem Bürgersteig und freute mich an den Sonnenstrahlen, die mir die Haut wärmten. Jetzt erkannte ich, was für ein ungewohntes Gefühl das war: Ich war glücklich. Aus ganzer Seele richtig glücklich.

Mein aktuelles Lernthema lautete: *Geheimnisse sind Gift.* Sie rauben dir die Lebenskraft, nehmen dir die Fähigkeit, in der Gegenwart zu leben, und sie errichten Mauern zwischen dir und den Menschen, die du liebst. Jetzt, nachdem ich die Wahrheit gesagt hatte, fand ich wieder ins Leben zurück. Ich konnte mit Menschen sprechen, ohne mir Sorgen zu machen oder mich gleich wieder zurückzuziehen oder über die Motive des anderen nachzudenken, und das war ein phantastisches Gefühl. Ich fühlte mich ins Jahr 1995 zurückversetzt, bevor der ganze Mist begonnen hatte; damals, als ich dieses Häuschen in Nederland, Colorado, hatte und es dort nur mich, meinen Hund, mein Rad und die große weite Welt gab.

Lindsays Wohnung war voller Bücher – Philosophie, Psychologie, Soziologie. Ich fing an, darin zu lesen, und spürte zum ersten Mal seit langer Zeit, dass sich ein Teil meines Denkens von etwas Neuem angesprochen fühlte. Wir sahen weniger fern, tranken viel Tee, machten Yoga. Eines Abends, als ich mich vorbeugte, um etwas aufzuheben, spürte ich etwas Seltsames in der Bauchgegend – ein kleines Speckröllchen, zum ersten Mal seit Jahren. Ich nahm es zwischen Daumen und Zeigefinger, und es fühlte sich gut an. Normal.

Ich überlegte manchmal, was wohl geschehen würde, wenn Lance vor Gericht stand. Ich dachte immer, es würde zu einem Prozess kommen. Lance war sicher nicht der Typ, der sich im Gegenzug für eine mildere Strafe schuldig bekannte. Eher würde er den Einsatz erhöhen als sich arrangieren. Und so wie ich Novitzky kannte, würde auch der nicht lockerlassen. Die Sache würde also vor Gericht landen. Es würde einen Riesenauftrieb geben, den größten Sport-Strafprozess aller Zeiten. Die Medien würden ihren großen Tag haben, im Vergleich dazu würde der Bonds- und Clemens-Prozess wie ein Verkehrsgerichtsverfahren wirken. Die Menschen würden die Wahrheit über unsere Sportart erfahren und sich dann ihre eigenen Gedanken machen. Sie könnten Lance verzeihen oder ihn für seine Lügen hassen und dafür, dass er seine Macht missbrauchte. Doch was sie auch immer taten, sie sollten zumindest die Chance haben, die Wahrheit zu erfahren und dann eine eigene Entscheidung zu treffen.

Eines Nachmittags surfte ich fürs Geschäft im Internet; ich sah mir Trainings-Websites an. Wie das gelegentlich vorkommt, erschien plötzlich eine Anzeige, mit einem Foto von Lance. Normalerweise zuckte ich bei so etwas zusammen und klickte das Fenster weg. Aber diesmal starrte ich dieses Gesicht aus irgendeinem Grund an und stellte dabei fest, dass Lance ein breites, nettes Lächeln hatte. Es erinnerte mich daran, wie er einst gewesen war, wie geschickt er Menschen zum Lachen bringen konnte. Ja, Lance konnte schon ein echter Saukerl sein, ein Riesenarschloch. Aber irgendwo dort drin hatte auch er ein Herz.

Ich sah mir das Bild genau an, versuchte mich an dieses alte Gefühl zu erinnern, und zu meiner Überraschung tat Lance mir plötzlich leid. Nicht rundum leid; viel von dem, was auf ihn zukam, hatte er verdient – wie man sich bettet, so liegt man. Aber im weitesten Sinn tat er mir leid, als Mensch, weil er in der Falle saß, eingesperrt in all seine Geheimnisse und Lügen. Ich dachte: *Lance würde lieber sterben, als etwas zuzugeben. Würde man ihn aber zwingen, die Wahrheit zu sagen, wäre das vielleicht das Beste, was ihm passieren könnte.*

16

Lindsay und ich heirateten kurz vor Thanksgiving 2011 in Boston und fingen an Pläne zu schmieden, vielleicht wieder nach Boulder zu ziehen. Wir waren nicht sicher, ob wir für immer dort bleiben wollten; für mich gab es dort viele Erinnerungen, und die Ausdauersport-Szene ist dort so präsent – nur in Boulder sind ehemalige Radprofis allesamt Berühmtheiten –, dass es einen manchmal fast erdrückt. Aber wir wollten es wenigstens für eine Weile ausprobieren; und Lindsay war wie immer Feuer und Flamme. Ende Dezember hängten wir einen Wohnwagen, vollgestopft mit all unseren Sachen, an unseren Geländewagen und verließen Boston Richtung Westen. Wir nahmen die Südroute durch Charlottesville, Knoxville und Chattanooga und hörten Johnny Cash in voller Lautstärke – »Monteagle Mountain«, »Orange Blossom Special«, »Folsom Prison Blues« und »I Walk the Line«. Draußen rollte die Landschaft an uns vorbei, und wir öffneten die Seitenfenster und spürten die warme Luft auf unserer Haut. Wir hatten das Gefühl, als steuerten wir auf ein ganz neues Leben zu.

Anfang Januar trafen Lindsay und ich in Boulder ein. Wir zogen in einen Bungalow in der Mapleton Avenue, und ich machte mich sofort daran, mein Trainingscenter einzurichten, Lindsay meinen Freunden vorzustellen und wieder ans dortige Leben anzuknüpfen. Vielleicht sollte ich besser sagen, ich machte all diese Dinge größtenteils. Denn zum Teil war ich in Gedanken noch immer weit weg – ich wartete auf eine Nachricht hinsichtlich der Anklage. Außerdem war da auf einmal wieder das ungute Gefühl, verfolgt zu werden: es gab erneut Probleme mit Computer und Telefon, vor unserem Haus saßen seltsame Leute in geparkten Wagen. Wir ignorierten das alles, so gut es ging, aber nach dem Cache-Cache-Vorfall kamen wir uns schutzlos vor, vor allem weil Lance ja nur ein paar Stunden entfernt in Aspen wohnte. Auf jeden Fall versteckten wir zur Sicherheit einen Baseballschläger neben der Haustür.

Freitag, der 3. Februar, war ein heller, freundlicher Tag, und Lindsay und ich freuten uns schon auf ein ruhiges Wochenende. Wir wollten mit Tanker wandern gehen, uns mit Freunden treffen und im Super Bowl unseren New England Patriots beim Spiel gegen die New York Giants die Daumen drücken. Am Nachmittag erhielt ich auf dem Rückweg von unserer Wanderung eine SMS mit einem Link zu einem Artikel:

Staatsanwaltschaft stellt Ermittlungen gegen Armstrong ein.

Ich merkte, wie mir schlecht wurde.

Mit zitternden Fingern tippte ich auf mein Handy ein. Das konnte doch nur ein schlechter Scherz sein. Dann sah ich die anderen Schlagzeilen, die sich mit der ersten deckten. Es stimmte also. *Verdammte Scheiße, wollt ihr mich verarschen?*, twitterte ich, löschte aber den Eintrag gleich wieder – ich blieb besser cool, bis ich mehr wusste.

Völlig aufgelöst fuhr ich nach Hause. Ich setzte mich an den Computer und las weitere Artikel. In allen stand dasselbe: *Fall abgeschlossen, ohne Begründung.* Ich rief Novitzky an; keine Antwort. Ich las Lance' kurzes Statement, in dem er seine Dankbarkeit zum Ausdruck brachte. Ich überflog die Artikel, die alle denselben Inhalt hatten: Ein US-Anwalt namens André Birotte Jr. hatte um 16.45 Uhr eine Pressemitteilung herausgegeben – ideal getimt, um sicherzustellen, dass sie möglichst wenig Aufmerksamkeit erregen würde, zu einem Zeitpunkt, da alle Sportjournalisten sich gerade auf den Super Bowl konzentrierten.

Staatsanwalt André Birotte Jr. gab heute bekannt, dass sein Büro die strafrechtliche Untersuchung zum Vorwurf der kriminellen Handlungsweise gegen Mitglieder und Verantwortliche eines Radteams im teilweisen Besitz von Lance Armstrong geschlossen hat.

Der Staatsanwalt hat entschieden, dass eine öffentliche Bekanntgabe bezüglich der Einstellung des Verfahrens aufgrund zahlreicher Berichte über die Untersuchung in den Medien auf der ganzen Welt gerechtfertigt ist.

Ich las den Text dreimal. Dann marschierte ich in die Küche und schlug mit der Faust gegen den Kühlschrank.

Lance hatte einen Weg gefunden. Lance' Freunde hatten einen Weg gefunden, Novitzky zu schlagen.

Ich wusste nicht, was ich tun sollte. Ich hatte das Gefühl, als hätte es in meinem Kopf einen Kurzschluss gegeben, und nun sprühten die Funken hervor. Es war wie der allerfürchterlichste Sturz, nur ohne die Genugtuung der physischen Schmerzen. Ich tigerte in unserem kleinen Haus herum und versuchte zu begreifen, was das nun zu bedeuten hatte – für mich, für Lindsay, für meine Eltern. Lindsay wollte mich in den Arm nehmen und trösten, aber ich schob sie von mir. Tanker fing aufgeregt zu bellen an. Ich ging im Zimmer auf und ab wie ein gefangenes Tier; nach ein paar Stunden sank ich auf die Couch und fiel in einen traumlosen Schlaf.

Am Montag telefonierte ich mit Novitzky. Seine Stimme klang angespannt, und er sprach abgehackt. Er bemühte sich, sachlich zu bleiben, aber ich konnte die Wut und den Frust aus seinen Worten heraushören.

»Am Wochenende hab ich mir überlegt, meinen Job an den Nagel zu hängen«, sagte Novitzky.

»Und ich habe daran gedacht, das Land zu verlassen«, erklärte ich.

»Ich auch.« Novitzky lachte gezwungen.

In den Nachrichten war man sich einig: Es war ein überraschender Schritt gewesen. Birotte, der vom Präsidenten ernannt worden war, hatte die Ermittlungen eingestellt, ohne jemanden zu Rate zu ziehen. Gerade mal fünfzehn Minuten vor Herausgabe der Pressemitteilung informierte er alle per E-Mail. Weder Doug Miller noch Novitzky wurden nach ihrer Meinung hinsichtlich der Beweislage und der Stichhaltigkeit des Beweismaterials, das sie zusammengetragen hatten, gefragt. Zwanzig Monate Ermittlungsarbeit. Tausende von Stunden. Hunderte von Seiten mit Zeugenaussagen vor der Grand Jury und andere Beweismittel, in einem Karton verstaut und zu den Akten gelegt, als hätten sie niemals existiert.[1]

---

1 Berichten zufolge war man beim FBI, bei der FDA und beim US Postal Service »schockiert, überrascht und verärgert« wegen der unbegründeten Einstellung des Verfahrens. Aus einer Quelle verlautete, es habe »keine Schwachstellen in dem Fall« gegeben. Der Sportsender ESPN berichtete, die Staatsanwaltschaft habe eine schriftliche Empfehlung vorbereitet, Armstrong und andere unter Anklage zu stellen. Aus Ermittlerkreisen hieß es, Sheryl Crow sei wenige Wochen vor dem Abschluss des Verfahrens vorgeladen worden und sei eine »Star-Zeugin« gewesen. Crow reagierte nicht auf Interviewanfragen.
Es gibt vier mögliche Gründe für Birottes Entscheidung, das Verfahren einzustellen:
1. Birotte, der erst vor elf Monaten in sein Amt berufen wurde, wollte Präsident Obama in einem Wahljahr vor dem möglicherweise unschönen Spektakel einer Anklage gegen einen amerikanischen Helden bewahren.
2. Dopingfälle im Sport waren für die Regierung nicht gut gelaufen. Weder der Bond- noch der Clemens-Fall hatten bisher irgendwelche wichtigen Resultate geliefert, und beide Fälle waren für die Regierung eher Katastrophen als Triumphe gewesen. Der Fall Armstrong war komplex und teuer; also warum dann eine Niederlage riskieren?
3. Birotte nahm sich vor der Krebs-Lobby in Acht. Erst kürzlich war eine Kontroverse entbrannt, als die Susan G. Komen-Foundation, offenbar auf Drängen der politischen Rechten (die dagegen war, dass Planned Parenthood Abtreibungen befürwortete), 700 000 Dollar an Spendengeldern für Planned Parenthood zurückgezogen hatte. Am Freitag, dem 3. Februar, dem Tag der Einstellung des Verfahrens, spendete die Lance Armstrong Foundation Planned Parenthood 100 000 Dollar, um das Spendenloch zu stopfen und um ein eindeutiges Signal zu setzen, dass die LAF die Haltung der Obama-Regierung zum Fortpflanzungsrecht unterstützte und sich auf die Seite von Millionen Frauen stellte, die die Entscheidung der Komen Foundation ablehnten.

Die nächsten Wochen waren hart. An manchen Tagen fiel es mir schwer, morgens aufzustehen; an anderen Tagen konnte ich meiner Wut und meiner Ungeduld kaum Herr werden. Ich war sicher nicht leicht zu ertragen, aber Lindsay war unglaublich geduldig mit mir. Einen Lichtblick gab es allerdings: Von einem Tag zum anderen hatten Lindsay und ich nicht mehr das Gefühl, beobachtet zu werden. Unsere Telefone und Computer spielten nicht mehr verrückt. Und es parkten auch keine seltsamen Leute mehr vor unserem Haus oder spähten uns im Supermarkt aus.

Ich schlief viel und blieb die meiste Zeit im Haus; ich mied die Coffeeshops und Restaurants in der Pearl Street, wo die Radsportler herumhingen. Ich rasierte mich nicht. Ich ging kaum online; ich wusste, die Lance-Fans würden die Einstellung des Falls wie einen Triumph feiern und eine virtuelle Ehrenrunde drehen wollen. Meine Mailbox füllte sich mit Mitteilungen von Freunden und von Journalisten, die eine Stellungnahme erwarteten. Doch was sollte ich schon sagen?

Lance hingegen wusste sehr genau, was er zu sagen hatte. In einem Interview mit *Men's Journal* sprach er davon, wie erleichtert er über die Einstellung des Verfahrens sei, und dass er nun keine Lust mehr habe zu kämpfen. »Ich denke, ich habe wirklich genug«, sagte Lance. Er werde sich nicht widersetzen, falls die USADA versuchen sollte, ihm einen oder mehrere Tour-Titel abzuerkennen. »Das spielt keine Rolle mehr. Ich laufe nicht herum und prahle damit, dass ich siebenfacher Tour-de-France-Gewinner bin. Ich habe dafür hart trainiert,

---

4. Möglicherweise hatte Birotte die Ergebnisse einer internen Ermittlung bezüglich einer undichten Stelle erhalten und war zu der Überzeugung gelangt, dass die Ergebnisse das Justizministerium in Verlegenheit bringen könnten, wenn sich herausstellte, dass Regierungsangestellte Informationen an die Medien weitergaben.
Obwohl manche zu Verschwörungstheorien neigen, scheint es nachvollziehbarer, dass Birotte eine politische Bewertung vornahm, der zufolge die Risiken einer Strafverfolgung die möglichen Vorteile überwogen.

ich habe siebenmal gewonnen, und das ist phantastisch. Aber es ist Vergangenheit.«

In einem Interview mit Gavin Newsom, dem ehemaligen Bürgermeister von San Francisco, machte Lance seinen Standpunkt noch deutlicher. »Falls jemand zu mir käme und sagen würde, ›Weißt du, ich glaube, du hast betrogen, um die Tour de France siebenmal zu gewinnen‹, dann würde ich buchstäblich hergehen und antworten: ›Okay, sonst noch Fragen?‹ Ich will *meine* Zeit jedenfalls nicht mehr damit verschwenden, darüber zu reden, und Sie sollten *Ihre* Zeit auch nicht mehr damit vergeuden. Also, weiter im Text!«

Ich las seine Worte mit gemischten Gefühlen. Zum Teil hatte ich Mitleid mit Lance. Ich hatte nie gewollt, dass er ins Gefängnis kommt. Ich hatte ihn nie für einen Kriminellen gehalten. Zugleich aber wollte ich – und will es noch –, dass die Wahrheit ans Licht kommt. Dieses Gefühl der Sinnlosigkeit, das Gefühl, dass alles umsonst war – meine Zeugenaussage, Novitzkys Arbeit, das Risiko, das ich und andere durch unsere Aussagen eingegangen waren –, es war schlicht niederschmetternd.

Als ich mich wieder nach draußen wagte, fühlte ich mich in Boulder zunehmend eingeengt. Jedes Mal, wenn wir einen Coffeeshop betraten, spürte ich die seltsamen Blicke, entdeckte eines dieser gelben Armbänder oder einen Typen in einem Radlertrikot mit der Aufschrift DOPER SIND SCHEISSE. Ich meinte ersticken zu müssen, und Lindsay war auch nicht gerade froh darüber, hier ständig mit meiner bewegten Vergangenheit konfrontiert zu werden.

Wir beschlossen, Boulder zu verlassen. Wir hatten schon eine Weile darüber nachgedacht, und nun erschien der Gedanke verlockender als je zuvor. Wir mussten irgendwo ganz neu anfangen. Irgendwo, wo es keine Vergangenheit, keine alten Beziehungen und keine Vorgeschichte gab, die uns die Laune verdarb; irgendwo, wo wir vielleicht eine Familie gründen konnten. Wir hatten dabei Missoula in Montana im Visier. Lindsay hatte einen Onkel in Montana, der als Ausstatter für

Fliegenfischer arbeitete; sie hatte immer davon geträumt, dort zu leben. In Norman Macleans Roman »Aus der Mitte entspringt ein Fluss« entdeckte sie ein Zitat, das sie mit einem schwarzen Marker auf ein großes Blatt Papier schrieb und dann an den Kühlschrank klebte: *Die Welt ist voller Mistkerle, und ihre Zahl nimmt rapide zu, je weiter man sich von Missoula, Montana, entfernt.*

Damit war die Sache entschieden. Wir würden losfahren und alles hinter uns lassen. Ein glatter Bruch. Goodbye, Radsport; Goodbye, Novitzky; Goodbye, Lance.

Im Frühjahr 2012 zogen Lindsay und ich nach Missoula. Wir luden unser ganzes Zeug in einen gemieteten Transporter und fuhren Richtung Nordwesten wie ein paar Pioniere aus früheren Zeiten; Tanker durfte vorne sitzen. Wir mieteten einen bescheidenen Bungalow – von dem aus man mit dem Rad schnell ins Zentrum von Missoula gelangte – mit einem großen Garten für Tanks, einem extra Zimmer, in dem ich das Büro für unser Trainingscenter einrichtete, und einer Menge Eichhörnchen, auf die man Jagd machen konnte (ganz zu schweigen von dem Grizzly, der gelegentlich vorbeikam).

Das Leben fühlte sich gleich ganz anders an. Leichter, spontaner, gemächlicher. Wir nahmen uns Zeit, um die einfachen Dinge zu genießen: Eggs Benedict an einem ganz beliebigen Dienstag, ein Spaziergang am frühen Morgen, eine Fahrt zum Glacier Nationalpark, bei Sonnenuntergang ein Glas Wein in den Bitterroots. Lindsay und ich sahen uns manchmal an und lachten uns kaputt über die verrückte Welt: Wir lebten jetzt in Montana!

Das Schicksal geht oft seltsame Wege. Ich kenne noch das alte Sprichwort: Wenn Gott eine Tür zumacht, öffnet Er dafür ein Fenster. Ich glaube, dieses Sprichwort bezieht sich im Grunde auf die Wandlungsfähigkeit der Wahrheit. Ich habe gelernt, dass die Wahrheit etwas Lebendiges ist. Sie birgt eine gewisse Kraft in sich, eine innere Elastizität. Die Wahrheit kann nicht geleugnet oder weggesperrt werden, denn wenn das passiert, baut sich Druck auf. Wenn eine Tür verschlossen wird, sucht sich die Wahrheit ein Fenster und geht auch durch geschlossene Scheiben.

In der Zeit, als wir umzogen, klingelte ständig mein Handy. Die Anrufererkennung zeigte mir, dass die Anrufe aus Washington DC und aus Colorado Springs kamen, dem Hauptsitz der USADA. Zuerst ignorierte ich sie. Zum einen war ich zu erschöpft, und zum andern wusste ich genau, was sie wollten.

Ich hatte erfahren, dass die Abteilung für Zivilverfahren des Justizministeriums in Washington Floyds Fall aufgegriffen hatte und feststellen wollte, ob Lance und die Besitzer des Postal-Teams die Regierung betrogen hatten, indem sie die Mannschaft fälschlicherweise als »sauber« darstellten. Die Arbeit der Ermittler wurde durch die Tatsache gestützt, dass bei Zivilsachen andere Beweismaßstäbe angelegt werden als bei Strafsachen: Statt »ohne begründeten Zweifel« galt die »vorherrschende Beweislage«.

Die USADA verfolgte ihren eigenen Fall. Im Gegensatz zu Zivilfahndern und Strafverfolgern kümmerte sich die USADA nicht um Gesetze, sondern nur um die Regeln des Sports. Travis Tygart, der Chef der USADA, hatte die Untersuchung der Staatsanwaltschaft von Anfang an verfolgt, an einigen Sitzungen teilgenommen und Novitzky und Miller mit Hintergrundinformationen versorgt. Obwohl weder die USADA noch die Zivilrechtsabteilung des Justizministeriums auf die Aussagen vor der Grand Jury zurückgreifen konnten, hatten sie möglicherweise Zutritt zu den Verhandlungsangeboten und anderem Material der Strafverfolger.

Kurzum, es stand fest, dass der Bulldozer, den Novitzky in Gang gesetzt hatte, noch immer arbeitete. Mein Telefon klingelte andauernd, und jedes Mal war die Botschaft eindringlicher: Das Spiel war noch im Gange. Die Leute der USADA und die vom Justizministerium wollten wissen, ob ich zur Zusammenarbeit bereit sei und ob ich unter Eid aussagen würde.

Ich dachte eine Weile darüber nach. Dann rief ich zurück und erklärte mich dazu bereit. Ich weiß, es wäre einfacher gewesen, es sein zu lassen und einfach so weiterzumachen. Aber das konnte ich nicht. Ich hatte dieses Rennen angefangen, und nun wollte ich es auch beenden.

Im April berichtete ich den Ermittlern der USADA und des Justizministeriums an zwei Tagen in getrennten Befragungen, was mir aus den Jahren bei Postal und mit Lance im Gedächtnis geblieben war. Ich schilderte alles so präzise und vollständig wie möglich. Ich sagte die Wahrheit, die reine Wahrheit und nichts als die Wahrheit.

Ich war nicht der Einzige. Die Ermittler der USADA führten ähnliche Gespräche mit neun weiteren ehemaligen Teamkollegen Armstrongs, mit ähnlichen Ergebnissen. Jeder Postal-Fahrer, den die USADA kontaktiert hatte, erklärte sich bereit, alle Fragen offen und ehrlich zu beantworten. Ich erfuhr nicht, wer die anderen Mannschaftskameraden waren, aber ich konnte es mir denken. Wir waren alle wieder vereint, wie in den alten Zeiten in Nizza und Girona. Es war ein komisches Gefühl, mit den Ermittlern zu sprechen und gleichzeitig zu wissen, dass die anderen Jungs ihre Geschichten ebenfalls erzählten. Ich musste an die alten Zeiten denken – als wir noch ganz am Anfang standen und Luftschlösser bauten, an diesen unschuldigen Moment, bevor all diese Verrücktheiten begannen. Ich fragte mich, ob meine Kameraden wohl ebenso empfanden.

Am 12. Juni 2012 gab die USADA ein einfach formuliertes fünfzehnseitiges Schriftstück heraus, worin Lance, Pedro Celaya, Johan Bruyneel, Luis del Moral, Pepe Martí und Michele Ferrari Verstöße gegen das Anti-Doping-Gesetz zur Last gelegt wurden. Sie wurden beschuldigt, in großem Maßstab organisiertes Doping betrieben zu haben, »um ihre sportlichen Leistungen, ihre finanzielle Situation und den Status der Mannschaft und ihrer Fahrer zu verbessern.« Lance wurde wegen der Einnahme von Drogen, Drogenbesitzes, illegalen Drogenhandels, Verabreichung von Drogen, Beihilfe und Verschleierung angeklagt. Desweiteren, so die USADA, habe sich bei Blutproben von Lance aus den Jahren 2009 und 2010 der Verdacht der Blutmanipulation »in vollem Umfang« bestätigt. Außerdem wurde Lance umgehend die Teilnahme am Triathlon untersagt, einer Sportart, zu der er nach seinem Rücktritt als Radprofi zurückgekehrt war.

Die Vorwürfe der USADA veränderten alles. Obwohl Lance es akzeptiert hätte, wenn ihm ein oder zwei Tour-Siege aberkannt worden wären, war er sicherlich nicht bereit, auf alle sieben Siege und auf seine künftige Karriere als Triathlet zu verzichten. Was Lance' Standpunkt »Ich werde nicht kämpfen« anging, machte er eine Kehrtwende um 180 Grad. Seine Anwälte kurbelten die Angriffsmaschinerie an und richteten sie auf die USADA, indem sie deren Verhalten als unerbittlich, rachsüchtig, arrogant, irrational etc. bezeichneten. Via Twitter und über seine Anwälte ließ Lance verlauten, das ganze Verfahren sei »verfassungswidrig«, beklagte die mangelnde Akteneinsicht und postete einen der zynischsten Tweets aller Zeiten: »Es ist an der Zeit, nach den Regeln zu spielen.«

Obwohl Lance deutlich im Vorteil war, was die Schlagkraft seiner Anwälte und der PR-Abteilung betraf, gab es auch einen Nachteil: Die USADA ist kein ordentliches Gericht und befasste sich deshalb nur mit der Frage, ob Lance und die anderen die Regeln des Sports verletzt hatten. Statt eines Strafprozesses erwartete Lance nun die Anhörung vor einem Schiedsgericht; statt durch den gesetzlichen Maßstab »ohne begründeten Zweifel« geschützt zu sein, musste er sich dem weitaus geringeren Maßstab der »vollsten Zufriedenheit des Anhörungsausschusses« beugen.[2]

---

2 Falls Armstrong seine Titel verliert und wegen Dopings bestraft wird, besteht die Möglichkeit, dass andere Parteien ebenfalls rechtliche Schritte gegen ihn unternehmen. Von Seiten der SCA Promotions, die wegen ihrer Verpflichtung, ihm für den Sieg bei der Tour de France 2004 fünf Millionen Dollar Prämie zu zahlen, 2005 vergeblich gegen Armstrong vorgegangen war, hieß es, es werde nach einer Möglichkeit gesucht, ihn auf Rückzahlung die-

Während ich dies schreibe, ist der Ausgang noch längst nicht gewiss, aber eines ist sicher: Es wird nicht angenehm werden. Ich bin sicher, dass Lance alles tun wird, um meine Glaubwürdigkeit ebenso anzuzweifeln wie die seiner anderen Teamkollegen, welche die Wahrheit sagen werden. Am Tag, als die USADA ihre Vorwürfe offiziell bekannt gab, lieferte Lance schon einmal eine Kostprobe seiner Strategie, als er die Identität eines zuvor anonymen Mitglieds des USADA-Untersuchungsausschusses preisgab und von dessen erst kürzlich erfolgter Festnahme wegen unsittlicher Entblößung berichtete. Zudem äußerten USADA-Funktionäre gegenüber ABC News den Verdacht, dass Lance Privatdetektive angeheuert habe, um sie zu beschatten. Im *Wall Street Journal* war zu lesen, dass Livestrong einen Lobbyisten zum Republikaner Jose Serrano, der im Haushaltsausschuss sitzt, geschickt habe, um mit ihm über die USADA und deren Jagd auf Armstrong zu sprechen. Mir ist klar, weshalb Lance zu dieser Strategie greift – immerhin hat sie bereits in der Vergangenheit funktioniert, und zum jetzigen Zeitpunkt hat er wohl kaum eine andere Wahl. Und vielleicht klappt es ja wieder; vielleicht möchte die Öffentlichkeit ihm ja auch weiterhin Glauben schenken. Vielleicht aber haben die Leute es auch einfach satt und wünschen sich, dass alles bald vorbei ist.

Eines jedoch ist sicher: Die Wahrheit wird ans Licht kommen. Weitere ehemalige Radprofis werden sich zu Wort melden, wenn sie älter sind und erkennen, dass es keinen Sinn hat, mit der Lüge zu leben. Sie werden erfahren, wie gut es sich anfühlt, ehrlich zu sein; sie werden erkennen, dass es okay ist, aufrichtig zu sein, die Fakten offenzulegen und für sich selbst

---

ser Summe zu verklagen. »Im Grunde ließen wir ihn wissen, dass wir den Fall genau verfolgen und unser Geld zurückfordern würden, falls ihm der Titel aberkannt würde«, erklärte Jeffrey Tillotson, ein SCA-Anwalt, gegenüber der *New York Times*. »Die Antwort lautete: ›Pech gehabt, das wird nicht passieren. Ich habe nie betrogen.‹ Das war typisch Lance: Ich bin zu 100 Prozent im Recht, und ihr seid zu 100 Prozent im Unrecht.«

zu entscheiden. In der Zwischenzeit werde ich weiter meine Geschichte erzählen – sowohl im großen Rahmen wie im vorliegenden Buch als auch im täglichen Leben.

Kurz vor unserem Umzug nach Montana radelte ich mit meinem Freund Pat Brown durch Boulder. Ich trug Jeans und Sneakers und fuhr mit meinem Stadtrad, einem schweren alten Cruiser mit aufrechtem Lenker und dicken Ballonreifen. Als Pat und ich gerade an einer roten Ampel warteten, rauschten zwei Fahrer in dunklem Lycra auf ihren Tausend-Dollar-Rennmaschinen an uns vorbei. Sie mussten mich erkannt haben, denn einer von ihnen drehte sich um und warf mir einen bedeutungsvollen Blick zu. Als er an mir vorbeifuhr, konnte ich die Aufschrift lesen, die in großen weißen Buchstaben auf seinem Trikot prangte: DOPER SIND SCHEISSE. Ich spürte den alten Adrenalinschub und hatte nur einen einzigen Gedanken: Den Kerl musste ich erwischen.

»Bleib dicht hinter mir«, rief ich Pat zu und machte mich an die Verfolgung. Es war kein fairer Kampf: Die beiden hatten etwa hundert Meter Vorsprung, und sie waren schnell. Und ich auf diesem alten schweren Rad, das gut und gerne 15 Kilo wog. Es muss ziemlich komisch ausgesehen haben, wie ich mit meinen Tennisschuhen und den dicken Reifen wie eine Dampfmaschine hinter ihnen herjagte. Sie schauten sich ein paarmal um; sie wussten, dass wir da waren. Aber sie konnten uns nicht abschütteln. Nach ungefähr eineinhalb Kilometern holte ich sie ein.

Wir schnappten sie an einer roten Ampel. Ich fuhr ganz dicht an sie heran und drängte mich mit meinem breiten Vorderrad direkt zwischen ihre teuren Räder. Sie schauten sich um, und ich sah sie an; ich konnte an ihren Augen ablesen, dass sie ein wenig erschrocken waren. Dann streckte ich den Arm aus, schüttelte dem DOPER-SIND-SCHEISSE-Typ die Hand und lächelte freundlich.

»Hey, ich bin Ex-Doper«, sagte ich. »Aber ich bin nicht Scheiße. Gute Fahrt, Jungs.«

Die beiden fuhren davon, und Pat und ich radelten nach Hause. Ich war glücklich, denn ich begriff, dass das meine Geschichte war. Kein strahlender, schöner Mythos von Superhelden, die jedes Mal gewinnen, sondern die wahre Geschichte eines normalen Jungen, der versuchte, sich in einer verkorksten Welt zu behaupten, und dabei sein Bestes gab; der große Fehler machte und überlebte. Das ist die Geschichte, die ich erzählen möchte und auch weiterhin erzählen werde, weil sie dazu beitragen wird, den Sport voranzubringen, und weil sie auch mir hilft, voranzukommen.

Ich möchte sie Leuten erzählen, die meinen, Doper seien schlechte, unbelehrbare Menschen. Ich möchte sie erzählen, damit die Menschen ihre ganze Energie der eigentlichen Aufgabe widmen: der Schaffung einer Kultur, die die Leute vom Doping abhält. Ich möchte sie erzählen, weil ich sie jetzt erzählen *muss,* um selbst zu überleben.

Bevor wir nach Montana aufbrachen, hatte ich noch eine letzte lästige Arbeit zu erledigen. Ich musste mich um neun große Plastiksäcke kümmern, die ich in der Garage aufbewahrte und die meine Vergangenheit in Form von Fotos, Aktenordnern, Briefen, Rennnummern, Pokalen, Zeitschriften und T-Shirts enthielten. Ich bin schon so etwas wie ein Sammler, und in den Säcken befand sich so ziemlich alles, was ich während meiner Karriere bekommen hatte (sogar ein Streichholzbriefchen aus einem französischen Hotel hatte ich aufgehoben). Ich war erstaunt, wie viel Zeug in den Säcken war.

Ich holte die Artefakte heraus: Meine Rennnummer 42 und ein Streckenplan von meinem ersten großen Rennen, der Tour DuPont 1994, bei der mir der Durchbruch gelang. T-Shirts von der Parade in Marblehead 2003, auf denen stand: TYLER IST UNSER HELD. Eine leuchtend orangefarbene Müslipackung mit Lance in seinem gelben Trikot auf der Vorderseite. Baseballkarten mit unseren Fotos, auf denen wir alle wie Superhelden aussehen. Zerknitterte alte Rennnummern, die auf meinem Trikot aufgenäht waren. Ein großer Schuhkarton voll mit

Briefen von Fans, Kondolenzschreiben zu Tugboats Tod und Briefen von MS-Patienten, die mir ihre Geschichten erzählten.

Das meiste waren Fotos. Gesichter. Kevins verwegenes Lächeln, Frankies strenger, durchdringender Blick. Eki mit einem Glas Champagner und dem unvergleichlichen russischen Grinsen im Gesicht. George und ich Arm in Arm, wie wir uns nach der Tour ein Bier genehmigen, Christians hinterhältiges Grinsen. Das ganze Team gemeinsam im Sonnenschein auf den Champs-Élysées. Meine Eltern, die stolz am Straßenrand stehen mit einem Schild in der Hand: ALLEZ TYLER.

Ich dachte, ich würde es hassen, dieses ganze Zeug durchzusehen. Ich dachte, ich würde Zuckungen kriegen und es am liebsten vergraben wollen. Und ich hatte recht – es war sehr schmerzlich. Trotzdem sah ich die Sachen weiter durch, bis ich zu der Erkenntnis gelangte: *Dieses ganze Zeug ist mein Leben.* All dieses verrückte, chaotische, erstaunliche, furchtbare Zeug, das ist mein Leben.

Ich bin froh, dass in den letzten Jahren wieder mehr Ordnung in meinen Sport gekommen ist. Er ist zwar noch lange nicht hundertprozentig sauber – und ich glaube, das ist auch nicht möglich, solange man mit Menschen zu tun hat, die gewinnen wollen –, aber er ist deutlich besser – und wieder langsamer – geworden. Die Siegerzeit von Alpe d'Huez bei der Tour 2011 lag bei 41:21; 2001 wäre ein Fahrer mit dieser Zeit auf dem 40. Platz gelandet.[3] Dieser Fortschritt ist vor allem auf die besseren Testverfahren, die bessere Durchführung der Tests und den »biologischen Pass« zurückzuführen, ein Programm, bei dem die Blutwerte der Fahrer strenger überwacht werden. Noch gibt es keinen BB-Test, und wenn man den Gerüchten

---

3 Die internen Testergebnisse des UCI spiegeln diesen Wandel wider. Im Jahr 2001 wurden bei 13 Prozent der Fahrer ungewöhnlich hohe oder niedrige Retikulozytwerte oder neu gebildete rote Blutkörperchen festgestellt (ein Hinweis auf die Verwendung von EPO und/oder Transfusionen). 2011 waren es nur noch 2 Prozent.

glauben darf (ich tue es), greifen Fahrer, die entschlossen sind zu dopen, auf kleinere, weniger effektive BBs zurück.

Im Großen und Ganzen bewegen sich die Dinge in die richtige Richtung. Man sieht nicht mehr so häufig Teams, die ein ganzes Rennen dominieren. Auch haben die Fahrer wieder Hochs und Tiefs; man erkennt, dass große Anstrengungen ihren Preis haben, und so soll es sein. Ich liebe diese Art von Radsport, weil er spannender ist, vor allem aber, weil ich glaube, dass er ehrlich ist. Schließlich ist es doch das Menschliche, was wir bei diesen Rennen so schätzen. Jeder Tag bringt Risiken und Belohnungen. Man kann gewinnen, und man kann verlieren. Das ist genau der Punkt.

Heute verbringe ich meine Zeit damit, Leute zu trainieren und sie auf ihrem Weg zu unterstützen. Dabei erlebe ich, wie sich ihr hartes Training auszahlt. Ganz gleich, ob olympiareife Sportler oder völlig normale Leute, die ein paar Pfund abnehmen wollen, ich behandle alle gleich. Nebenbei erzähle ich ihnen ein bisschen aus meinem Leben und versuche ihnen zu erklären, was ich gelernt habe: dass derjenige, der als einer der Letzten ins Ziel kommt, oft mutiger ist als der Sieger. Ich habe das Gefühl, als kehrte ich wieder zu meinen Anfängen als Radrennfahrer zurück, als würde ich wieder der, der ich einmal war. Ich freue mich auf meine zweite Lebenshälfte.

Noch eine Geschichte zum Schluss. Sie passierte am Abend vor der Ausstrahlung des Interviews in *60 Minutes* im Süden von Kalifornien. Ich hielt mich gerade auf dem Balkon des Hotelrestaurants auf, als ein paar Gäste auf mich zukamen, um mit mir zu plaudern. Sie waren große Radsportfans und schauten sich jedes Jahr die Tour de France an. Sie wussten alles über meine Karriere, mein Poster hing bei ihnen an der Wand, und sie sagten, sie würden mich unterstützen, was ich zu schätzen wusste. Natürlich hatten sie keine Ahnung, dass ich in ein paar Stunden in der Sendung *60 Minutes* der ganzen Welt die Wahrheit sagen würde. Dann meldete sich einer der Gäste, ein fitter Typ um die vierzig namens Joe, zu Wort.

»Könnten Sie bitte eine Minute hier stehen bleiben? Ich muss Ihnen unbedingt jemanden vorstellen.«

Joe ging weg und kehrte kurz darauf in Begleitung eines dunkelhaarigen Jungen in einem Pfadfinderhemd zurück, der offenbar sein Sohn war. Der etwa zehnjährige Junge nahm eine aufrechte und stolze Haltung ein; auf seinem Ärmel prangten Verdienstabzeichen.

»Hallo, ich bin Tyler«, sagte ich und schüttelte ihm die Hand.

»Ich heiße Lance«, erwiderte der Junge.

Ich muss einen ziemlich entgeisterten Eindruck gemacht haben, denn Joe berührte meinen Arm und fügte wie zur Erklärung hinzu: »Er wurde 2001 geboren.«

»Oh«, sagte ich und musste bei dem Gedanken an den Namen immer noch schlucken. Ich starrte den Jungen an, der mich ansah, als wüsste er, dass etwas in der Luft lag. Ich hatte keine Ahnung, was ich sagen sollte, deshalb legte ich ihm einfach die Hand auf die Schulter und lächelte ihn an. Der Junge lächelte zurück.

Die ganze Zeit, während wir miteinander sprachen, fühlte ich mich beschissen. Tut mir leid, Junge, dachte ich. Tut mir leid, dass ich in ein paar Stunden dir und deiner Familie wehtun und all das Positive, das du mit deinem Namen verbindest, zerstören werde. Tut mir leid, aber Wahrheit bleibt Wahrheit. Ich hoffe, du kannst das verstehen.

Der kleine Lance und ich unterhielten uns über Pfadfinder, Verdienstabzeichen, Pelikane und Astronomie. Der Junge kannte sich mit Sternbildern aus und zeigte mir ein paar; er wusste, wie weit sie weg waren und wie viele Jahre es dauerte, bis ihr Licht die Erde erreichte. Während wir so redeten, fühlte ich mich durch den Jungen ermutigt. Mir gefiel seine systematische Art zu denken und Dinge zu begreifen und die Rolle, die der Vater als Leitfigur in seinem Leben spielte. Der Junge war stark und clever; er war einfach okay.

Ich dachte mir, ich sollte dem kleinen Lance eine Lebensweisheit mit auf den Weg geben für später, wenn alles herauskam, damit er es begreifen konnte. Aber als wir uns verabschiedeten, war mein Kopf völlig leer, und ich konnte an gar nichts denken. Erst später fiel mir ein, was ich ihm hätte sagen wollen – dasselbe nämlich, was meine Eltern vor langer Zeit zu mir gesagt hatten.

Die Wahrheit macht dich wirklich frei.

FRANKIE ANDREU: Arbeitet als Teamleiter des US-amerikanischen Kenda/5-Hour-Energy-Teams; für *Bicycling.com* kommentiert er die Tour de France. Er lebt mit seiner Ehefrau Betsy und ihren drei gemeinsamen Kindern in Dearborn, Michigan.

JOHAN BRUYNEEL: Hat die Dopingvorwürfe der USADA abgestritten und seinen Fall vor das Schiedsgericht der USADA gebracht, wo er vermutlich im Oktober/November 2012[1] verhandelt wird. Bis zum Vorliegen des Urteils hat er sich auf eigenen Wunsch von seinen Pflichten als Teamleiter von Radio-Shack Nissan Trek beurlauben lassen.

DR. LUIGI CECCHINI: Trainiert in Lucca weiterhin Radprofis.

DR. PEDRO CELAYA: Hat die Dopingvorwürfe der USADA abgestritten und seinen Fall vor das Schiedsgericht der USADA gebracht, wo er vermutlich im Oktober/November 2012[2] gemeinsam mit dem Bruyneels verhandelt wird.

DR. LUIS DEL MORAL: Hat die Dopingvorwürfe der USADA nicht bestritten und wurde auf Lebenszeit für die Arbeit in allen Sportarten gesperrt, für die der WADA-Codex gilt.

---

1 und 2 Stand bei Drucklegung noch aus.

DR. MICHELE FERRARI: Hat die Dopingvorwürfe der USADA nicht bestritten und wurde auf Lebenszeit für alle Sportarten gesperrt, für die der WADA-Codex gilt (außerdem unterliegt er einer lebenslangen Sperre für die Arbeit mit italienischen Radfahrern, verhängt 2002).

Im April 2011 berichtete die *Gazzetta dello Sport*, Ermittlungsbeamte hätten ein Netz von illegalen Geldtransfers unter Leitung Ferraris im Wert von 15 Millionen Euro aufgedeckt. Gegen Ferrari wird weiter ermittelt.

DR. EUFEMIANO FUENTES: Wurde im Dezember 2010 festgenommen und des organisierten Dopings von Rennläufern und Mountainbikern angeklagt. Die Polizei beschlagnahmte EPO, Steroide, Hormone und Bluttransfusionsausrüstung sowie Blutkonserven. Die Anklage wurde später fallen gelassen, als die Ergebnisse abgehörter Telefongespräche und von Razzien, die der Beweissicherung dienen sollten, vor Gericht nicht zugelassen wurden. Fuentes praktiziert weiterhin an seinem Wohnort Las Palmas auf Gran Canaria.

GEORGE HINCAPIE: Stellte mit seiner 17. Tour de France 2012 (für das BMC Racing Team) einen Teilnahmerekord auf und zog sich danach aus dem Radrennsport zurück. Er lebt mit seiner Ehefrau Melanie und ihren beiden gemeinsamen Kindern in Greenville, South Carolina.

MARTY JEMISON: Lebt mit seiner Ehefrau Jill in Girona; die beiden betreiben das Radsportunternehmen Jemison Cycling Tours.

BOBBY JULICH: Zog sich 2008 aus dem aktiven Radrennsport zurück und arbeitet heute als stellvertretender Teamleiter für das Sky-Team.

FLOYD LANDIS: Berichten zufolge tritt Landis als Kläger im laufenden Zivilverfahren gegen Armstrong und die Eigner des US-Postal-Service-Teams auf. Er lebt in Südkalifornien.

KEVIN LIVINGSTON: Eigentümer und Betreiber des Pedal Hard Training Center im Untergeschoss von Mellow Johnny's, Armstrongs Fahrradladen in Austin, Texas. Er lebt mit seiner Ehefrau Becky in Austin.

PEPE MARTÍ: Hat die Dopingvorwürfe der USADA zurückgewiesen und seinen Fall vor das Schiedsgericht der USADA gebracht, wo er vermutlich gemeinsam mit denen Bruyneels und Celayas im Oktober/November 2012 verhandelt wird.

SCOTT MERCIER: Arbeitet als Anlagenberater in Grand Junction, Colorado.

HAVEN PARCHINSKI: Lebt in Park City, Utah, und arbeitet dort in einer Immobilienverwaltung.

BJARNE RIIS: Nach Jahren des Abstreitens aller Dopingvorwürfe legte Riis ein Geständnis ab, nachdem *Memories of a Soigneur* des ehemaligen Team-Telekom-Betreuers Jef D'hont erschienen war. In diesem Buch wird behauptet, Riis habe während der Tour de France 1996, bei der er den Gesamtsieg errang, jeden zweiten Tag 4000 Einheiten EPO und zwei Einheiten menschliches Wachstumshormon genommen und einen Hämatokritwert von bis zu 64 gehabt.

Im Mai 2007 gab Riis auf einer Pressekonferenz zu, zwischen 1992 und 1998 mit EPO, Cortison und Wachstumshormonen gedopt zu haben. »Dafür möchte ich mich entschuldigen«, sagte er. »Trotzdem hoffe ich, meine Rennen haben Ihnen Freude und Spannung gebracht. Ich habe mein Bestes getan.« Riis äußerte sich in seiner Autobiografie Riis: *Stages of Light and Dark* (dt.: Riis – *Etappen in Licht und Schatten*) ausführlich zu seiner Dopingvergangenheit. Gegenwärtig ist er Leiter und Anteilseigner des SaxoBank-Tinkoff-Bank-Radsportteams.

JAN ULLRICH: Nachdem er 2006 des Dopings beschuldigt wurde, beharrte Ullrich auf seiner Unschuld und begann einen langen Rechtsstreit, den er 2008 durch eine außergerichtliche Einigung mit der deutschen Staatsanwaltschaft beendete. Die Betrugsvorwürfe wurden gegen die unbestätigte Zahlung einer sechsstelligen Geldbuße aufgehoben. Der Internationale Sportgerichtshof CAS sperrte Ullrich 2012 für zwei Jahre und erkannte ihm alle Erfolge seit Mai 2005 ab.

In einer Erklärung vom Juni 2012 räumte Ullrich ein, mit Fuentes zusammengearbeitet zu haben, drückte sein Bedauern aus und wünschte, er sei von Anfang an ehrlicher im Umgang mit den Vorwürfen gewesen. Inzwischen betreibt er ein Radsport-Trainingscamp und macht Werbung für das medizinische Shampoo Alpecin, mit dem Slogan »Doping für die Haare«.

CHRISTIAN VANDE VELDE: Fährt für das Garmin-Sharp-Team und lebt mit seiner Ehefrau Leah und den beiden gemeinsamen Kindern in Girona und Chicago.

JONATHAN VAUGHTERS: Ist als Leiter des Garmin-Sharp-Teams tätig und bekleidet das Amt des Vorsitzenden der AIGCP (*Association Internationale des Groupes Cyclistes Professionels,* der Verband der Profi-Radsportteams).

HEIN VERBRUGGEN: Blieb bis 2005 Vorsitzender der UCI und wurde anschließend Leiter der Koordinationskommission für die Olympischen Spiele in Peking. Eine Recherche der BBC ergab 2008, dass die UCI drei Millionen Dollar sittenwidriger Zahlungen von japanischen Rennveranstaltern angenommen hatte; Verbruggen stritt jegliches Fehlverhalten ab.

THOMAS WEISEL: Lebt mit seiner vierten Frau in San Francisco und hat sich aus dem Profi-Radsport zurückgezogen. Seine Firma Thomas Weisel Partner wurde 2010 des Wertpapierbetrugs angeklagt, weil dort angeblich Kundenkonten zugunsten hoher Boni für die Manager der Firma manipuliert worden seien. Ein Verfahren 2011 endete mit einem Schiedsspruch im Wesentlichen zugunsten von TWP; das Unternehmen musste 200 000 Dollar Strafe zahlen und wurde für »beträchtliches« Versagen bei der Aufsicht über die Lohnbuchhaltung gerügt.

TYLER HAMILTON:

Ohne Daniel Coyle gäbe es dieses Buch nicht. Was mit einer einfachen E-Mail begann, ist inzwischen zu einer tiefen Freundschaft geworden. Es ist eine ungeheure Erleichterung, die Arbeit beendet zu sehen, aber unsere manchmal mühsamen, manchmal witzigen und immer interessanten zehnstündigen Skype-Konferenzen werden mir fehlen. (Die könnten wir doch eigentlich beibehalten, oder?) Aber ernsthaft: Danke, Dan.

Andy Ward und der Mannschaft von Random House möchte ich dafür danken, dass sie von Anfang an an dieses Projekt geglaubt haben, sowie für den Fleiß und das Engagement, die sie unter einmaligen Umständen gezeigt haben.

David Black (alias Bulldog): Du bist mein erster, bester und letzter Literaturagent. Vielen Dank für alles und GO RED SOX!!!

Ein besonderes Dankeschön an Melinda Travis, weil sie mir in allen Widrigkeiten beisteht.

Ein gigantisches, von Herzen kommendes Danke an meine außergewöhnlichen Eltern Lorna und Bill, die mir die wahre Bedeutung von Dankbarkeit und Demut gezeigt haben. Ihr habt mich gelehrt, dass die Wahrheit mich frei macht, und Ihr hattet recht. Ich sehe jetzt klar, und der Alpdruck ist vorbei. Um mehr Solidarität hätte ich nicht bitten können. Ebenso von Herzen kommt mein Dank an meine Geschwister Geoff und Jenn für ihre enorme Unterstützung und Ermutigung, während ich dieses Buch geschrieben habe. Das Auf und Ab meiner Karriere war für unsere Familie nicht ohne Schwierigkeiten, aber wir hätten es ohne Eure bedingungslose Liebe und Unterstützung nicht geschafft. Ihr seid die Größten!

Dank an Haven Parchinski für ihre anhaltende Freundschaft, an Steve Pucci für sein Vertrauen, an Phil Peck für seine Klugheit, an Chris Manderson für seine Herzlichkeit und Großzügigkeit, an Dr. Charles Welch für sein Verständnis und seine Anleitung, und besonders an Robert Frost, Erich Kaiter, Patrick Brown, Jill Alfond, Matty O'Keefe and Guy Cherp für ihre ganz besondere Freundschaft.

Dank an jeden einzelnen meiner alten Teamkameraden bei Montgomery, US Postal Service, CSC, Phinak und Rock Racing für all die guten Zeiten, die wir nie vergessen werden.

Ein besonders laut nachhallender Dank an Jam »Capo« Capra als Fels in der Brandung. Du hast den Lenker meines Geschäfts ergriffen, als ich ihn nicht mehr im Griff hatte. Ohne Dich gäbe es Tyler Hamilton Training LLC nicht.

Jimmy Huega, mögest Du in Frieden ruhen. Mir geht es besser, weil Du ein Teil meines Lebens warst.

Grazie mille an meine europäische Familie: Cecco, Anna, Anzano und Stefano.

Dankeschön, Tanker, dass ich ständig über dich stolpere.

Und schließlich an Lindsay, meine wunderbare Ehefrau: Danke für Deine Bereitschaft, Deinen Mut und Deine Begeisterung für diese Reise in meine Vergangenheit – und natürlich für die Liebe und Kameradschaft, die Du in unser gemeinsames Leben mitbringst. Du machst das Gute erst möglich.

DANIEL COYLE:

Ich möchte Lindsay Hamilton, Mike Paterniti, Tom Kizzia, Mary Turner, Mark Bryant, John Giuggio, Paul Cox, Trent MacNamara, Kaela Myers, Allison Hemphill, Jim Capra,

Robert Frost, Jim Aikman, Ken Wohlrob, Kim Hovey, Cindy Murray, Benjamin Dreyer, Steve Messina, Bill Adams, Jennifer Hershey und Libby McGuire danken. Des Weiteren gilt mein Dank der guten Arbeit von David Walsh, Pierre Ballester und Paul Kimmage. Besonderer Dank an meinen wunderbaren Agenten David Black, meinen genialen Lektor Andy Ward und meinen Bruder Maurice Coyle, dessen Einfluss auf dieses Buch (und alle meine anderen Bücher) unermesslich groß ist. Ich möchte meinen Eltern Maurice und Agnes, meinem Bruder Jon, meinen Kindern Aidan, Katie, Lia und Zoe und meiner Frau Jen danken, die alles in Gang hält. Vor allem danke ich Tyler Hamilton für seine Ehrlichkeit, seinen Mut und seine Freundschaft.

WEITERFÜHRENDE LITERATUR

Ariely, Dan: *The (Honest) Truth About Dishonesty*. Deutsch: *Die halbe Wahrheit ist die beste Lüge: Wie wir andere täuschen – und uns selbst am meisten*

Kimmage, Paul: *Rough Ride*. Deutsch: *Raubeine rasiert. Bekenntnisse eines Domestiken*

Millar, David: *Racing Through The Dark*. Deutsch: *Vollblutrennfahrer*

Rendell, Matt: *The Death of Marco Pantani*

Riis, Bjarne: *Riis: Stages of Light and Dark*. Deutsch: *Etappen in Licht und Schatten*

Voet, Willy: *Breaking the Chain*. Deutsch: *Gedopt. Der Ex-Festina-Masseur packt aus. Oder: Wie die Tour auf Touren kommt*

Walsh, David: *From Lance to Landis*

Whittle, Jeremy: *Bad Blood*

Woodland, Les: *The Crooked Path to Victory*. Deutsch: *Halbgötter in Gelb: Das Lesebuch zur Tour de France*

Tucker, Dr. Ross: »The Effect of Epo on Performance: Who Wouldn't Want to Use It?«, *http://www.sportsscientists.com/2007/11/effect-of-Epo-on-performance-who.html*.

Interview mit Dr. Michael Ashenden über Armstrongs vermuteten EPO-Gebrauch während der Tour de France 1999. *http://nyvelocity.com/content/interviews/2009/michael-ashenden*.

Gerichtsprotokoll zu Armstrongs Klage 2005 gegen seinen ehemaligen Assistenten Mike Anderson. *http://alt.coxnewsweb.com/statesman/sports/040105_lance.pdf.*

Beeidigte Aussage Lance Armstrongs im SCA-Promotions-Vergleichsverfahren 2005. *http://www.scribd.com/doc/3183 3754/Lance-Armstrong-Testimony.*

Lance Armstrongs Aussage im SCA-Verfahren ist als Video einsehbar unter: *http://nyvelocity.com/content/features/2011/ armstrong-sca-deposition-videos*